Тана
Френч
Искатель

Tana French

The Searcher

Тана Френч

Искатель

роман

Перевод с английского
Шаши Мартыновой

phantom press

Москва

УДК 821.111
ББК 84(7Сое)
Ф87

18+

Публикуется при содействии *Darley Anderson Literary, TV & Film Agency* и *The Van Lear Agency*

Перевод с английского Шаши Мартыновой
Редактор Максим Немцов

Оформление обложки и макет Андрея Бондаренко

Тана Френч
Ф87 Искатель. Роман / Пер. с англ. Ш. Мартыновой. — М.: Фантом Пресс, 2022. — 416 с.

Красивейшая глубинка Западной Ирландии, неспешная сельская жизнь, редкая для наших дней идиллия. Келвин Хупер, немолодой бывший полицейский из Чикаго, по стечению житейских обстоятельств погружается в этот тихий деревенский омут с обаятельнейшими, колоритными чертями. На остров он переезжает, мечтая о живописных пейзажах, свежем воздухе, покое и душевном общении с остроумными местными, а в итоге берется за ту работу, от которой тщетно пытался сбежать: местный подросток обращается к нему за помощью в поисках пропавшего брата. И с тем, как и почему здесь все так устроено от начала времен, Келу предстоит познакомиться очень близко, испытать на собственной шкуре.

ISBN 978-5-86471-882-7

Для Энн-Мари

I

Когда Кел выходит из дома, грачи с чем-то возятся. Их шестеро, толпятся на дальней лужайке в высокой мокрой траве среди желтых цветочков, толкаются, скачут. Что-то они там добыли себе, оно мелковатое и все еще шевелится.

Кел ставит на крыльцо мусорный мешок с обоями. Подумывает, не достать ли охотничий нож и не освободить ли зверушку от страданий, но грачи живут тут намного дольше Кела. Довольно-таки нагло с его стороны получится — эдак влезть в их дела. Он опускается на заросшую мхом ступеньку рядом с мусорным мешком.

Грачи ему нравятся. Где-то читал, что они адски умнющие: учатся узнавать человека и даже подарки ему носят. Кел тут уже три месяца пытается улещивать их объедками — оставляет их на здоровенном пне в глубине сада. Птицы посматривают, как он шастает туда-сюда по траве, с увитого плющом дуба, где обустроили себе колонию, и когда Кел отходит на безопасное расстояние, налетают и принимаются громогласно вздорить и галдеть над едой, однако циничного взгляда с Кела не сводят и, стоит ему попробовать приблизиться, сразу ретируются на дуб, а оттуда дразнятся и роняют Келу веточки на голову. Вчера после обеда он хлопотал в гостиной — обдирал заплесневелые обои, и гладенький грачик присел на открытое окно, проорал что-то очевидно оскорбительное, после чего, хохоча, упорхнул.

Та зверушка на лужайке отчаянно извивается, сотрясает высокую траву. Здоровенный папаша-грач прыгает поближе, точно и свирепо нацеливает один-единственный удар клювом, и зверушка затихает.

Может, кролик. Кел видел, как рано поутру они снуют и кормятся в росистой траве. Норы у них где-то в поле на задах, под обширными зарослями орешника и рябины. Как только пришлют разрешение на оружие, Кел собирается проверить, помнит ли дедовы наставления, как свежевать дичь, и снизойдет ли здешний широкополосный интернет с ослиным темпераментом одарить Кела рецептом рагу из кролика. Грачи столпились, клюют настойчиво, вцепляются когтями, раздергивают плоть, их все больше слетается с дерева, они теснят друг дружку в кутерьме.

Какое-то время Кел наблюдает за ними, вытягивает ноги, вращает плечом в суставе. Работая по дому, он задействует мышцы, о существовании которых забыл. Ежеутренне обнаруживает новые боли, хотя некоторые, скорее всего, от сна на полу на дешевом матрасе. Кел слишком стар и громоздок для таких ночевок, но нет смысла привозить хорошую мебель в эту пыль, сырость и плесень. Он все закупит, когда приведет дом в порядок и сообразит, где тут это всё покупают, — таким прежде занималась Донна. А у Кела пока пусть болит. Ему такая боль в удовольствие. Вместе с волдырями и грубеющими мозолями боль — крепкое, заслуженное доказательство того, чтó она такое теперь, его жизнь.

Уже надвигается прохладная сентябрьская долгота вечера, но сейчас облачно и потому никаких следов заката. Небо, испятнанное неуловимыми оттенками серого, тянется нескончаемо — как и поля, окрашенные оттенками зеленого в зависимости от использования, иссеченные разросшимися изгородями, стенками сухой кладки да кое-где узкими проселками. Далеко на севере вдоль горизонта пролегает полоса невысоких гор. Глаза Кела все еще привыкают к такому простору — после стольких лет в городских кварталах. Пейзаж — та редкая часть действительности из всех ему известных, что не подведет никогда. В интернете запад Ирландии смотрелся прекрасно; прямо из самой его сердцевины окрестности смотрятся еще краше. Воздух насыщен, как бисквит, и словно годится не только для дыхания — можно куснуть и набить полный рот или, скажем, втереть пригоршню в лицо.

Чуть погодя грачи утихомириваются — близится конец трапезы. Кел встает, вновь берется за мешок с мусором. Грачи бросают на него сметливые быстрые взгляды и, когда он входит в сад, поднимаются в воздух и тащат свои сытые брюшки к себе на дерево. Кел волочет мешок в угол к обветшалому каменному сараю, оплетенному вьюнком, по дороге останавливается глянуть, чем там ужинали грачи. Так и есть — кролик, молоденький, хоть теперь и едва узнаваемый.

Кел оставляет мусорный мешок рядом с остальными и возвращается к дому. Почти доходит, но тут грачи вдруг срываются, шебуршат в листве и кого-то костерят. Кел не оборачивается и не сбивается с шага. Цедит очень тихо сквозь зубы, закрывая за собой дверь:

— Мать вашу.

Последние полторы недели за Келом кто-то посматривает. Возможно, и дольше, но голова у него была занята своим, и Кел, как любой другой посреди этих пустошей, принимал за должное то, что он тут один. Аварийная сигнализация у него в голове отключилась — в точности как он и хотел. Но однажды вечером готовил ужин — жарил гамбургер на единственной рабочей горелке изъеденной ржавчиной плиты, в колонке "айпода" на всю катушку Стив Эрл*, Кел время от времени лупил по воображаемым барабанам, — и вдруг в загривке начало припекать.

За четверть века в полиции Чикаго загривок у Кела натренирован что надо. Кел относится к таким сигналам серьезно. Непринужденно прошелся по кухне, потряхивая головой в такт музыке и скользя взглядом по шкафам, будто ему чего-то не хватает, а затем резко метнулся к окну: снаружи никого. Увернул горелку и устремился к двери, но в саду пусто. Под миллионом свирепых звезд и луной, на какую в самый раз выть, Кел обошел

* Стивен Файн Эрл (р. 1955) — американский рок-, кантри- и фолк-певец и автор песен, продюсер, актер. — *Здесь и далее примеч. перев.*

периметр; поля расстилались, белея, во все стороны, вякали совы — и ни души.

От какого-нибудь зверя шум, решил Кел, — сам-то потонул в музыке, вот только бессознательное чутье уловило. Потемки в этих краях оживленные. Сиживал Кел несколько раз на ступеньках далеко за полночь, пиво-другое, привыкал к ночной поре. Видел хлопотавших в саду ежей, лису — она замерла на пути по своим делам и пристальным взглядом бросила ему вызов. Как-то раз вдоль изгороди трусил барсук, крупнее и мускулистее, чем Кел предполагал, а потом скрылся; через минуту послышался одиночный пронзительный визг, следом зашуршало: барсук удалялся. Возиться тут мог кто угодно.

В ту ночь, прежде чем лечь, Кел поставил на подоконник у себя в спальне две кружки и две тарелки, а дверь в комнату подпер старым бюро. После чего обозвал себя недоумком и все убрал.

Пару дней спустя обдирал обои — окно нараспашку, чтоб пыль наружу, — и тут грачи метнулись тучей со своего дерева, вереща на что-то внизу. Шустрый след шороха, устремившийся прочь за изгородь, показался не ежиным и не лисьим — слишком уж заметен и шумен, даже барсук мелковат для такого. Добрался туда Кел опять с опозданием.

Возможно, местным детям скучно и они следят за новеньким. Делать в этих краях особо нечего: не деревня, а фитюлька, ближайшее сельцо — в пятнадцати милях. Даже просто допуская что-то еще, Кел сам себе кажется дураком. Март, его ближайший сосед дальше по дороге, и дверь-то не запирает — только на ночь. Услыхав это, Кел вскинул бровь, скуластое же лицо Марта сморщилось, и он хохотал, пока не захрипел.

— Ты глянь на это, — вымолвил он, показывая на дом Кела. — Что у тебя воровать? И кому? Я, что ль, полезу утром стирку твою пощупать, освежить себе вкус на моду?

Кел тоже рассмеялся и ответил, что Марту бы это не помешало, на что Март уведомил Кела, что гардероб у него мировецкий, а вот планов на кадреж никаких, и взялся объяснять почему.

Но кое-что все же не дает ему покоя. Так, пустяки, однако потрескивает у Кела на кромке легавого чутья. Кто-то перегазовывает в три часа ночи вдали на глухих проселках — утробные бурливые рыки. Пацанчики, сгрудившиеся в дальнем углу паба, чересчур юные и одетые не по-здешнему, болтают чересчур громко и чересчур быстро, да и выговор у них несообразный; Кел входит — и они головами р-раз, глазеют на секунду дольше нужного. Кел старательно не говорил никому, чем он в прошлом занимался, но и одного того, что ты чужак, может быть достаточно — смотря как повернется.

Дурила, говорит себе Кел, включая горелку под сковородой и глядя в кухонное окно на тускнеющие зеленые поля; пес Марта трусит подле овец, а те мирно бредут к своему загону. Слишком много лет на дежурствах в дурных районах — тут и селяне покажутся бандюгами.

Скучающие дети, десять к одному. Но все равно Кел уже приглушает музыку, чтоб ничего не упустить, подумывает, не поставить ли сигнализацию, — и это его бесит. Годы напролет Донна бросалась к ручке громкости: "Кел, у соседей младенец пытается уснуть! Кел, миссис Скапански после операции, считаешь, надо рвать ей барабанные перепонки? Кел, что соседи подумают? Что мы дикари?" Своей земли ему хотелось отчасти для того, чтобы врубать Стива Эрла на такую громкость, какая сшибает белок с деревьев, а забраться в жопу мира — в том числе и затем, чтоб не надо было устанавливать сигнализацию. Кажется, он, к примеру, и яйца себе устроить поудобней не может, не озираясь, а уж такое у себя в кухне любому должно быть позволено. Дети там или нет, пора кончать с этим.

Дома он бы решил эту задачу парочкой старых добрых скрытых камер, грузивших отснятое прямиком в облако. Здесь, даже если вай-фай справился бы, что сомнительно, от самой затеи нести запись в ближайший участок Кела не перло. Неизвестно, что может начаться — соседская вражда, или, может, тот, кто подглядывает, окажется легавому двоюродным, или еще невесть что.

Подумывает насчет натяжной проволоки. Они вообще-то незаконны, но Кел вполне уверен, что ничего особенного: тот же Март уже дважды предлагал ему купить у него нелицензированный дробовик — дескать, лежит без дела, — и все садятся за руль по дороге из паба. Беда, опять-таки, в том, что Кел понятия не имеет, какую кашу может заварить.

Или какую уже заварил. Слушая Марта, Кел начинает догадываться, как тут все запутано и до чего пристально стоит следить за тем, куда ногу ставишь. Нори́н, которая держит лавку на коротенькой двойной линии построек, считающейся деревней Арднакелти, не заказывает печенье, которое нравится Марту, из-за причудливой эпопеи 80-х, связанной с ее дядьями, отцом Марта и пользованием пастбищами; с обитающим за горками фермером, кого не упоминают по имени, Март не разговаривает, потому что тот купил щенка, которого зачал пес Марта, хотя вроде б не должен был. Есть и другие похожие истории, хотя Кел не все их слышал внятно, поскольку Март свои рассказы ведет обширными петлями, а Кел к тому ж не до конца разбирает местный говор. Келу он нравится — насыщенный, как здешний воздух, игольчато-острый, напоминает холодную речную воду или горный ветер, — но куски сказанного пролетают мимо, он отвлекается, прислушиваясь к ритмам, и упускает еще больше. Впрочем, разобрал он достаточно, чтобы понять: есть риск сесть на чей-то табурет в пабе или оплошно срезать, гуляючи, не по тому участку земли, и могут быть последствия.

Приехав сюда, Кел был готов к тому, что чужака встретят в штыки. Ладно, пусть так, лишь бы не подпалили жилье, — не нужны ему ни напарники по гольфу, ни званые ужины. Но все обернулось иначе. Люди отнеслись по-соседски. В день приезда, когда Кел взялся таскать вещи в дом и из дома, прибрел Март и оперся о калитку, принялся выспрашивать, что да как, а кончилось дело тем, что приволок старый мини-холодильник и посоветовал хороший строительный магазин. Норин объяснила, кто кому какой двоюродный, как подключиться к местному водоснабжению и — погодя, когда Кел ее раз-другой насмешил, — начала предлагать, в шутку лишь наполовину, свести Кела со своей овдовевшей сестрой. Старики, безвылазно, судя по всему, обитающие в пабе, перешли от кивков к замечаниям о погоде и далее к пылким объяснениям спорта под названием хёрлинг, который, по мнению Кела, похож на то, что получится, если оставить скорость, ловкость и свирепость хоккея на льду, но вычесть лед и почти всю защитную экипировку. До прошлой недели он предполагал, что его тут приняли если и не с распростертыми объятиями, то хотя бы как умеренно занимательное природное явление — как, скажем, морского котика, поселившегося в реке. Очевидно, он навсегда останется пришлым, но ему уже начало казаться, что это пустяки. Теперь все не так однозначно.

Так вот, четыре дня назад Кел поехал в город и купил здоровенный мешок садовой почвы. Он отдает себе отчет, до чего это несуразно — докупать себе землю после того, как он потратил бóльшую часть своих сбережений на десять акров этой самой земли, но почва в его владениях груба и комковата, вся сплошь травяные корни и острые камешки. А для его дела земля нужна мелкая, влажная, однородная. На другой день он встал до рассвета и насыпал слой этой земли у стен дома, под каждым окном. Чтобы добраться до приличной поверхности, пришлось выполоть сорняки, вьюнки и счистить камешки. Воздух пробирал холодом до самого дна легких. Постепенно поля вокруг посветлели; проснулись и взялись препираться грачи. Когда небо озарилось и смутно донесся повелительный свист Марта, адресованный его пастушьей собаке, Кел смял мешок из-под почвы, сунул в мусор и ушел в дом готовить завтрак.

Назавтра утром — ничего; на следующее утро — ничего. Наверное, в прошлый раз подобрался к ним ближе, чем ему показалось, — видать, напугал. Кел продолжил заниматься своими делами и взгляд на окна и изгороди не бросал.

Сегодня утром — следы, на земле под окном гостиной. Судя по отпечаткам рифления, кроссовки, но следы слишком затоптанные и внахлест, чтобы разобрать размер и количество ног.

Сковородка разогрета. Кел бросает на нее четыре кусочка бекона — мясистее и вкуснее того, к какому привык, — и, когда жир начинает шкворчать, разбивает два яйца. Подходит к "айподу", пристроенному на том же деревянном столе, оставленном хозяевами, за которым ест: вся нынешняя Келова мебель сводится к этому столу, брошенному деревянному бюро с пробитой боковиной, двум колченогим пластиковым стульям и громоздкому зеленому креслу, которое выкинул двоюродный брат Марта, — включает Джонни Кэша*, не слишком громко.

Первое, что могло бы кого-то взбесить, — сама покупка этого дома. Кел выбрал его на интернет-сайте, поскольку к дому прилагалось сколько-то земли, а рядом хорошая рыбалка, крыша с виду крепкая — и ему хотелось заглянуть в те бумаги, что виднелись в старом бюро. Давненько не случалось с Келом такой охоты пуще неволи — тем более есть повод ввязываться. Агенты по недвижимости просили тридцать пять килоевро. Кел предложил тридцать — наличными. Чуть руку не откусили.

Ему тогда не пришло в голову, что это место может быть лакомым для кого-то еще. Приземистое, серое, неприметное строение 1930-х годов, пятьсот с чем-то квадратных футов**, крыто шифером, окна створчатые, и только здоровенные угловые камни и обширный каменный же очаг придавали дому некоторую изысканность. Судя по фотоснимкам на сайте, дом забросили много лет или даже десятилетий назад: краска опадала громадными лоскутами и крапинами, комнаты завалены перевернутой темно-бурой мебелью и гниющими занавесками в цветочек, перед входной дверью проросли молодые деревца, у разбитого окна стелются вьюнки. Но с тех пор Кел достаточно разобрался, что к чему, и понял, что это место и впрямь могло быть кому-то желанно, даже если причины не очевидны с ходу, и этот кто-то, считавший, будто имеет право на дом, возможно, относится к этому серьезно.

Кел выкладывает поджаренное на пару толстых хлебных ломтей, добавляет кетчуп, достает из мини-холодильника пиво и несет еду на стол. Донна ввалила бы ему за то, как он теперь питается, — маловато клетчатки и свежих овощей, — но факт остается фактом: с тех пор как пробавляется со сковородки и из

* Джон Кэш (1932–2003) — американский кантри-, рокабилли-, фолк-, блюз-, рок-исполнитель, автор песен, музыкант, актер.

** Около 47 кв. м.

микроволновки, Кел сбросил чуток фунтов — а может, и не чуток. Он это чувствует, причем не только по поясу на штанах, но и в своих движениях: у всего, что он делает, появилась удивительная новая легкость. Поначалу настораживало, будто сила тяжести его отпустила, но он привыкает.

Физические нагрузки — вот в чем все дело. Чуть ли не ежедневно Кел час или два гуляет, без всякой отчетливой цели, просто следует чутью, осваивает новые края. Многие дни сверху льет, ну и ладно, у Кела просторная вощеная куртка, а дождь тут такой, под каким ему никогда прежде не доводилось бывать, — тонкая нежная дымка, она словно неподвижно висит в воздухе. Капюшон Кел обычно не накидывает, чтобы ощущать эту дымку лицом. Он не только видит дальше привычного, но и слышит: время от времени блеет овца, или ревет корова, или покрикивает фермер — все это долетает будто за несколько миль, разбавленное и смягченное расстоянием. Иногда Кел замечает фермеров, те занимаются своими делами в полях или трюхают по узкому проселку на тракторе, и когда они проезжают мимо, Кел приветственно вскидывает руку, вжимаясь в буйную живую изгородь. Ему попадаются крепко сбитые женщины, тягающие несусветные тяжести по захламленным дворам ферм, краснощекие малыши таращатся на него через заборы, посасывая батончики, а поджарые псы заходятся громовым лаем. Бывает, с дикой высоты над ним подаст голос птица или вдруг фазан взовьется вихрем из подлеска, стоит подойти поближе. Кел возвращается домой с ощущением, что, все побросав и приехав сюда, сделал верный выбор.

Между прогулками привлечь внимание Кела, в общем, нечему, и потому он с утра до ночи преимущественно возится по дому. Появившись здесь, он первым делом обмел толстый кокон из паутины, пыли, дохлых жуков и всякого другого, что здесь прилежно заполняло собою каждый дюйм. Затем вставил новые стекла в окна, заменил унитаз и ванну — и то и другое кто-то с глубокой неприязнью к сантехнике хорошенько расколотил кувалдой, — чтоб уже перестать срать в дыру в полу и мыться из ведерка. Кел не слесарь, но всегда был рукастым, да и на

Ютьюбе есть видеоинструкции, когда интернет не подгаживает; все удалось.

Далее он некоторое время повозился со скарбом, каким были завалены комнаты, — не спеша, уделяя внимание каждому предмету. Кто б ни жил тут до него, к религии эти люди относились серьезно, иначе откуда изображения святой Бернадетты, Девы Марии с досадливым ликом, а также некоего Падре Пио*, все в дешевых рамках — и все желтеют по углам, брошенные менее рьяными наследниками. Любили здесь и сгущенку — пять банок нашлось в кухонном шкафу, пятнадцать лет как просроченные. Остались от хозяев фарфоровые чашки с розовым рисунком, ржавые сковородки, скрученные в рулоны клеенчатые скатерки, статуэтка ребенка в красной мантии и в короне, голова приклеена, а еще коробка с двумя старомодными мужскими штиблетами, заношенными до трещин и начищенными до блеска, все еще заметного. Кел с некоторым удивлением не обнаружил никаких следов подростков — никаких пустых пивных банок, сигаретных бычков или использованных презервативов, никаких граффити. Прикинул, что для сопляков это место слишком глухое. В свое время ему это показалось преимуществом. Теперь Кел в этом сомневается. Хотелось бы иметь в списке эту вероятность — что это подростки наведываются на свое старое тусовочное место.

Бумаги в бюро оказались не очень интересными: статьи, вырезанные из газет и журналов, сложенные ровными прямоугольниками. Кел попытался определить некую объединяющую нить в этих статьях, но без толку: речь в них шла, среди прочего, об истории бойскаутов, о том, как растить душистый горошек, о мелодиях для вистла**, об ирландских миротворческих силах в Ливане, а также приводился рецепт чего-то под названием “валлийский гренок”. Кел их сберег — как то, что в некотором

* Святая Бернадетта (Бернадетта Субиру, 1844—1879) — французская католическая святая, которой были видения Девы Марии; местом массового паломничества Лурд стал из-за этих видений. Падре Пио (1887—1968) — итальянский католический святой, монах-капуцин, стигматик, чудотворец.

** Вистл (также тин-вистл, от англ. *tin whistle*) — народный духовой инструмент, жестяная продольная флейта, популярная в Ирландии, Шотландии, Англии.

смысле привело его сюда. Почти все остальное выкинул, включая занавески, что теперь казалось ему не лучшим решением. Подумывал, не извлечь ли их из груды мусорных мешков, что копились за сараем, но какое-нибудь животное уже наверняка либо погрызло их, либо обоссало.

Кел заменил желоба и водостоки, влез на крышу, чтобы изгнать из печной трубы упрямую поросль с желтыми цветочками, ошкурил и надраил старые дубовые половицы и вот взялся за стены. У последнего обитателя были поразительно непривычные вкусы в обустройстве дома — или несколько ведер дешевой краски. Спальня Кела когда-то была глубокого, насыщенного цвета индиго, пока сырость не испятнала всё потеками плесени и бледными кляксами голой штукатурки. Спальня поменьше — светло-мятная зелень. Столовая часть гостиной — ржавого красно-бурого, намазанного поверх многих слоев отлипавших обоев. Неясно, что происходило в кухонной части, ее вроде бы собирались отделать плиткой, но отвлеклись, а в уборной и этих усилий не приложили: крошечная пристройка на задах дома, стены оштукатурены, голые половицы кое-как прикрыты остатками зеленого ковра, как будто обустраивали это помещение инопланетяне, наслышанные о том, что есть такая штука — уборная, но без подробностей. Келу — шести футов четырех дюймов ростом — приходилось втискиваться в ванну, едва ли не складываясь коленями к подбородку. Когда выложит всё здесь кафелем — поставит душ, но это подождет. Надо успеть с покраской, пока не испортилась погода и можно держать окна открытыми. Уже случались дни, и не один-два подряд, когда небо делалось плотно-серым, от земли поднимался холод, а ветер катился прямиком сотни миль и сквозь дом Кела, словно нет никакого дома, — предупреждал, что придет зима. Ничего и близко к сугробам и минусовым температурам чикагской зимы — это Кел знает из интернета, — но тем не менее нечто состоятельное само по себе, нечто стальное, неуловимое, не без каверзы.

За едой Кел оглядывает плоды дневных трудов. За годы обои кое-где вросли в стены, а потому отдирать их — дело небыстрое, но уже полкомнаты очищено до голой штукатурки; стена вокруг бугристой каменной арки камина — все еще потертого красно-бурого цвета. Кел обнаруживает в себе нечто неожиданное, ему все это нравится как есть. Оно кое-что подразумевает. Кел не художник, но будь он им, ему б захотелось ненадолго оставить все вот так, написать картину-другую с натуры.

Посреди трапезы он все еще размышляет о красной стенке, и тут загривок у него вновь начинает жечь. На сей раз Кел улавливает причину: слышна краткая неуклюжая возня, едва ли не сразу притихшая, будто кто-то споткнулся в зарослях за окном, но сумел удержаться на ногах.

Кел лениво и щедро откусывает от сэндвича, запивает долгим глотком пива, утирает пену с усов. Затем кривится, срыгивая, подается вперед, чтобы поставить тарелку. Поднимается со стула, щелкает шеей и направляется к сортиру, попутно возясь с пряжкой ремня.

Окно в уборной открывается гладко и бесшумно, будто его обработали смазкой, — так и есть, обработали. Кел еще и потренировался влезать на бачок и выбираться в окно, и удается ему это куда ловчее, чем можно ожидать от человека его габаритов, что не отменяет факта: одна из причин, почему он ушел из дежурных полицейских, — в том, что с него хватит лазать черт-те где в погоне за балбесами, творящими всякую дурацкую хрень, и планов возвращаться к этому занятию у Кела нет. Он приземляется снаружи, сердце ускоряется до привычного охотничьего темпа, задница чиркает по оконной раме, досада нарастает.

Ничего лучше обрезка трубы в кустах, оставшегося после возни с туалетом, у него нет. Но, даже взявшись за трубу, он чувствует себя с пустыми руками, слишком легким — без ствола-то. Минуту стоит, замерев, дает глазам привыкнуть, прислушивается, однако ночь пронизана мелкими звуками, и какой из них больше относится к делу, не выбрать никак. Стемнело; взошла луна, острый ломтик, вдогонку ей — драные облака, от луны свет бледный, ненадежный и слишком много теней. Кел перехватывает трубу половчее и трогается с места, выдерживая старый выученный компромисс между скоростью и беззвучностью, к углу дома.

Под окном гостиной таится комок более густой тьмы, неподвижен, голова аккурат на той высоте, чтоб заглянуть через подоконник. Кел внимательно присматривается, изо всех сил, но в траве вокруг все чисто — вроде всего один. Во всплеске света от окна Кел видит стрижку под машинку и красное пятно.

Кел роняет трубу и бросается. Намерен зафиксировать полностью, повалить человека, а дальше разбираться, но ступня попадает на камень. За ту секунду, которую Кел ловит руками равновесие, человек подскакивает вверх и прочь. Кел кидается почти в полную темноту, хватает руку и дергает изо всех сил.

Человек летит на Кела слишком легко, а рука слишком тонкая, пальцы туго смыкаются вокруг нее. Ребенок. Это осознание ослабляет Келу хватку. Малявка выдирается, как камышовый кот, сопит с присвистом и впивается зубами Келу в руку.

Кел ревет. Малявка выпрастывается на волю и улепетывает по саду ракетой, ноги в траве почти беззвучны. Кел бросается следом, но ребенок в несколько секунд исчезает в путанице теней у придорожной изгороди, и когда Кел оказывается рядом, беглеца уже нет. Кел протискивается сквозь изгородь, высматривает на дороге, стиснутой до блеклой ленты лунными тенями от кустов, обступающих ее. Ни души. Кидает несколько камешков по зарослям, спугнуть ребенка, — ничего.

Вряд ли у мальца было подкрепление, он бы крикнул — позвал на помощь или предупредил бы, — но на всякий случай Кел обегает сад кругом. Грачи спят, не потревоженные. Новые отпечатки на земле под окном в гостиной — то же рифление, что и в прошлый раз; больше нигде. Кел отступает в густую тень сарая и ждет долго, пытается заглушить свое сопение, но ни в каких изгородях никакого шороха, никакая тень не крадется по полям. Всего один — и тот ребенок. И не возвращается — по крайней мере, сегодня.

Вернувшись в дом, Кел осматривает руку. Малявка тяпнул его будь здоров: три зуба прокусили кожу, в одном месте кровит. Кела уже разок кусали — при исполнении, что обернулось вихрем бумажек, собеседований, анализов крови, юридической возни, таблеток и судебных разбирательств, тянувшихся месяцами, пока Келу не надоело следить, что там к чему и зачем, и он просто показывал руку или ставил подпись, когда просили. Сейчас он находит аптечку, некоторое время вымачивает руку в антисептике, после чего заклеивает пластырем.

Еда остыла. Он заряжает ее в микроволновку, возвращается с ней к столу. Джонни Кэш все еще играет, оплакивая утраченную Роуз и сыночка* глубокой надломленной трелью, будто и сам уже отлетевший дух.

Келу не так, как он предполагал. Дети, шпионящие за новеньким, — как раз на это он и надеялся, лучший расклад из возможных. Кел прикидывал, что проорет некие смутные угрозы им вслед, когда они будут удирать, вопя, хохоча и выкрикивая гадости через плечо, а затем покачает головой и уйдет в дом, говнясь, словно какой-нибудь старый хрыч, насчет современных детишек, и дело с концом. Может, время от времени они станут возвращаться, но Келу это, в общем, нипочем. Он бы продолжил заниматься ремонтом, слушать громкую музыку и обустраивать себе яйца в штанах в свое, черт бы драл, удовольствие, а легавое чутье свое отправил бы на покой, где ему самое место.

Да вот только чует он, что дело тут не с концом, а легавому чутью на покой не уйти. Дети, если им по приколу лезть на рожон, заявляются ватагой, и они наглые, накрученные своей же дерзостью, как кофеином. Кел думает о том, как тихо сидел тот малой под окном, о его безмолвии, когда Кел его схватил, о змеиной свирепости, с какой малолетка его тяпнул. Этот малой не развлекался. У малого тут была цель. Он еще вернется.

Кел доедает, моет посуду. Приколачивает кусок холстины к окну в уборной, быстро споласкивается. Затем укладывается на матрас в темноте, руки под голову, смотрит в окно на испятнанную облаками россыпь звезд и слушает, как где-то в полях дерутся лисы.

* Речь о песне *Give My Love To Rose* (1957).

2

Развалина бюро, когда Кел выволакивает его наружу и хорошенько осматривает, оказывается древнее, чем казалось, и лучшего качества: мореный дуб, изысканные завитки вырезаны на бортике над крышкой и вдоль нижней кромки выдвижных ящиков, а под крышкой — десяток гнезд для бумаг. Кел сперва затолкал бюро в маленькую спальню, поскольку планировал заняться им не сразу, но, похоже, сегодня оно может пригодиться. Он притаскивает бюро в дальний конец сада — на тщательно прикинутом расстоянии и от изгороди, и от грачиного дерева, — сюда же приносит стол, чтоб получился верстак, и ящик с инструментами. Большинство их — от деда. Потертые, щербатые, заляпанные краской, но все равно служат лучше, чем фуфло, какое покупаешь в нынешних хозяйственных.

Главный урон, нанесенный бюро, — здоровенная щепастая брешь в боковине, будто тот, кто отправился в уборную с кувалдой, вмазал попутно и по бюро. Кел оставляет эту дыру на потом, когда рука заживет. Начать собирается с бегунков на ящиках. Двух попросту нет, а другие два погнуты и расщеплены так, что ящик не ходит — или ходит, но с боем. Кел вытаскивает оба ящика, кладет бюро на спину и принимается обводить остатки бегунков карандашом по контуру.

Погода на стороне Кела: приятный солнечный день с легчайшим ветром, птички на изгородях, пчелы в полевых цветах — в такие дни человеку вполне естественно хочется поработать на свежем воздухе. Разгар утра в школьный день, но, если судить по другим случаям, Кел считает, что время тратит совсем не обязательно попусту. Даже если ничего не случится сразу же, у него тут уйма дел вплоть до конца уроков. Насвистывает сквозь зубы дедовы народные песни и выпевает слово-другое, когда они вспоминаются.

Заслышав шелест шагов в траве, сильно поодаль, Кел продолжает насвистывать и голову от бюро не поднимает. Впрочем, через минуту слышит зверский треск в изгороди, и под локоть ему суется мокрый нос: Коджак*, потрепанная черно-белая овчарка Марта. Кел выпрямляется, машет соседу.

— Как здоров на сто годов? — интересуется Март через боковой забор. Коджак вприпрыжку удаляется — проверить, не появилось ли чего новенького в Келовой изгороди с прошлого раза.

— Неплохо, — отвечает Кел. — Как сам?

— Как огурец-молодец, — говорит Март. Коренаст, примерно пять футов семь дюймов, жилист и морщинист; у него пушистые седины, нос, за жизнь сломанный разок-другой, и обширная коллекция головных уборов. Сегодня он в плоской твидовой кепке, вид у нее такой, будто ее пожевало какое-нибудь сельскохозяйственное животное. — Чего тебе с этой хренью?

— Починить вот хочу, — отвечает Кел. Пытается отбить второй бегунок, но тот держится крепко, это бюро сработали на славу невесть как давно.

— Трата времени, — говорит ему Март. — Глянь на каком-нибудь сайте с объявленьями. Полдесятка найдешь за так.

— Мне одного хватит, — говорит Кел. — И вот — есть.

Март явно собирается оспорить этот довод, но решает в пользу более благодарной темы.

— Хорошо выглядишь, — говорит он, озирая Кела с головы до пят. Март с самого начала был склонен одобрять Кела. Ему нравится беседовать, и за шестьдесят один год в этих краях он высосал сок из всех местных. Кел, с точки зрения Марта, — чисто Рождество.

* Назван в честь Тео Коджака, главного героя одноименного американского полицейского телесериала (*Kojak*, 1973–1978) на канале Си-би-эс.

— Спасибо, — говорит Кел. — Ты тоже.

— Я серьезно, друг ты мой ситный. Очень стройный. Пузо-то с тебя слезает. — Кел, терпеливо раскачивая бегунок ящика взад-вперед, не отвечает, и Март продолжает: — Знаешь, с чего оно так?

— Вот с этого, — говорит Кел, кивая на дом. — Не сижу на заднице за столом день-деньской.

Март энергично качает головой.

— Вообще нет. Я тебе скажу с чего. Это всё с мяса, которое ты йишь. С сосисок да со шкварок, какие у Норин берешь. Они здешние — такие свежие, что аж прыгают с тарелки и на тебя фырчат. С них тебе сплошная польза.

— Ты мне нравишься больше, чем мой прежний врач, — замечает Кел.

— Слухай меня. Американское-то мясо, какое ты йил дома, — в нем гормонов дохрена. Ими накачивают скотину, чтоб жирнела. И как ты думаешь, как с этого дела людям? — Ждет ответа.

— Вряд ли хорошо, — отвечает Кел.

— Тебя с них раздувает, как шарик, — и титьки, как у Долли Партон. Сдуреть какая хрень. Е-Эс все их позапретил тут. Вот откуда ты весу-то вообще набрал. А теперь йишь годное ирландское мясо, и все с тебя слезает. Будешь у нас по виду как Джин Келли*, глазом моргнуть не успеешь.

Март, очевидно, уловил, что у Кела сегодня что-то на уме, и решительно намеревается отговорить его — то ли из чувства соседского долга, то ли потому, что ему нравятся трудные задачки.

— Ты б двинул это на рынок, — говорит Кел. — Мартов Чудо-диет-бекон. Ешь больше — худей крепче.

Март хмыкает, явно довольный.

— Видал, ты вчера в город катался, — бросает он мимоходом. Прищуривается в сад, высматривает Коджака — тот не на шутку

* Долли Ребекка Партон (р. 1946) — американская кантри-, блюграсс-, госпел-певица, музыкантша-мультиинструменталистка, киноактриса. Юджин Кёррэн Келли (1912–1996) — американский актер, режиссер, сценарист, продюсер, хореограф и певец ирландского происхождения.

сосредоточивается на одном кусте, старается запихнуть в него себя едва ли не целиком.

— Ага, — говорит Кел, выпрямляясь. Известно, к чему Март клонит. — Погоди-ка. — Уходит в дом, возвращается с упаковкой печенья. — Сразу только всё не ешь, — говорит.

— Джентльмен ты, — говорит счастливый Март, принимая печенье через забор. — Сам-то их пробовал?

Печенье Марта — причудливые сооружения из розового пухлого зефира, повидла и кокоса, какими, по мнению Кела, хорошо подкупать пятилетку со здоровенным бантом в волосах, чтоб прекратила истерику.

— Пока нет.

— Ты макай их, друг ситный. В чаек. Зефир размокает, а повидла тает на языке. Лепота.

Март сует печенье в карман своей зеленой вощеной куртки. Заплатить за гостинец не предлагает. Сперва Март представил доставку печенья как одноразовую акцию, одолжение, какое украсит день бедному старому фермеру, да и Кел со своего новехонького соседа горсть мелочи требовать не собирался. Далее Март решил считать это давней традицией. Веселый взгляд искоса на Кела, когда тот протягивает печенье, сообщает, что Март проверяет соседа на вшивость.

— Я больше по кофе, — говорит Кел. — А это не то же самое.

— Норин не скажи про это, вот что, — предупреждает Март. — Ей только дай чем-нибудь меня обделить. Любит она думать, что ейная взяла.

— Кстати, о Норин, — говорит Кел. — Если собираешься в ту сторону, можешь мне ветчины прихватить? Я забыл.

Март протяжно присвистывает.

— Ты, что ль, к Норин в черные списки лезешь? Плохо дело, братец. Глянь, как оно теперь со мною. Что б ты ни натворил, дуй туда с букетом и извиняйся.

Штука в том, что Кел хочет сегодня побыть дома.

— Не, — говорит. — Она все пытается свести меня со своей сестрой.

Брови Марта взлетают ввысь.

— С какой сестрой?

— С Хеленой — кажется, так она сказала.

— Батюшки светы, друг ситный, езжай давай. Я-то думал, ты про Фионнуалу, да Норин, видать, глаз на тебя положила. У Лены голова на плечах будь здоров. Муж ейный-то был прижимистый, что гусья жопка, да и реку мог выхлебать досуха, господи упокой его душу, так что планочку она не задирает. Не сбесится, если ты в грязных сапожищах в дом войдешь или пернешь в койке.

— Похоже, мой тип женщины, — говорит Кел. — Если б я себе искал.

— И справная она дюжая девка к тому ж, не из этих тощих молодых, какую не разглядишь, коли боком повернуть. На женщине мясцо должно быть. Ай, ну-ка, — наставляет палец на Кела, тот посмеивается, — похабный умишко твой, вот что. Я не насчет кувыркаться толкую. Я насчет кувыркаться сказал разве что?

Кел качает головой, все еще смеясь.

— Не сказал. Скажу я вот что... — Март укладывает локти на верхнюю планку забора, устраивается поудобнее, чтоб растолковать дальнейшее. — Скажу я тебе вот что: если хочешь бабу в дом, нужно брать такую, чтоб сколько-то места в нем занимала. Ни к чему девка кожа да кости, с мышьим голосочком, да сама ни слова за весь день ни нынче, ни завтра. Такая — деньги на ветер. Заходишь в дом, надо, чтоб женщину видать было — и слыхать. Знать, что она тута, а то чего заводить-то ее вообще?

— Нечего, — широко улыбаясь, соглашается Кел. — Лена, значит, горластая, а?

— Про нее всегда знаешь, что она тута. Катись давай и сам забирай свою ветчину — да попроси Норин устроить свиданку. Сполоснись как следует, вуки* с морды сбрей, надень сорочку

* Вуки — очень мохнатые гуманоиды с планеты Кашиик из вселенной американской медиафраншизы “Звездные войны” (с 1977). Далее упоминаются и другие персонажи из этой же вселенной (Чубакка, Джабба Хатт).

модную. Везн в город в ресторан — в паб не води, чтоб на нее там эти греховодники зенки не пялили.

— Вот ты ее и вези, — говорит Кел.

Март фыркает.

— Я женат не был ни разу.

— То-то и оно, — говорит Кел. — Куда это годится, если я заберу себе шумных женщин больше положенного.

Март рьяно качает головой.

— Ой не-не-не. Эк через жопу ты все понимаешь. Лет тебе сколько? Сорок пять?

— Сорок восемь.

— В свои-то смотришься хорошо. Мясные гормоны, те молодости дают.

— Спасибо.

— Как ни поверни, все едино. Когда мужику к сорока, он либо имеет привычку женатым быть, либо нет. У баб свое на уме, а я ни к чьему на уме, кроме своего, не привычный. То ли дело ты. — Март добыл у Кела эти и другие жизненно важные данные на первой же их встрече, да с такой почти неуловимой ловкостью, что Кел сам себе показался дилетантом.

— Ты жил с братом, — возражает Кел. По части сведений Март, во всяком случае, взаимен, Кел узнал все о Мартовом брате: тому больше нравилось печенье со сливочным кремом, был он жутким фофаном, но с овцами помогал что надо, сломал Марту нос, врезав ему гаечным ключом в какой-то перепалке из-за пульта от телика; помер от инсульта четыре года назад.

— У него на уме не было ничего, — говорит Март с видом человека, выигравшего в споре очко. — Непроходимый был как гамно свинячье. Незачем мне в доме баба себе на уме. Ей, может, канделябру подавай, или пуделя, или чтоб я упражнения по ёге делал.

— Мог бы глупую завести, — предлагает Кел.

Фукнув, Март отмахивается.

— Такого мне и с братом хватило. А ты Лопуха Ганнона знаешь? Вон с той фермы? — Показывает за поля на длинное приземистое здание под красной крышей.

— Ага, — отвечает Кел, строя догадки. Один из стариков в пабе — коротышка с оттопыренными ушами, по ним его и запоминаешь сходу.

— У Лопуха третья хозяйка ужо. И с виду не скажешь, мужичок пустячок, шиш да маненько, но верь слову. Одна евойная померла, вторая от него сбежала, но оба раза Лопух себе новую добывал, не успевал год пройти. Вот как я себе новую псину завел бы, если б Коджак сдох, или новый телик, если б мой накрылся, так Лопух берет и заводит себе новую хозяйку. Потому как привычка у него — чтоб себе на уме у него кто-то был. Коли нету женщины, он не знает, что ему на ужин съесть или что по телику глянуть. И раз нету женщины, не разберешь ты, в какой цвет тебе хоромы красить в именье вон этом.

— Белым собираюсь, — говорит Кел.

— А еще каким?

— Еще белым.

— Вишь, про что я тебе толкую? — торжествует Март. — По концовке не выйдет оно у тебя так. Ты привык, чтоб кто-то со своим на уме у тебя рядом был. Пойдешь искать.

— Могу привлечь спеца по отделке, — говорит Кел. — Хипстера модного, пусть красит в шартрезовый и пюсовый.

— Ты такого где тут найти собираешься?

— Выпишу из Дублина. Рабочая виза ему сюда понадобится?

— Сделаешь, как Лопух, — уведомляет его Март. — Собираешься или нет. Я просто стараюсь, чтоб оно у тебя задалось и какая-нибудь тощая фифка в тебя не вцепилась и жизнь тебе не испоганила.

Кел не в силах разобрать, Март то ли и впрямь во все это верит, то ли гонит на ходу, надеясь на спор. Спорить Март любит не меньше своего печенья. Иногда Кел ему потакает, из добрососедских соображений, но сегодня у него есть кое-какие предметные вопросы, а следом он хотел бы, чтоб Март убрался с горизонта.

— Может, через пару-другую месяцев, — говорит. — Ни с какой женщиной я прямо сейчас ничего заводить не буду. Пока не обустрою все тут так, чтоб показать не стыдно.

Март нацеливает на дом свой прищур и кивает, соглашаясь с резонностью сказанного.

— Но ты не тяни чересчур, вот что. Лене тут есть из кого выбрать.

— Он уже какое-то время разваливается, — говорит Кел. — Чтоб его собрать в кучу, времечка понадобится сколько-то. Ты в курсе, сколько примерно он простоял пустым?

— Лет пятнадцать, наверно. Может, двадцать.

— С виду больше, — говорит Кел. — Кто в нем жил?

— Майре О'Шэй, — отвечает Март. — Вот она-то себе другого мужика не завела, после того как Подж помер, да с женщинами оно по-другому. Они заводят себе привычку замуж ходить, как и мужики — жениться, но женщинам передых нужен в промежутках. Майре овдовела всего за год до того, как сама померла, не успела дух перевести. Помри Подж лет на десять пораньше...

— Детям не понадобилось это место?

— Уехали они, как есть. Двое в Австралии, один в Канаде. Плохого про твое владенье не скажу, но к такому сломя голову на родину не бегут.

Коджак утратил интерес к кустам и прибежал к Келу, виляя хвостом. Кел чешет его за ухом.

— А чего они его только-только продали? Ссорились, что с ним делать?

— Как я слыхал, поначалу они за него держались, потому что цены шли вверх. Хорошая земля пропадала, потому что дурни эти думали, будто на ней миллионерами станут. А потом... — лицо у Марта перекашивает от злорадства, — все ж рухнуло, и остались они с этим вот на руках, потому что пенса ломаного никто не давал.

— Ха, — говорит Кел. Такое могло запросто обозлить когонибудь, как ни крути. — А кто-то хотел купить?

— Брат хотел, — проворно отвечает Март. — Идиёт. У нас и так забот полон рот был. Насмотрелся "Далласа"* парень. Вообразил себя крутым скотоводом.

* *Dallas* (1978—1991) — американская "мыльная опера" на канале Си-би-эс.

— Ты вроде говорил, что своего у него на уме не водилось, — замечает Кел.

— Так оно и не водилось — это ж блажь. Я ее искоренил напрочь. Свое на уме, которое женское, не искоренишь. Искорени в одном месте — в другом отрастят. Себя не упомнишь с ними.

Коджак льнет к ноге Кела, блаженно жмурится, толкается Келу в ладонь, когда тот забывает чесать. Кел собрался завести собаку — только подождать, пока не приведет дом в какой-никакой порядок, но, может, стоит и пораньше.

— А родственников у О'Шэев в округе не осталось? — спрашивает. — Я тут нашел то-сё, им может понадобиться.

— Если б понадобилось, — логично замечает Март, — они б двадцать лет назад это забрали. Что за то-сё?

— Бумаги, — расплывчато отвечает Кел. — Фотокарточки. Подумал, может, спрошу, пока не выбросил.

Март лыбится.

— Есть тут Поджева племянница Анни, в паре миль по дороге отсюда, за Манискалли. Если тебе охота волочь это ей, я тебя отвезу — чисто глянуть, как у Анни лицо вытянется. Мамаша ейная и Подж на дух друг дружку не выносили.

— Пожалуй, ну его, — говорит Кел. — Может, дети у нее есть, кому хотелось бы что-то на память о двоюродном деде?

— Все разъехались, как есть. В Дублин или в Англию. Растопи теми бумажками печку. Или продай в интернете — еще какому-нибудь янки, падкому на старинку.

Кел не уверен, подначка это или нет. С Мартом не всегда разберешь, и в этом, понятно, отчасти и состоит потеха.

— Может, так и сделаю, — говорит. — Не моя ж старинка все равно. Семья у меня не ирландская, насколько мне известно.

— У вас там у всех есть ирландское, — говорит Март с непоколебимой уверенностью. — Так или иначе.

— Значит, придержу это дело, раз так, — говорит Кел, напоследок погладив Коджака и повернувшись к своему ящику с инструментами.

Вряд ли Анни засылает сюда детишек, чтоб приглядывали за фамильным домом. Келу очень не помешали бы наводки, что это может быть за ребенок, — он-то думал, что вполне разобрался во всех своих ближайших соседях, но ни о каких детях ему не известно, — однако если пришлый мужик средних лет берется расспрашивать о местных малолетних пацанах, тут недалеко и до взбучки и кирпича-другого в окна, а Келу хватает и того, что и так уже происходит. Роется в ящике, ищет стамеску.

— Удачи тебе с этой хреныо, — скривившись и отлипая от забора, говорит Март. Целая жизнь в сельскохозяйственных трудах перемолола Мартовы суставы в труху: у него беда с коленом, с плечом и со всем прочим в промежутке. — Заберу у тебя дрова на растопку, когда наиграешься.

— Ветчина, — напоминает ему Кел.

— Тебе самому придется разбираться с Норин рано или поздно. Не спрячешься тут в надежде, что она забудет. Говорю тебе, братец, — ежели женщине что на ум взбредет, оно оттуда не денется.

— Будешь мне свидетелем на свадьбе, — говорит Кел, поддевая стамеской бегунок.

— Ветчина та в нарезке по два евро пятьдесят, — сообщает Март.

— Ха, — отзывается Кел. — Столько ж и печенье.

Март сипит от смеха, хлопает ладонью по забору, тот пружинит и опасно трещит. Затем сосед высвистывает Коджака, и они удаляются.

Кел возвращается к бюро, качает головой, ухмыляется. Иногда он подозревает, что Март изображает из себя вахлака-балагура — то ли прикола ради, то ли чтоб приспособить Кела к посылкам за печеньем и за чем еще там может быть у него на уме. "Железно, — сказала б Донна в те времена, когда им еще нравилось придумывать, чем бы развеселить друг дружку, — железно, когда не при тебе, он расхаживает в смокинге и разговаривает, как королева английская. Ну или в «йизи» свои влезает и зажигает под Канье"*. О Донне Кел думает не постоянно, не то что

* *Adidas Yeezy* (с 2015) — обувь, разработанная немецкой компанией "Адидас" совместно с американским дизайнером, рэпером и предпринимателем Канье Уэстом (р. 1977).

поначалу — не один месяц подряд он упорно вкалывал, слушал музыку на полную громкость и орал футбольные кричалки как псих, когда б ни приходила она ему на ум, но в итоге все удалось. Правда, она все еще всплывает время от времени, когда Кел натыкается на такое, от чего она могла б улыбнуться. Доннина улыбка ему всегда нравилась — быстрая, полная, такая, что все черточки на лице взлетали вверх.

Наблюдая, как проходят через это его приятели, Кел предполагал, что если надраться, возникнет позыв звонить ей, а потому некоторое время воздерживался от выпивки, однако оказалось, что все не так. Пиво-другое-третье — и Донна будто в миллионе миль отсюда, в каком-то другом измерении, куда никакие телефоны не дозвонятся. Слабину Кел дает, как раз когда Донна застает его врасплох — вот как сейчас, невинным осенним утром, расцветая у него в уме так свежо и живо, что Кел едва ль не улавливает ее запах. И не вспомнить, почему нельзя достать телефон: “Эй, детка, ты послушай...” Возможно, лучше б стереть ее номер, но вдруг понадобится созвониться насчет Алиссы, да и памятен тот номер наизусть.

Бегунок наконец отрывается, и Кел вытаскивает плоскогубцами старые ржавые гвозди. Измеряет бегунок, записывает на нем цифры. Когда впервые оказался в строительном магазине — выбрал пару деревях разного размера, потому что есть же ящик с инструментами и потому что поди знай. Длинный сосновый брусок в самый раз по ширине для нового бегунка, толстоват, но не слишком. Кел прижимает его к столу и принимается обстругивать.

Дома план был бы такой: сцапать пацана вторично, только держать покрепче, закатить ему нотацию насчет вторжения в частные владения, нападения и оскорбления действием, малолетних правонарушителей и того, что случается с детьми, которые выебываются с легавыми, и, может, добавить подзатыльник да выкинуть со своей собственности. Но тут он не легаш, и Келу все крепче кажется, что он не ведает, чем дело может кончиться, а потому былые прихваты совсем не вариант. Как бы ни поступил он, надо, чтоб вышло толково и осторожно, и не переусердствовать.

Дострагивает деревяшку до нужной толщины, рисует по линейке две линии, пропиливает вдоль каждой на четверть дюйма. Что-то в нем прикидывало, помнит ли он все еще, как этими инструментами пользоваться, но помнят руки: инструменты ложатся в ладонь так, будто они все еще теплы с тех пор, как он брался за них в предыдущий раз, и в дерево входят гладко. Приятно. Кел вновь насвистывает, не заботясь о мелодии, просто бросает милые трели и переливы птицам.

День разогревается так, что Келу приходится остановиться и снять фуфайку. Принимается не спеша вырезать полоску дерева между двумя пропиленными направляющими. Торопиться некуда. Малявке, кто б ни был, что-то надо. Кел дает ему возможность явиться и взять это.

Первый шум, поодаль за изгородью, доносится смазанным из-за Келова посвиста и шороха стамески, а потому Кел не уверен. Головы не поднимает. Берется за рулетку, проверяет направляющую — хватит ли по длине. Обходит стол, чтоб взять пилу, и тут слышит опять: резкий шелест ветвей, кто-то пригибается или увертывается.

Кел бросает взгляд на изгородь, наклоняется за пилой.

— Если хочешь глядеть, — говорит, — так вылезай да посмотри как следует. Иди сюда, поможешь мне с этим делом заодно.

Тишина за изгородью полная. Келу слышен ее гул.

Отпиливает бегунок, сдувает опилки, сравнивает со старым. После чего легко бросает его к изгороди, а следом кусок наждачной бумаги.

— Вот, — говорит он зарослям. — Ошкурь.

Берет стамеску и молоток, продолжает вырезать канавку. Тишина длится долго, и Кел думает, что упустил. Затем слышит треск — кто-то медленно и осторожно протискивается по кустам.

Кел продолжает работать. Засекает уголком глаза вспышку красного. Проходит немало времени, и доносится шорох наждака — неуклюжий, неумелый, с паузами между движениями.

— Шедевра никто не ждет, — говорит Кел. — Внутрь бюро пойдет, никто не увидит. Лишь бы занозы не торчали. Вдоль волокна шкурь, не поперек.

Пауза. Вновь шуршит наждак.

— Это мы бегунки делаем для ящиков. Знаешь, что это такое?

Поднимает взгляд. Так и есть, вчерашний детеныш, стоит в траве в дюжине футов от Кела, пялится на него, все мышцы наизготовку, чтоб удрать, если понадобится. Серенький ежик волос — стрижка под машинку, не по размеру большое линялое красное худи, ветхие джинсы. Лет двенадцать пацану.

Качает головой — один быстрый дерг.

— Это деталь, которая держит ящик на месте. Чтоб удобно выдвигать и задвигать. Тут вот канавка, по ней ходит вот эта штука на ящике. — Кел спокойно и плавно подается к бюро, показывает. Малой следит взглядом за каждым движением Кела. — Старые поломались. — Снова берется за стамеску. — Проще всего было б фрезой или циркуляркой, — говорит, — но под рукой нету. Повезло еще, что мой дед любил плотничать. Показал мне, как это делается вручную, когда я был примерно как ты. Плотничать пробовал?

Глядит еще раз. Малой повторно дергает головой. Жилистый, такие шустры и на вид, и на деле, но сильнее, и то и другое Кел уже понял по вчерашнему вечеру. С лица обычный: немного осталось еще детской мягкости, черты ни грубые, ни изящные, ни смазлив, ни уродлив; выделяются только упрямый подбородок да серые глаза, вперенные в Кела, будто проверяют его по цэрэушному компьютеру.

— Ну, — говорит Кел, — теперь вот попробовал. У нынешних-то ящиков бегунки металлические, а это старое бюро. Насколько старое, точно сказать не могу, я не спец. Было б здорово, если б это у нас оказалась штука, подходящая для “Антикварной ярмарки”*, но, скорее всего, это просто старое барахло. А мне вот приглянулось. Хочу прикинуть, удастся ли починить и пользоваться.

* *Antiques Roadshow* (с 1979) — телепрограмма на британском телеканале Би-би-си, посвященная выездам специалистов-антикваров в британскую глубинку (и иногда за рубеж) для оценки предметов, предлагаемых местными жителями.

Разговаривает как с бродячей собакой у себя во дворе, спокойно, ровно, о словах не очень-то задумываясь. Малой шкурит все быстрее и увереннее, осваивается.

Кел измеряет направляющую и отпиливает второй бегунок.

— Хватит уже небось, — говорит. — Дай-ка гляну.

— Это же для ящика, — говорит малой, — надо чтоб прям гладко было. А то застрянет.

Голос ясный и чистый, еще не ломался, выговор почти такой же густой, как у Марта. И малой не балбес.

— Верно, — соглашается Кел. — Давай тогда, не спеши.

Усаживается так, чтоб уголком глаза видеть пацана, пока вырезает. Тот относится к делу серьезно, проверяет все поверхности и кромки осторожным пальцем, проходится по ним еще, еще и еще, пока не остается доволен. Наконец вскидывает взгляд и бросает Келу бегунок.

Кел ловит.

— Молодец, — говорит, проверяя большим пальцем. — Глянь. — Прикладывает разом к шипу на боку ящика, двигает туда-сюда. Малой тянет шею посмотреть, но не приближается. — Как по маслу, — говорит Кел. — Потом навощим для пущей гладкости, но вряд ли понадобится. Давай второй. — Тянется за вторым бегунком, взгляд пацана упирается в пластырь у Кела на руке. — Ага, — говорит он. Поднимает руку, чтоб малой разглядел как следует. — Если воспалится, я на тебя обозлюсь не на шутку.

Глаза у пацана распахиваются, мышцы напрягаются. Того и гляди даст деру, ноги едва касаются травы.

— Ты за мной следил неплохо, — говорит Кел. — Есть на то причины?

Миг спустя малой качает головой. По-прежнему готов сбежать, глаза уставлены на Кела — уловить первую же попытку схватить.

— Что-то хочешь разузнать? Потому что если да, сейчас самое время спросить по-честному, прямиком, по-мужски.

Пацан опять мотает головой.

— Я тебя чем-то не устраиваю?

И вновь мотает головой — еще ожесточеннее.

— Ограбить меня хочешь? Птушта если да, то это зря. Плюс — если только эта фигня и впрямь не проканает для “Антикварной ярмарки” — воровать у меня нечего.

Мотает головой.

— Тебя кто-то подослал?

Изумленная гримаса, словно Кел сказал что-то дикое.

— Не-а.

— Ты все время так? Следишь за людьми?

— Нет!

— Что ж тогда?

Миг спустя малявка пожимает плечами.

Кел ждет, но ему ничего не сообщают.

— Лады, — говорит он наконец. — Не очень-то мне и важно зачем. Но херню эту мы прекращаем. Дальше, если охота на меня глядеть, гляди вот так. Лицом к лицу. Предупреждаю первый и последний раз. Понял?

Малой произносит:

— Ага.

— Хорошо, — говорит Кел. — Имя есть?

Малой самую чуточку расслабляется — понимает, что удирать не придется.

— Трей.

— Трей, — повторяет Кел. — Я Кел. — Малой кивает разок, словно подтверждая, что уже осведомлен. — Ты всегда такой общительный?

Малявка пожимает плечами.

— Пойду заправлюсь кофе, — говорит Кел. — И печеньем или еще чем. Печенье хочешь?

Если малого натаскивали бояться чужих, это оплошный шаг, но Келу не кажется, что пацана вообще на что бы то ни было натаскивали. И действительно — малой кивает.

— Ты его заслужил, — говорит Кел. — Сейчас вернусь. А ты пока дошкурь. — Бросает Трею второй бегунок и уходит по саду, не оборачиваясь.

В доме наливает себе большую кружку растворимого кофе, отыскивает упаковку печенья с шоколадной крошкой. Может, с его помощью удастся разговорить Трея, хотя Кел в этом сомневается. Не раскусишь этого пацана. То ли врет — в чем-то одном или больше, — то ли нет. Считывает в нем Кел лишь безотлагательность, такую насыщенную, что в воздухе вокруг малого звенит, как от жара, поднимающегося над шоссе.

Когда Кел возвращается в сад, Коджак вынюхивает поросль у сарая, а на забор опирается Март с ветчинной нарезкой в руке.

— Ишь ты поди ж ты, — говорит он, оглядывая бюро, — еще живо. Придется мне с дровами обождать.

Полуошкуренный бегунок и клок наждачки лежат в траве. Малого по имени Трей и след простыл, словно его тут и не было.

3

Несколько дней о Трее нет ни слуху ни духу. Келу не кажется, что дело разрешилось. Малой показался ему зверушкой дикой более прочих, а диким зверушкам требуется некоторое время, чтобы поразмыслить над нежданной встречей, прежде чем решиться на следующий шаг.

Льет день и ночь, слегка, но неумолимо, поэтому Кел заносит бюро в дом и вновь подступается к обоям. Этот дождь ему нравится. Нет в нем нахрапа, его постоянный ритм и запахи, какие он приносит с собой в окна, смягчают убогость дома, придают ему уют. Кел научился видеть, как меняется под дождем пейзаж, как зеленый делается насыщеннее, как поднимаются полевые цветы. Дождь ощущается союзником, а не докукой, как в городе.

Кел более-менее уверен, что малой не станет поганить ему дом, когда Кела в нем нет, — уверен настолько, что когда в субботу вечером дождь наконец стихает, отправляется в деревенский паб. Идти до него две мили — достаточно, чтобы в плохую погоду Кел сидел дома. Март и старичье в пабе находят потешным это его настойчивое желание ходить пешком — до того потешным, что едут рядом с ним в машине, поощряя криками или по-пастушьему его понукая. Келу кажется, что его громкий, ворчливый, престарелый красный "мицубиси-паджеро" слишком заметен и привлечет внимание любого скучающего легавого, болтающегося по округе, а дурное это дело — попадаться на вождении в нетрезвом виде, когда ему еще не выдали лицензию на оружие: в ней же могут и отказать, если узнают о его неумеренных привычках.

— Да и не должны они тебе ружье выписать, по-любому, — сообщил ему бармен Барти, когда Кел упомянул при нем об этом.

— Это еще почему?

— Ты ж американец. Вы у себя там все свихнулись на оружии. Палите из него за любой чих. Пристрелить можете когонибудь просто за то, что человек последнюю упаковку "Твинков"* купил в лавке. Нам всем остальным тут опасно станет.

— Много ты понимаешь в "Твинках"! — возразил Март из угла, где он устроился за пинтой с двумя приятелями. Как сосед Кела Март считает, что это его ответственность — вступаться, когда Келу достается подколка-другая. — Где твое детство, а где "Твинки".

— Я, что ли, два года в Нью-Йорке на кранах не отработал? Йил я "Твинки". Дрянь ебучая.

— И что, подстрелил тебя кто?

— Не подстрелил. Ума им хватило.

— А зря, — встрял один приятель Марта. — Тогда, может, бармен у нас был бы такой, кто путную шапку на пинту справить умеет.

— Нет тебе сюда ходу больше, — сказал ему Барти. — И поглядел бы я, как бы у него получилось.

— Ну и вот, — торжествующе сказал Март. — Да и нет у Норин "Твинков" уж всяко. Так что пущай будет у мужика ружье — и налей ему пинту уже.

Паб, именуемый "Шон Ог"** кособокими кельтскими буквами над дверью, находится в том же обшарпанном бежевом здании, что и лавка. Днем люди забредают и туда и туда — купить сигарет и пойти с ними в паб или завалиться с пинтой в лавку, опереться о прилавок и потрепаться с Норин, однако вечером дверь между лавкой и пабом заперта, если только Барти не по-

* *Twinkie* (с 1930) — американская торговая марка бисквитных пирожных с кремовой начинкой.

** От ирл. *Seán Óg* — Юный Шон.

надобится хлеб да ветчина, чтоб слепить кому-нибудь сэндвич. Паб маленький, с низким потолком, на полу красный линолеум, там и сям куски потрепанного ковра, разложенные, судя по всему, от балды, разноперая смесь видавших виды барных стульев, треснутых зеленых пластиковых банкеток вокруг шатких деревянных столов, разнообразная дребедень на пивные темы, настенная плашка с резиновой рыбой, поющей "Переживу"*, и заросшая паутиной рыбацкая сеть, приделанная к потолку. Тот, кто вешал эту сеть, художественно разместил в ней несколько стеклянных шаров — для полной красоты. За годы завсегдатаи добавили к этому многочисленные бирдекели, резиновый сапог и фигурку Супермена без одной руки.

По понятиям самого паба, у "Шона Ога" сегодня оживленно. Март и пара его приятелей сидят в углу, дуются в карты с двумя невзрачными молодыми ребятами в добытых где-то спортивных костюмах. Впервые увидев у Марта и его корешей картишки, Кел предположил покер, но играют они во что-то под названием "пятьдесят пять" — с прытью и ражем, непропорциональными мелким кучкам монет на столе. Судя по всему, игра лучше всего идет, когда игроков четверо или пятеро, и когда больше никого нет, они пытаются привлечь Кела; Кел, понимая, что не ему тягаться, воздерживается. Молодые ребята продуют свои заработки — если они есть, что Келу видится маловероятным.

Параллельная компания мужиков спорит у бара. Третья группа — в другом углу, слушает, как кто-то играет на вистле, мелодия быстрая, прихотливая, все хлопают себя в такт по коленкам. На скамейке сама по себе сидит женщина по имени Дейрдре, держится обеими руками за стакан, уставившись в пустоту. Кел в Дейрдре не очень врубается, хотя в общем и целом смекает. Ей за сорок, невзрачная тетка в тоскливых платьях и с неприятно смутным взглядом больших скорбных глаз. Время от времени кто-нибудь из старичья покупает ей двойной виски, они сидят рядком и пьют, не говоря друг дружке ни слова,

* Имеется в виду песня американской певицы Глории Гейнор (р. 1943) *I Will Survive* (1978).

а потом вместе уходят — все так же безмолвно. Вызнавать подробности у Кела нет никакого намерения.

Он усаживается у бара, заказывает Барти пинту "Смитика"* и сколько-то слушает музыку. С именами он тут пока не совсем разобрался, хотя почти все лица ухватил, а также некую суть в личностях и отношениях. Что простительно, если учесть, что клиентура паба — переменчивая толпа чисто выбритых белых мужиков за сорок, одетых в более-менее одинаковые ноские брюки, утепленные жилеты и древние свитеры, и выглядят эти люди как родня; но, если сказать по правде, после двадцати пяти лет ведения сложной умственной базы данных по всем, на кого натыкался по службе, Кел упивается праздным удовольствием не заморачиваться и не запоминать, кто у нас тут Сынуля — который хохочет громко или у кого ухо драное. Кел хорошо соображает, от кого держаться подальше, а к кому поближе, в зависимости от того, охота ли ему поболтать — и о чем именно, и этого, как он понимает, более чем достаточно.

Сегодня вечером он собирается послушать музыку. Вистл впервые услышал, когда сюда перебрался. Вряд ли такой звук ему бы понравился, скажем, на школьном концерте или в полицейском баре посреди Чикаго, но тут он уместен — ладно сочетается с теплой, откровенной потрепанностью паба, и Кел пронзительно осознает безмолвные просторы, расстилающиеся во все стороны за этими четырьмя стенами. Когда тощий, как кузнечик, старичок-музыкант несколько раз в месяц достает свою дудочку, Кел усаживается на пару стульев подальше от трепачей и слушает.

Это означает, что на спор, происходящий у барной стойки, Кел обращает внимание к середине второй пинты. Улавливает он его, потому что спор этот вроде как необычный. В основном дискуссии тут потасканные — такие тянутся годами или даже десятилетиям, время от времени возникая, когда нет ничего свежего для обсуждения. Касаются они в основном методов ведения

* *Smithwick's* (с 1710) — торговая марка красного ирландского эля, исходно килкеннского, ныне производится компанией "Гиннесс" в Дублине; самый потребляемый в Ирландии эль.

сельского хозяйства, сравнительной пользы разных местных и национальных политиков, надо ль заменить стенку на западной стороне Строукстаунской дороги на забор, а также милый ли современный шик или выпендреж — зимний сад Томми Мойнихана. Всем уже известно, кто какого мнения обо всем, — кроме Марта, поскольку он склонен регулярно менять свои воззрения, чтоб все оставалось интересным, — и публика ждет вклада Кела в беседу, чтоб ее как-то взбодрить.

У текущего же спора тон другой, громче и вздорнее, словно он не отрепетирован.

— Ни от какой собаки так не бывает, — упрямо твердит мужик в конце барной стойки. Мелкий, круглый, с маленькой круглой головой, насаженной сверху, вечный мальчик для битья; обычно его это не раздражает, но в этот раз лицо у него пунцовое от пыла и ярости. — Ты хоть видал те надрезы? Не зубами оно сделано!

— Ну и кто ж тогда? — спрашивает здоровенная лысая махина рядом с Келом. — Феечки, что ль?

— Отыбись. Говорю просто, что не зверь это.

— Только не, блить, пришельцы опять, — встревает третий, поднимая взгляд от пинты. Тощая угрюмая дылда, кепка натянута чуть ли не на нос. От него Кел слышал в сумме примерно пять фраз.

— Нечего тут подначивать, — приказывает ему коротышка. — Ты так говоришь, потому что не осведомлен. Обращай ты внимание на то, что происходит прямо у тебя над тупой башкой...

— Мне б ворона в глаз сракнула.

— Вот его спросим, — говорит здоровяк, показывая большим пальцем на Кела. — Нейтральную сторону.

— Ага, конечно, много он понимает в этом?

Здоровяк — Кел почти уверен, что его зовут Сенáн, и последнее слово, как правило, за ним — этой репликой пренебрегает.

— Подь сюды, — говорит он, повертывая свою тушу на барном стуле лицом к Келу. — Слушай. Позавчера ночью кто-то убы́л Боббину овцу. Забрал глотку, язык, глаза и жопу, остальное оставил.

— Не забрал, а *отчикал*, — поправляет Бобби.

Сенан и в этот раз пренебрегает.

— Что скажешь, кто такое сделал, а?

— Я не спец, — говорит Кел.

— Я не прошу экспертного научного мнения. Здравого смысла прошу. Кто такое сделал?

— Будь я игрок, — говорит Кел, — я б поставил на животное.

— Какое? — требует ответа Бобби. — У нас тут ни койотов, ни пум. Лиса взрослую овцу не тронет. Бродячая собака порвет в клочья.

Кел жмет плечами.

— Может, собака вырвала глотку, а потом ее спугнули. Остальное — птицы.

Повисает мгновенная пауза, Сенан вскидывает бровь. Все считали Кела городским мальчонкой, что правда лишь отчасти. Производят переоценку.

— Вот, пожалуйста, — говорит Сенан Бобби. — А ты с пришельцами своими срамишь нас на весь белый свет. Он же с этим в Америку вернется, и они там себе станут думать, что мы дикари стоеросовые, верим всему на свете.

— У них в Америке тоже есть пришельцы, — оборонительно говорит Бобби. — У них больше всех, это точно.

— *Нету* никаких, ебте, пришельцев.

— Полдесятка людей видали те огни прошлой весной. Это, по-твоему, что было? Феечки?

— Потин* Малахи Дуайера это был. Пара глотков этого дела, так и я огни увижу. Как-то раз ночью шел от Малахи домой и видел, как дорогу мне перешла белая лошадь в шляпе-котелке.

— Она овцу тебе сгубила?

— Да меня самого чуть не. Я подскочил так, что кувырком в канаву слетел.

Келу на его табурете удобно, он попивает пиво и ценит происходящее. Эти ребята напоминают ему деда и его приятелей по

* Потин (от ирл. *poitín*) — ирландская разновидность самогона крепостью 40—90°.

крылечку, те точно так же наслаждались обществом друг друга, развешивая друг другу лапшу по ушам, а еще они напоминают Келу полицейский участок — до того, как сквозь напускное просочится зыбучий слой нешуточного злобства, или, может, как раз перед тем, как Кел начнет его замечать.

— Мой дед и трое его приятелей разок видали НЛО, — говорит он, просто чтоб немножко подкормить беседу. — Были на охоте вечером, уже после заката, и тут прилетел здоровенный черный треугольник с зелеными огнями по углам и повисел над ними недолго. Ни звука не подал. Дед говорил, что они там чуть не обделались.

— Ах ты ж господи, — с отвращением говорит Сенан. — И ты туда же. Есть тут вообще кто-то хоть чуток при уме?

— Вот! — торжествующе говорит Бобби. — Слыхал? А ты пар пускаешь, что там янки про нас подумает.

— Окстись, а. Он тебе потрафить хочет.

— Дед божился, — лыбясь, говорит Кел.

— Дед твой с самогонщиками не водился, а?

— Одного-другого знавал.

— Я б сказал, хорошо он их знавал. Прикинь сам, — говорит Сенан, вновь поворачиваясь к Бобби и показывая на него стаканом. Этот спор того и гляди войдет в постоянный репертуар. — Допустим, есть они, пришельцы. Допустим, решают они выделить время и технику, чтоб прилететь на Землю за все эти световые годы с Марса или откуда там еще. Они б себе нашли хоть стадо всяких зебр, чтоб экспериментировать на них, или справных ладных носорогов, или податься в Австралию и взять там ораву кенгурей, и коал, и херни несусветной — для потехи-то. Но они-то... — тут он возвышает голос, заглушая возражающего Бобби, — они-то, а, прилетают черт-те откуда и выбирают твою овцу. Они там, на Марсе, совсем ку-ку, что ли? Головушкой мягонькие?

Бобби вновь надувается.

— Все нормально у меня с овцами. Они лучше, блить, *коал*. Лучше твоих паршивых колченогих...

Кел перестает обращать внимание. За столом у Марта качество разговора поменялось.

— Я поставил двадцатку, — говорит один из молодых ребят, и Кел узнаёт этот тон. Обиженный тон человека, собирающегося настаивать, даже если вечер из-за этого у всех сложится значительно сквернее необходимого, что он понятия не имеет, как эта трубка для крэка оказалась в кармане его штанов.

— Хорош, — говорит кто-то из приятелей Марта. — Двадцать пять ты ставил.

— Ты меня жухлом назвал?

Парню двадцать с чем-то, для фермера он слишком мягок и слишком бледен; пухлый, сальная темная челочка, над губой нечто, стремящееся рано или поздно стать усами. Кел замечал его и раньше пару раз — в дальнем углу, в компашке с другим молодняком из тех, кто пялится на секунду дольше нужного. Ни разу не потолковав с ним, Кел довольно уверенно мог бы перечислить немало разных фактов о нем.

— Никем я тебя не назову, если ты этот банк вернешь, — говорит приятель Марта.

— Не верну, бля. Все чин чином.

За спиной у Кела спор затих; затих и вистл. Осознание того, что он не вооружен, догоняет Кела яркой вспышкой адреналина. Этот парень из тех, кто способен таскать при себе "глок", лишь бы самому себе казаться крутым гангстером, при этом понятия не имея, как пользоваться оружием. Секунда требуется на то, чтобы вспомнить, что здесь такое маловероятно.

— Ты слышал, как я сказал "двадцать", — говорит пухляк своему дружку. — Давай, подтверди.

Дружок — тощий, большеногий, с торчащими зубами, из-за которых у него отвисает челюсть, а общий вид такой, будто он тут последний, кто понимает, что вообще произошло.

— Да я не расслышал, — говорит он, моргая. — Это ж всего пара фунтов*, Дони.

* Здесь и далее: евро в Ирландии ввели задолго до времени действия романа (хождение евро началось в 2002 году), однако ирландцы по привычке разговорно именуют евро фунтами.

— Жухлом меня никому звать нельзя, — произносит Дони. Взгляд у него делается бычий, и Келу это не нравится.

— А я буду, — сообщает ему Март. — Жухло. И сам знаешь, что ты даже хуже, ты, блить, жухло бездарное. И у младенчика вышло б лучше.

Дони отшвыривает свой табурет от стола, раскидывает руки, подзывает Марта.

— Урою. Давай.

Дейрдре испускает прочувствованный визг. Кел понятия не имеет, что предпринять, и от этого теряется еще больше. Дома он бы сейчас встал, после чего Дони либо угомонился бы, либо удалился — так или иначе. Здесь это вроде как не вариант — не потому что при Келе ни пушки, ни бляхи, а потому что он не знает, как в этих краях обходятся и есть ли у него право хоть что-то тут предпринимать. Его вновь охватывает ощущение легкости, словно он угнездился на краешке своего табурета, как птица. Ловит себя на мысли: пусть Дони попрет на Марта, и тогда станет ясно, что делать.

— Дони, — говорит Барти из-за стойки, показывая на парня посудной тряпкой, — пшел отсюда.

— Я ж ничего. Этот хрен меня назвал...

— Пшел.

Дони складывает руки на груди и плюхается на свое место, отвесив нижнюю губу, упрямо вперяется в пространство.

— Ой да бля, — с отвращением произносит Барти. Швыряет тряпку и выходит из-за бара. — Подсоби-ка, — попутно говорит он Келу.

Барти на несколько лет моложе Кела, однако, в общем, не мельче. Они подхватывают Дони с боков и выводят его через весь бар, обходя табуреты и столы, к дверям. Большинство стариков ухмыляется; у Дейрдре рот нараспашку. Дони обмякает и делается балластом, ноги волокутся по линолеуму.

— Встань как мужчина, — велит ему Барти, возясь с дверью.

— У меня там полная пинта, — взбешенно говорит Дони. — Ай! — Это Барти полуслучайно задевает плечом Дони о дверной косяк.

На обочине Барти тащит Дони, чтоб придать ему разгона, после чего мощно пихает вперед и отпускает. Дони, спотыкаясь, летит через дорогу, размахивает руками. Спортивные штаны сползают, он, путаясь в них, падает.

Барти и Кел смотрят, переводя дух, пока Дони встает и подтягивает штаны. На нем тесные белые трусы.

— В следующий раз скажи маме, чтоб купила тебе подштанники как у больших пацанов, — выкрикивает Барти.

— Я тебя сожгу нахер, — без особой убежденности орет Дони.

— Иди домой и погоняй лысого, Дони, — отвечает Барти. — Ни на что ты больше не годен.

Дони озирается и видит брошенную сигаретную пачку, швыряет ее в Барти. Недолет шесть футов. Дони плюет в сторону Барти и топает прочь по дороге.

Уличных фонарей никаких, в домах у дороги всего пара огоньков; половина домов пусты. Несколько секунд — и Дони исчезает из виду. Шаги слышно дольше, эхо отлетает от построек во тьму.

— Спасибо, — говорит Барти. — В одиночку я б спину посадил. Жирный мудилка.

Из паба выходит тощий и стоит на ступеньке — силуэт в желтом свете, чешет спину.

— Где Дони? — спрашивает.

— Ушел домой, — отвечает Барти. — И ты тоже иди, Джей-Пи. На сегодня тебе тут хватит.

Джей-Пи осмысляет.

— У меня его куртка, — говорит он.

— Тогда отнеси ему. Давай.

Джей-Пи послушно ковыляет в потемки.

— Часто этот парень бузит? — спрашивает Кел.

— Дони Макграт, — отвечает Барти и плюет на обочину. — Филон сраный.

Кел понятия не имеет, что это значит, хотя тон предполагает что-то вроде разгильдяя.

— Я его тут уже видел.

— Время от времени. Молодые ребятки в основном в город ездят, ищут, с кем бы покувыркаться, но когда у них на это нет денег, приходят сюда. Но все равно он теперь сколько-то не полезет. А потом приплывет со своими дружками как ни в чем не бывало.

— Он что, и впрямь может попробовать тебя поджечь?

Барти фыркает.

— Есусе, нет. У Дони кишка тоньше вошьей. А это будет слишком тяжкий труд.

— Считаешь, безобидный?

— Да он, бля, просто бесполезный, — отрезает Барти. За спиной у него опять вступает вистл, точный и бойкий. Кел выкидывает Дони из головы и возвращается в паб.

Происшествие, кажется, вообще никого толком не обеспокоило. Март и его приятели перегруппировались и начали новый кон в "пятьдесят пять"; спор у барной стойки переключился на достоинства сборной по хёрлингу этого года. Барти выдает Келу бесплатную пинту. Дейрдре допивает свое, обводит паб долгим обреченным взглядом и, когда никто ей в глаза не смотрит, выплывает вон.

Но Кел все равно остается побыть еще — растягивает перепавшую дармовщинку, пока Март с приятелями не доигрывают и не начинают собираться. Как раз Март-то и назвал Дони жухлом. Когда Март предлагает подбросить Кела домой — что случается всякий раз, исключительно ради удовольствия подразнить, когда тот отказывается, — Кел соглашается.

Март умеренно пьян — достаточно, чтобы уронить ключи на коврик под рулем, а потому вылезает из машины и возится в поисках.

— Не волнуйся, — говорит он с ухмылкой, замечая, какое у Кела лицо, и хлопая ладонью по борту машины — синей развалюхи-"шкоды", обляпанной грязью и крепко смердящей мокрой псиной. — Эта хрень знает дорогу от паба до дома, даже если я усну за рулем. Ей доводилось.

— Здорово, — говорит Кел, поднимая ключи и вручая их Марту. — Мне полегчало.

— Что с рукой? — спрашивает Март, старательно забираясь в кабину.

Рука у Кела заживает нормально, однако пластырь он не отлепляет, чтоб никто не заметил укуса.

— Ножовкой зацепил, — отвечает.

— То-то и оно, — говорит Март. — В следующий раз послушаешь меня и пойдешь на те сайты в интернете. — Заводит машину, она кашляет, содрогается и устремляется вперед по дороге с пугающей прытью. — Что там нес этот обормот Сенан? Что-то насчет Боббиной овцы?

— Ага. Бобби считает, это пришельцы. Сенан с ним не согласен.

Март сипит смехом.

— Я б сказал, ты думаешь, у Бобби чердак не на месте, а?

— Не-а. Я ему втер про то, как мой дед видал НЛО.

— Это ты его осчастливил, раз так, — говорит Март, сворачивая с основной дороги и с мерзким скрежетом переключая передачу. — Бобби не псих. Беда у него только в том, что он слишком много работает на земле. Работа мировецкая, но если человек не полный пень, уму его неймется. Мы, все остальные, в основном с этим справляемся — семья там, картишки, выпивка или еще что. А Бобби холостяк, для выпивки голова у него слабовата, да и в карты у него получается так паршиво, что мы его играть не берем. И вот когда уму-то неймется, Бобби, никуда не денешься, топает в холмы и там ловит НЛО. Ребята хотят купить ему гармонику, еще чем-нибудь его занять, но сам я хоть весь день бы слушал его про пришельцев этих.

Кел осмысляет сказанное. Пришельцы кажутся ему более удачным лекарством от неугомонного ума, чем кое-какие прочие средства из Мартова списка. То, как Март ведет автомобиль, поддерживает предположение Кела.

— Так ты не считаешь, что его овцу пришельцы убили? — спрашивает он, просто чтоб подзудить Марта.

— Едрить, иди ты нахер.

— Он говорит, нет в этих краях такого, кто так мог бы.

— Бобби не всё в этих краях знает, — отвечает Март.

Кел ждет, но Март свою мысль не развивает. Машина скачет на ухабах. Фары освещают узкую полосу грунтовки и плещущие ветви по обеим сторонам; внезапно вспыхивает пара светящихся глаз, низко над дорогой, — и нет их.

— Приехали, — сообщает Март, ударяя по тормозам у ворот к Келу. — Цел-невредим. Говорил же тебе.

— Можешь высадить меня возле себя, — предлагает Кел. — Чисто на случай, если у тебя там делегация встречающих.

Март секунду таращится на него, а затем хохочет так надсадно, что складывается пополам от кашля, лупит ладонью по рулю.

— Бляха-муха, — говорит он, придя в себя. — У меня свой рыцарь в сияющих доспехах завелся, проводит до дома. Ты ж, к богу в рай, не о фуфеле этом Дони Макграте беспокоишься? А еще называется с большого злого города.

— У нас такие пацанчики в городе тоже водятся, — говорит Кел. — И там они мне тоже не нравятся.

— Дони ни с того боку, ни с этого не подойдет ко мне, — заявляет Март. Последний смех все еще морщит ему лицо, но в голосе слышна фальшивая нота, от которой Кел торопеет. — Ума ему хватит.

— Уважь меня, — говорит Кел.

Март хихикает, качает головой и вновь заводит машину.

— Ладно, раз так, — говорит он. — Главное, прощального поцелуя не жди.

— Мечтай, — отзывается Кел.

— Прибереги для Лены, — отбривает Март и хохочет всю дорогу.

В жилище Марта — длинном белом доме с мелкими окошками, изрядно вдали от дороги, посреди некошеной травы — над крыльцом горит лампочка, а когда Март открывает дверь, Коджак выходит встретить хозяина. Кел вскидывает руку и ждет, пока Март не приподнимет твидовую кепку в дверях, пока внутри не зажжется свет. Дальше ничего не происходит, и Кел отправляется домой. Даже если Дони Макграт проявит не свойственную ему предприимчивость, Коджак — хорошая поддержка. Однако из-за чего-то в общей картине — Март в дверях, непринужденный средь полей и громадной тьмы, где гуляет ветер, рядом Коджак виляет хвостом — Кел чувствует себя немножечко нелепо, хоть и не по-плохому.

Его калитка примерно в четверти мили от Мартовой. Небо ясное, луны достаточно, чтоб не терять дорогу без фонарика, хотя раз-другой наползают тени деревьев, Кел путается и чувствует, как одной ногой погружается в глубокую траву вдоль обочины. Высматривает то, что появлялось перед машиной, но оно либо убежало, либо насторожилось. Горы на горизонте — будто кто-то достал карманный ножик и вырезал опрятные контуры густого звездами неба, оставив пустую черноту. Там и тут разбросаны желтые прямоугольники окон, крошечные, отважные.

Келу здешние ночи нравятся. Чикагские были слишком людными и беспокойными, вечно где-нибудь громкая вечеринка, а еще где-то ссора все шумнее, и хнычет, хнычет без умолку ребенок, и Кел слишком много знал о том, что происходит в потайных уголках и способно выплеснуться в любую минуту, требуя его внимания. Здесь же он располагает уютным знанием, что происходящее в ночи не его ума дело. В основном оно самодостаточно: мелкие дикие охоты, баталии и свидания, где от рода людского ничего не требуется, лишь бы не лезли. И даже если под этой великой мешаниной звезд происходит такое, что требует легавого, Кел тут ни при чем. Это вотчина местных ребят из сельца, и они, надо полагать, тоже предпочли бы, чтоб он не лез. Это Келу по плечу — более того, он этим упивается. Малой по имени Трей, вернув ночи эту необходимость бдеть и внимать, показал Келу яснее некуда, до чего же он по всему этому не скучает. Келу приходит в голову, что, возможно, в нем есть нераскрытый доселе талант не будить лихо, пока оно тихо.

Его жилище так же безмятежно, как Мартово. Кел открывает пиво, извлеченное из мини-холодильника, и усаживается с ним на заднем крылечке. Рано или поздно выстроит себе дворовую веранду и добудет в придачу мощное кресло, но пока хватит и ступенек. Куртку не снимает — воздух покусывает, сообщая тем самым, что осень тут уже не на шутку, игры кончились.

Где-то над землями Марта слышен клич совы. Кел некоторое время всматривается и улавливает намек на нее — между деревьями лениво плывет всего лишь штрих тени погуще. Кел размышляет, мог бы он, сложись все иначе, жить вот так: починять то-сё, сиживать на крыльце с пивом, смотреть на сов — и пусть остальной мир хлопочет как хочет. Не вполне смекает, как сам к этому относится. Ему не по себе, и он не до конца понимает, как именно.

Чтоб отделаться от внезапного непокоя, насевшего на него, словно комариная тучка, Кел вытаскивает из кармана телефон и звонит Алиссе. Он звонит ей каждые выходные. Трубку она обычно снимает. А когда не снимает, пишет в Вотсапп, часа в три-четыре ночи по времени Кела: "Прости, пропустила, была занята! Созвонимся!"

В этот раз отвечает.

— Привет, пап. Как дела?

Голос быстрый, нечеткий по краям, как будто она держит трубку подбородком, занимаясь попутно чем-то еще.

— Привет, — говорит Кел. — Занята?

— Нет, все в порядке. Прибираю тут кое-что.

Кел прислушивается, пытается разобрать, что именно, однако доносятся лишь случайные шорохи и стуки. Пытается представить ее. Высокая, спортивная, лицо — чудесный сплав его и Донны: синие глаза Кела и его ровные брови, подвижные, устремленные вверх черты Донны; Кел обожает это лицо. Беда в том, что он до сих пор представляет себе, как она бегает в обрезанных джинсах и просторной толстовке, волосы собраны в гладкий каштановый хвостик, и понятия не имеет, соотносится ли это сейчас с действительностью хоть как-то. Последний раз они виделись на Рождество. Может, она остриглась коротко, выкрасилась в блондинку, накупила костюмов, набрала двадцать фунтов и носит зверский макияж.

— Как ты? — спрашивает он. — Грипп прошел?

— Обычная простуда. Прошла.

— Как на работе?

Алисса работает в некоммерческой структуре в Сиэтле, что-то связанное с подростками из групп риска. Кел пропустил, что там к чему, когда она впервые рассказала ему, что нанимается на эту работу, — нанималась она много куда, а Кела почти целиком занимали его собственная работа и Донна, — а теперь уж поздно было расспрашивать.

— Работа хорошо. Мы добыли грант — большое облегчение, будем, значит, пахать дальше еще сколько-то.

— Как там тот малой, о котором ты беспокоилась? Шон, Дешон?

— Шон. В смысле, он продолжает заходить, это главное. Я все еще думаю, что дела у него дома паршивые, прям очень паршивые, но как ни спрошу — он весь замирает. В общем...

Умолкает. Кел с радостью придумал бы что-нибудь полезное, но почти все его методы добавлять людям разговорчивости выработаны для случаев, имеющих с этим мало общего.

— Дай время, — говорит он в конце концов. — У тебя получится.

— Лады, — говорит Алисса чуть погодя. Голос у нее кажется вдруг очень усталым. — Надеюсь.

— Как там Бен? — спрашивает Кел.

Бен — Алиссин парень, еще с колледжа. Парнишка вроде годный, немножко слишком рьяный и болтливый, когда дело касается его мнений об обществе и о том, чем все должны заниматься, чтоб его усовершенствовать, но Кел не сомневается: так или иначе он и сам мог достать кого угодно в свои двадцать пять.

— Нормально. Дуреет на той работе, но на следующей неделе у него собеседование, так что скрестим пальцы.

Сейчас Бен работает в "Старбаксе" или что-то в этом роде.

— Пожелай ему от меня удачи, — говорит Кел. Он всегда улавливал, что Бен от него не в восторге. Поначалу было плевать, но сейчас кажется, что нужно попытаться это как-то исправить.

— Передам. Спасибо.

— От мамы слышно что-нибудь?

— Ага, у нее все хорошо. А у тебя как? Как дом?

— Дело движется, — отвечает Кел. Знает, что Алисса не хочет обсуждать с ним Донну, но иногда не может удержаться. — Потихоньку — но времени у меня навалом.

— Я получила фотки. Туалет смотрится отлично.

— Ну уж, не настолько. Но теперь по крайней мере не выглядит так, будто я в нем от зомби отбивался.

Это Алиссу смешит. Даже малюткой она смеялась здорово — громко, богато, просторно. У Кела перехватывает дух.

— Тебе надо сюда в гости, — говорит. — Тут красиво. Тебе понравится.

— Ага, эт-точно. Надо. С работы только сорваться, ну ты понимаешь.

— Ну, — говорит Кел. Через секунду: — В любом случае, думаю, лучше подождать, пока я не приведу тут все в порядок. Ну или пока не обзаведусь мебелью.

— Точно, — говорит Алисса. Не разобрать, воображает ли он облегчение у нее в голосе. — Сообщай.

— Ага. Скоро.

Гаснет вдали за полями крошечное освещенное окошко. Сова все еще кличет, невозмутимо, неуклонно. Келу хочется сказать еще что-то, подержать дочь на телефоне подольше, но ничего не придумывается.

— Ты бы поспал, — говорит Алисса. — Который у тебя там час?

Когда Кел завершает звонок, в нем та же пустота, какая возникает последнее время всякий раз после разговора с Алиссой, — ощущение, что, несмотря на состоявшийся звонок, они вообще не поговорили: вышел сплошной воздух и перекати-поле, ничего осязаемого. Пока была малюткой, она трусила рядом с ним, держала за руку и рассказывала все на свете, хорошее и плохое, все выливалось прямиком из ее сердца на язык. Когда это поменялось, Кел не помнит.

Облако непокоя не развеялось. Кел берет себе еще пива, выносит на ступеньки. Вот бы Алисса прислала ему фотки своей квартиры. Он разок попросил, она пообещала, но с тех пор ничего. Кел надеется, что у нее просто руки не дошли, а не потому что Алисса живет в какой-то дыре.

В зарослях в глубине сада потрескивает ветка.

— Малой, — устало произносит Кел, возвышая голос, чтоб долетело по-над травой. — Не сегодня. Иди домой.

Чуть погодя из изгороди осторожно выступает лиса, замирает, глядя на Кела; из пасти у нее свисает нечто мелкое и вялое, лисьи непроницаемые глаза посверкивают в лунном свете. Затем лиса пренебрегает Келом как чем-то несущественным и убегает по своим делам.

4

Малой возвращается через два дня. Поскольку день после дождливого начала развиднелся, Кел и бюро вновь в саду. С бегунками от ящиков разобрались в прошлый раз, теперь Кел берется за отсеки для бумаг, под откидной крышкой. Деревяшки, из которых они сработаны, вставлены в пазы причудливым зигзагом; несколько сломано. Кел укладывает бюро задней стенкой на холстину, фотографирует всю конструкцию телефоном, после чего осторожно извлекает поломанные фрагменты, сколупывая старый клей скальпелем, и замеряет их, чтобы подготовить замену.

Доделывает первый, вычищает последний паз, чтоб деревяшка вошла как родная, и тут слышит треск сучьев. На этот раз никаких игр затевать не приходится. Малой протискивается сквозь изгородь, останавливается, смотрит, руки в карманах худи.

— Доброе утро, — говорит Кел.

Малой кивает.

— На, держи, — говорит Кел, протягивая деревяшку и протягивает кусок наждачки.

Малой подходит, забирает из рук, не помедлив. Похоже, с их последней встречи Кел у него переместился из категории “Опасное неизвестное” в “Безопасное известное” на основании некоего таинственного рассуждения, как это бывает у собак. От прогулок по мокрой траве джинсы у пацана сырые до икр.

— Эта часть будет на виду, — говорит Кел, — поэтому тут будем чуть привередливее. Когда с этой шкуркой закончишь, я тебе другую дам, помельче.

Трей осматривает деревяшку у себя в руках, затем — разломанный исходник на бюро. Кел показывает на брешь среди отсеков.

— Вот сюда.

— Не тот цвет.

— Затемним в тон. Потом.

Трей кивает. Садится на корточки в траву в нескольких футах от холстины и берется за работу.

Кел принимается вычерчивать карандашом следующую деревяшку, усевшись так, чтобы поглядывать на пацана. Худи явно выдали донашивать, из дыры в кроссовке торчит большой палец. Малой нищ. Но дело не только в этом. Кел видал предостаточно детей беднее этого, но за ними рьяно ухаживали, а вот чистая ли шея и заштопаны ли вытертые штаны на коленках у этого пацана, никто не проверяет. Вроде кормят его более-менее — но мало что сверх того.

Оставшиеся капли дождя отстукивают в изгороди; в траве скачут и клюют мелкие птахи. Кел пилит, измеряет, вырезает пазы и канавки и выдает Трею наждачку помельче, когда пацан заканчивает с крупной. Кел чувствует, что малой поглядывает на него, — так же, как сам он поглядывает на малого, оценивает. Обычно Кел посвистывает тихонько себе под нос время от времени, но в этот раз молчит. Сегодня очередь пацана.

Похоже, малого на это он назначил оплошно: Трею молчать легко. Дощечку он выделывает, пока полностью не удовлетворяется, несет ее Келу, протягивает.

— Хорошо, — говорит Кел. — Давай еще одну. Эту навощу здесь и здесь, видишь? И вставлю на место.

Трей нависает минуту-другую, смотрит, как Кел втирает воск в пазы, после чего возвращается на свое место и вновь принимается шкурить. Впрочем, ритм меняется, он теперь быстрее, небрежнее. Первая дощечка — чтоб утвердить себя. Теперь дело в шляпе, и на уме у пацана еще что-то, ищет выхода.

Кел не обращает внимания. Опускается на колени перед бюро, пристраивает полочку и принимается осторожно по ней постукивать, чтоб вошла в пазы.

Трей у него за спиной произносит:

— Говорят, вы легавый.

Кел чуть по пальцу себе не попадает. Эти сведения о своей персоне он тщательно скрывает, отталкиваясь от своего опыта общения с людьми на родине деда, в лесах Северной Каролины, где легавый, да вдобавок пришлый, — не на пользу репутации. Кел понятия не имеет, как это смогли тут выяснить.

— Кто говорит?

Трей жмет плечами, шкурит.

— В другой раз, может, не слушай.

— Вы легавый?

— Я похож, по-твоему?

Трей осматривает его, щурясь против света. Кел не отводит взгляд. Знает, что ответ "нет". Для этого он и растил бороду, и волосы отпустил, чтобы не выглядеть как легавый и не чувствовать себя им. "Больше как снежный человек", — сказала б Донна, улыбаясь и накручивая прядь его волос на палец, чтоб подергать.

— Не-а, — говорит Трей.

— Ну и вот.

— Но вы все равно легавый.

Кел уже решил: незачем придуриваться, если люди все равно знают. Обдумывает сделку: ты мне расскажешь, где это услышал, а я отвечу на твои вопросы, но решает, что не прокатит. Малой любопытен, но стучать на своих не станет. Со сделками придется чуток обождать.

— Был, — говорит. — Больше нет.

— Почему?

— Ушел на пенсию.

Трей оглядывает его.

— Вы не такой уж старый.

— Спасибо.

Малой не улыбается. Судя по всему, сарказм не по его части.

— Почему уволились-то?

Кел возвращается к бюро.

— Все стало говенней. Ну или вроде того.

Запоздало спохватывается насчет бранных слов, но пацана вроде не только не шокирует, но даже не ошарашивает. Он просто ждет.

— Люди с ума посходили. Кажется, будто вообще все сбесились.

— Насчет чего?

Кел осмысляет вопрос, постукивая по углу полочки.

— Черные сбесились из-за того, что с ними обходятся как с фуфлом. Паршивые легавые сбесились, потому что внезапно их призвали к ответу за их херовое поведение. Хорошие легавые сбесились, потому что теперь они гады, хотя ничего такого не делали.

— А вы были хороший легавый или паршивый?

— Стремился быть хорошим, — говорит Кел. — Но так любой скажет.

Трей кивает.

— А вы сбесились?

— Я устал, — говорит Кел. — Сил нет, как устал. — И это правда. Каждое утро просыпаешься будто с гриппом, зная, что предстоит топать мили и мили по горам.

— И уволились.

— Ага.

Малой пробегает пальцами по деревяшке, проверяет, вновь шкурит.

— А чего сюда приехали?

— А чего б нет?

— Сюда никто не переезжает, — говорит Трей, словно объясняя тупице очевидное. — Только отсюда.

Кел загоняет полочку еще на четверть дюйма; входит туго, это хорошо.

— Меня замучила говенная погода. У вас тут, ребята, ни снега, ни жары — таких, какие для нас считаются, уж всяко. И хватит с меня больших городов. Тут дешево. И рыбалка хорошая.

Трей наблюдает, серые немигающие глаза, в них скепсис.

— Говорят, вас уволили за то, что кого-то подстрелили. Типа по работе. И вас собирались арестовать. А вы сбежали.

Такого Кел не ожидал.

— Это кто ж такое сказал?

Жмет плечами.

Кел осмысляет, как быть дальше.

— Ни в кого я не стрелял, — говорит он в конце концов — и не кривит душой.

— Никогда?

— Никогда. Слишком много телик смотришь.

Трей не сводит с него глаз. Малявка вообще редковато смаргивает. Кел начинает опасаться за здоровье его роговицы.

— Не веришь — пробей меня в Гугле. Если б что-то такое случилось, в интернете полно было б.

— У меня нет компьютера.

— Телефон?

Уголок рта у Трея кривится: не-а.

Кел вытаскивает телефон из кармана, снимает блокировку, бросает на траву перед Треем.

— Вот. Келвин Джон Хупер. Связь хреновая, хотя в конце концов даст погуглить.

Трей к телефону не прикасается.

— Что?

— Это, может, не настоящее ваше имя.

— Иисусе, малой, — произносит Кел. Забирает телефон, сует обратно в карман. — Хочешь верь, хочешь нет. Дошкуришь или как?

Трей продолжает шкурить, но по его движениям Кел понимает, что разговор не окончен. И действительно — через минуту пацан спрашивает:

— Вы годный были вообще?

— Вполне. Дело свое знал.

— Вы были сыщиком?

— Ага. Последнее время.

— А каким?

— Имущественные преступления. По большей части грабежи. — Улавливает по виду Трея, что это его разочаровывает. — И задержание беглецов, иногда. Выслеживал людей, которые пытались от нас прятаться.

Стремительный взгляд. Судя по всему, акции Кела вновь поперли вверх.

— Как?

— Да всяко. Разговоры с родней, дружками, подругами, приятелями, кто у них там есть. Слежка за домами, за теми местами, где тусуются. Проверка, где пользовались своими банковскими карточками. Бывает и прослушка телефонов. По-разному.

Трей все еще смотрит на него пристально. Руки у него замерли.

Келу кажется, что он, возможно, нащупал причину, зачем малой сюда ходит.

— Хочешь стать сыщиком?

Трей смотрит на него как на тупицу. Келу по кайфу этот взгляд — таким награждают в классе слабоумного ребенка, который опять тянется за резиновым печеньем.

— Я?

— Нет, твоя прабабушка. Ты, ты.

Трей спрашивает:

— Сколько времени?

Кел смотрит на часы.

— Почти час. — Малой продолжает на него смотреть, Кел спрашивает: — Проголодался?

Трей кивает.

— Давай гляну, что у меня есть, — говорит Кел, откладывая молоток и вставая. Колени трещат. Сорок восемь, думает он, еще не тот возраст, чтоб собственный организм тебе всякие звуки издавал. — Аллергия есть на что-нибудь?

Малой смотрит на него непонимающе, будто Кел заговорил по-испански, и пожимает плечами.

— Бутерброды с арахисовым маслом ешь?

Кивок.

— Хорошо, — говорит Кел. — Других разносолов нету. Докуривай пока что.

Он отчасти ожидает, что пацана, когда он вернется с едой, уже не будет, но тот на месте. Вскидывает взгляд и протягивает Келу деревяшку на проверку.

— Вроде ничего, — говорит Кел. Подает малявке тарелку, вытаскивает из-под мышки пакет с апельсиновым соком, а из карманов худи — кру́жки. Может, растущему ребенку надо б молока, но кофе Кел пьет черный, и молока в доме нету.

Они сидят на земле и едят молча. Небо — плотная прохладная синева; с деревьев начинает опадать желтая листва, легко лежит на траве. Над фермой Лопуха Ганнона немыслимыми текучими геометриями пролетает туча птиц.

Трей откусывает смачно, по-волчьи, с увлеченностью, от которой Кел радуется, что сделал пацану два бутерброда. Когда с едой покончено, сок Трей хлещет, не прерываясь на вдох.

— Еще хочешь? — спрашивает Кел.

Трей качает головой.

— Мне пора, — говорит. Ставит кружку, утирает рот рукавом. — Можно я завтра еще приду?

Кел отвечает:

— А тебе в школу не надо?

— Не-а.

— Надо. Тебе сколько?

— Шестнадцать.

— Херня.

Малой быстро оценивает Кела.

— Тринадцать, — говорит.

— Тогда точно надо.

Трей жмет плечами.

— Ну и лады, — говорит Кел, и до него вдруг доходит. — Не мое дело. Хочешь прогуливать школу — на здоровье.

Поднимает взгляд и замечает, что Трей улыбается — почти, самую малость. Такое с малым впервые за все время и поражает не меньше, чем первая улыбка младенца, — так в ком-нибудь, за кем ничего подобного не подозревал, проглядывает новая личность.

— Что? — спрашивает Кел.

— Легавому не положено так говорить.

— Я ж тебе сказал. Я больше не легавый. Мне за то, чтоб тебя гонять, не приплачивают.

— Но, — возражает Трей, и улыбка исчезает, — можно мне приходить? Я помогу с этим. И затемнить потом. Все помогу.

Кел смотрит на него. В малом опять проглядывает эта нужда — едва скрываемая, плечи вперед, лицо напряжено.

— Зачем?

Через миг Трей отвечает:

— Птушта. Хочу научиться.

— Платить я тебе не буду. — Карманные деньги малому явно не помешают, но даже если б у Кела водились лишние, оказаться тем пришлым, кто раздает наличку пацанам, он не хочет.

— Плевать.

Кел осмысляет возможные последствия. Смекает, что если откажет, Трей опять станет приходить тайком. Келу он больше нравится в прямой видимости — по крайней мере, пока не разберется, чего же малому надо.

— Почему нет, — говорит. — Помощь мне не помешает.

Трей выдыхает и кивает.

— Ладно, — говорит, вставая. — До завтра.

Отряхивает джинсы и устремляется к дороге длинными, пружинистыми прыжками лесного дикаря. По дороге мимо грачиного дерева кидает в ветки камень — жестким крученым броском, хорошо поставленной рукой — и, запрокинув голову, наблюдает, как грачи взрываются во все стороны и клянут его на все лады.

Помыв посуду после обеда, Кел отправляется в деревню. Норин знает все и тарахтит без умолку; Кел смекает: вот в чем истинные причины, почему они с Мартом не ладят, — Марту нравится монополия и в том и в другом. Если задать Норин нужное направление, она, может, подкинет мысль, откуда Трей такой взялся.

Лавка Норин вмещает много чего в малом пространстве. Полки от пола до потолка забиты всем необходимым для жизни: чайные пакетики, яйца, шоколадные батончики, билеты мгновенной лотереи, жидкое мыло, консервированная фасоль, батарейки, повидло, фольга, кетчуп, растопка, обезболивающие, сардины и еще куча всякого вроде золотого сиропа и "Ангельской услады"*, в чем Кел не разбирается, но намерен попробовать, если поймет, что с этим делать. Здесь есть небольшой холодильник для молока и мяса, корзина с унылыми на вид фруктами — и лестница, чтобы Норин, росточком пять футов один дюйм, могла копаться на верхних полках. В лавке пахнет всем этим, но фундамент здешних запахов — неискоренимый антисептик прямиком из 1950-х.

Когда Кел толкает дверь под радушный звонок колокольчика, Норин, стоя на лестнице, сметает пыль с банок и подпевает какому-то сентиментальному юнцу по радио, стремящемуся изобразить некую кадриль. Норин предпочитает блузки со взрывными цветками, у нее короткие каштановые волосы в таких тугих кудрях, что смотрится это как шлем.

— Вытирай ноги, я только что пол вымыла, — приказывает она. Затем, углядев, что это Кел: — А, это вы у нас тут! Надеялась я, что вы сегодня заглянете. Есть сыр, какой вы любите. Придержала кусок, поскольку Бобби Фини он тоже нравится, он бы весь у меня скупил и вам ничего не оставил. Он его ест, как шоколадки, парниша этот. Инфаркт себе заработает со дня на день.

Кел послушно вытирает ноги. Норин спускается с лестницы — для округлой женщины довольно ловко.

— Идите-ка сюда, — говорит она, помахивая на Кела тряпкой, — у меня для вас сюрприз имеется. Хочу вас познакомить кое с кем. — Кричит в подсобку: — Лена! Выходи!

Через миг доносится женский голос, хриплый, уверенный:

— Я чай завариваю.

— Оставь чай, иди сюда. И принеси тот сыр из холодильника, который в черной упаковке. Мне, что ли, тебя привести?

Пауза, в которой, как Келу кажется, он улавливает вздох отчаяния. В подсобке движение, из нее появляется женщина с чеддером.

* Золотой сироп — светлая патока. "Ангельская услада" (*Angel Delight*, с 1967) — британская торговая марка порошковых добавок к молоку для приготовления десертов.

— Вот! — торжествующе говорит Норин. — Это моя сестра Лена. Лена, это Кел Хупер, который переехал в дом О'Шэев.

Лена не похожа на ту, кого Кел ожидал увидеть. По рассказам Марта он представлял себе мясистую, румяную тетку шести футов роста, ревет, как корова, грозно помахивает сковородкой. Лена высокая, все так, и мясо у нее на костях водится, однако все в ней такое, что Кел представляет, как она бредет по холмам, а не как лупит кого-нибудь по башке. На пару лет моложе Кела, густой светлый хвост на затылке, широкие скулы, голубые глаза. На ней старые джинсы и свободный синий свитер.

— Рад, — говорит Кел, протягивая руку.

— Кел, любитель чеддера, — произносит Лена. Рукопожатие крепкое. — Наслышана о вас.

Быстро ехидно улыбается Келу, вручает сыр. Кел улыбается в ответ.

— Да и я о вас.

— Уж конечно, еще бы. Как справляетесь у О'Шэев? Без продыху?

— Справляюсь, — говорит Кел. — Но понимаю, почему тот дом никому не был нужен.

— Тут не шибко много народу рвется дома покупать. В основном молодежь уезжает в город как можно быстрее. Остаются, только если работают на семейной ферме или им нравится в этих краях.

Норин сложила руки под грудью и глядит на них с материнским одобрением, от которого у Кела все начинает зудеть. Лена — руки в карманах джинсов, одним бедром опирается о стойку, — ей вроде как все нипочем. Есть в ней ненатужный покой, взгляд ее прям, не смотреть ей в глаза трудно. Март был прав хотя бы в этом: ее присутствие замечаешь.

— А вы, значит, остались? — спрашивает Кел. — В сельском хозяйстве?

Лена качает головой.

— Была. Продала ферму, когда муж помер, оставила только дом. Хватит с меня.

— Вам, значит, нравится в этих краях.

— Нравится, ага. Город мне б не подошел. Весь день да всю ночь слушать чужой шум.

— Кел жил в Чикаго, раньше-то, — вставляет Норин.

— Я знаю, — говорит Лена, весело дернув бровью. — А вы что ж тут делаете?

Что-то в Келе хочет, чтобы он расплатился за сыр и убрался, пока Норин не вызвала священника — женить их не сходя с места. При этом явился он сюда сегодня с определенной целью — помимо того, что у него закончилось то-сё. Усложняется все еще и тем, что Кел не помнит, когда последний раз был в одном помещении с женщиной, потолковать с которой был бы не прочь, и он не уверен, очко это в пользу того, чтобы остаться или чтобы проваливать к чертям из Доджа*.

— Видать, и мне в этих краях нравится, — говорит.

Лене явно все еще весело.

— Многим так кажется, пока на постоянку не переберутся. Перезимуйте тут, тогда и потолкуем.

— Ну, — возражает Кел, — я не то чтобы неженка. Доводилось и в лесной глуши жить, когда пацаном был. Считал, что там же сразу и осяду, но, похоже, задержался в городе дольше, чем думал.

— Что ж вас достает? Дел мало? Или мало тех, с кем этими делами заниматься?

— Не-а, — говорит Кел, улыбаясь чуточку застенчиво. — Ни с тем ни с другим у меня проблем нет. Но, надо признать, по ночам я слегка дерганый — никого ж рядом нету, кто б заметил, если вдруг какие неприятности возникнут.

Лена хохочет. Смех у нее хороший — откровенный, гортанный. Норин фыркает.

— Ой, да господь с вами. Вы ж привыкли к вооруженным грабежам да перестрелкам. — Испытующий взгляд сообщает Келу, что Норин осведомлена о его работе, хотя кто б сомневался. — У нас тут ничего такого не бывает.

* Фраза из американского радио- и телесериала “Дым из ствола” (*Gunsmoke*), в общей сложности просуществовавшего с 1952 по 1975 год; действие происходит в окру́ге бандитского Додж-Сити, штат Канзас, во времена освоения Дикого Запада.

— Ну, я и не прикидывал, что бывает, — говорит Кел. — Я имел в виду детишек, кому скучно и они ищут, чем бы развлечься. Нас таких была банда, мы хулиганили по соседям — подставляли помойные ведра с водой кому-нибудь под дверь, стучали и убегали или брали здоровенный мешок из-под чипсов, наполняли его пеной для бритья, подсовывали открытый край под дверь и топали по мешку. Такая вот дурь. — Лена опять хохочет. — Я подумал, пришлому может перепасть такое вот обращение. Но, видимо, как вы и сказали, молодежь тут не задерживается. Похоже, я единственный моложе полтинника на мили вокруг. Не считая присутствующих.

Норин вцепляется в это.

— Вы только послушайте его — делает тут из нас предбанник Господень! В округе полно молодежи. У меня самой четверо, но они проказничать не пойдут, знают: пусть только попробуют — устрою им красные задницы. У Сенана с Анджелой тоже четверо, и у Мойниханов парнишка, и у О'Конноров трое, и все мировецкие молодые люди, никаких с ними хлопот...

— И у Шилы Редди шестеро, — говорит Лена. — В основном все дома. Хватит вам столько?

Норин поджимает губы.

— Если у вас какие хлопоты и были, — сообщает она Келу, — они от этой шатии.

— Да? — говорит Кел. Пробегает взглядом по полкам, берет себе банку с кукурузой. — Бедовые они?

— Шила нищая, — говорит Лена. — Вот и все.

— Выучить ребенка манерам не стоит ничего, — обрезает Норин, — или отправить его в школу. И каждый раз, когда ребятня эта здесь появляется, чего-то недосчитаешься. Шила говорит, я не могу это доказать, но я-то знаю, что у меня в лавке есть, а... — Тут она вспоминает о Келе — тот мирно изучает шоколадные батончики — и осекается. — Шиле бы голову свою привести в порядок, — говорит.

— Шила справляется как может с тем, что ей выпало, — говорит Лена. — Как и все мы тут. — Обращается к Келу: — Мы с ней дружбанились, еще в школе. Мы тогда были бешеные. Вылезали из окон по ночам, шли в поля бухать с пацанами. Гоняли попутками в город на дискотеки.

— Похоже, как раз такими подростками, каких я опасаюсь, вы и были.

Это смешит Лену еще раз.

— Ой, нет. Мы никогда не вредили никому, кроме себя.

— Шила себе навредила, это да, — вставляет Норин. — Вы гляньте, что она из тех безобразий огребла. Джонни Редди да шестерых один в один таких же, как он.

— Джонни тогда был что надо, — говорит Лена, дернув уголком рта. — Я с ним сама пару раз обжималась.

Норин цыкает зубом.

— Тебе зато хватило ума замуж за него не ходить.

Кел останавливается на батончике "Мятный хруст", кладет его на стойку.

— А Редди далеко от меня живут? Или мне держать ухо востро? — спрашивает.

— Все зависит... — говорит Лена. — Вы вообще паникер?

— Все зависит. Насколько близко неприятности?

— У вас всё шик. Редди от вас в нескольких милях, на горках.

— Вроде хорошо, — говорит Кел. — А Джонни — фермер или как?

— Да кто ж его знает, что там Джонни, — говорит Лена. — Уехал в Лондон год-два назад.

— Бросил Шилу на мели, — вставляет Норин со смесью осуждения и удовлетворения. — У какого-то его дружка возникла деловая затея, миллионерами б их сделала, как он говорил. Но я губу не раскатываю — надеюсь, что и Шила тоже.

— Джонни по части затей всегда был мастак, — говорит Лена. — Да не очень мастак их воплощать. Расслабьтесь. Да для любого из его детей напустить в пакет из-под чипсов пены для бритья — уже за гранью того, что они способны учинить.

— Рад слышать, — говорит Кел. У него есть подозрение, что по крайней мере один отпрыск Джонни Редди мог уродиться не в отца.

— Так, Кел, — говорит Норин, внезапно озаренная мыслью, и наставляет на Кела тряпку. — Вы разве не упоминали при мне в тот раз, что подумываете насчет собаки? Это ж лучше всего вас успокоит, верно? Слушайте, Ленина собака того и гляди ощенится, и щенков предстоит пристраивать. Сходите с ней да гляньте.

— Она еще не ощенилась, — говорит Лена. — Никакого смысла глазеть на ее пузо.

— Посмотрит, какая она вообще из себя. Давайте-ка.

— Ой, нет, — мило отпирается Лена. — Хочу выпить чаю. — Не успевает Норин открыть рот повторно, Лена кивает Келу со словами: — Приятно познакомиться. — После чего исчезает в подсобке.

— Оставайтесь выпить с нами чаю, — приказывает Келу Норин.

— Признателен, — говорит Кел, — но мне б домой. Я без машины, а там, похоже, к дождю.

Норин обиженно фыркает, включает радио погромче и вновь берется стирать пыль, но по ее случайному взгляду в его сторону Кел понимает, что так просто она не сдастся. Хватает продукты поспешно и более-менее случайно, лишь бы Норин не успела затеять еще что-нибудь. В последнюю минуту, когда Норин уже вручную пробивает чек на шумной старой кассе, Кел добавляет пакет молока.

5

Трей и впрямь возвращается и назавтра, и в последующие дни. Иногда появляется посреди утра, иногда после обеда, отчего у Кела возникает утешительное впечатление, будто Трей время от времени посещает школу, хотя Кел отдает себе отчет, что, возможно, Трей так приходит сознательно. Малой болтается рядом часок-другой, в основном ради еды. А затем — отзываясь на некий таинственный внутренний будильник, а может, ему просто делается скучно — говорит: "Мине пора" — и уходит, топая по саду, руки глубоко в карманах худи, не оборачивается.

В первый дождливый день Кел Трея не ждет. Обдирает обои, напевает обрывки строчек под Отиса Реддинга*, и тут в свете возникает тень, а когда Кел поворачивает голову, Трей уже у окна, торчит там в своей позорной вощеной куртке на два размера меньше нужного. Кел мимолетно сомневается, приглашать ли в дом, но дождь капает у пацана с капюшона и с кончика носа, и Келу ясно, что выбора у него, в общем, нет. Вешает куртку Трея на стул, чтоб обсохла, и выдает ему скребок.

В солнечные дни они возвращаются к бюро, но по мере того, как истощается сентябрь, солнечные дни делаются все скуднее. Все чаще по крыше хлещет дождь, а ветер набивает к основаниям стен и живых изгородей мокрые листья. Белки запасаются как полоумные. Март объявляет, что это к сволочной зиме, и делится

* Отис Рей Реддинг-мл. (1941—1967) — американский соул-певец, автор песен, аранжировщик.

драматическими рассказами о годах, когда здешние места отрезáло от остального мира на целые недели и люди замерзали в домах, но Кела это не очень-то впечатляет.

— Я привык к Чикаго, — напоминает он Марту. — Мы не зовем погоду морозной, пока у нас ресницы не смерзаются.

— Тут другой холод, — уведомляет Март. — Коварный. Не чуешь, как подбирается, пока не сцапает.

Мнение Марта насчет Редди совпадает с мнением Норин, но изложено цветистее. Шила Бради была милой девушкой из приличной семьи, ноги что надо; собиралась в Голуэй учиться на медсестру, да только не успела — влюбилась в Джонни Редди. Этот мог трещать до морковкина заговения и больше трех месяцев кряду ни на одной работе сроду не задерживался — не угодишь ему; "никакой он работник" — так отозвался о нем Март с презрением такой глубины, какое Кел и его отдел приберегали для тех, кто грабит старушек. У Шилы и Джонни народилось шестеро детишек, жили они на пособие в развалюхе-домике у родни в горках, — Март растолковывает родство, подробно, однако Кел теряет нить на третьей или четвертой воде на киселе, — и вот теперь Джонни сдриснул, родственники Шилы поумирали или переехали, и семья, считай, — то, что в этих краях заместо швали трейлерной. Март согласен с Норин и Леной: дети вряд ли воздерживаются от мелкого воровства, но в той же мере маловероятна их способность влезать во что бы то ни было круче.

— Батюшки светы, — говорит Март, веселясь, когда Кел выдает ему свою речь обеспокоенной городской цацы, — у тебя чересчур много свободного времени. Заведи себе женщину, я тебе о чем толкую. Вот тогда и будет о чем переживать.

На самом деле Кел более-менее отметает вероятность, что малой собирается его ограбить, — если учесть, что Трей подходит к этому бестолковее некуда, а Кел понимает, что Трей вовсе не бестолков. Раз он теперь знает кое-что о возможной семье Трея, складываются другие сценарии, более вероятные: ребенка дразнят, и ему нужна защита; ребенка обижают так или иначе, и ему необходимо рассказать кому-то; мать ребенка пьет или на наркотиках, или ее бьет дружок, и ребенку нужно поделиться;

ребенок хочет, чтобы Кел отыскал беглого папашу; ребенок пытается устроить себе алиби в чем-то таком, чем ему не следовало бы заниматься. Келу кажется, что местные, предубежденные против разгильдяйства Джонни Редди, возможно, недооценивают склонности его сына по этой части. И пусть у Кела есть все причины считать, что дети способны иногда стать выше своей говенной семьи, есть у него и все причины считать, что в большинстве случаев так не случается.

Кел прощупывает почву вокруг Джонни Редди, дает Трею лазейку, если ее малой и выискивает, но Трей отсекает это сразу же.

— Ага, это может сгодиться, — говорит Кел, осматривая первую попытку Трея вырезать паз. — Рукастый ты. Отцу помогаешь с таким вот?

— Не, — отвечает Трей. Вынимает полку и с одного конца паза еще пару раз постукивает, прищуривается, низко склонившись над деревяшкой. Ему нравится, когда все сделано как следует. Келу что-то, может, и сойдет, а вот Трей покачает головой и еще пару-тройку раз пройдется, прежде чем удовлетворится.

— И чем же вы тогда с ним занимаетесь?

— Ничем. Он уехал.

— Куда?

— В Лондон. Звонит нам иногда.

Это, в общем, подтверждает, что Трей — из Редди, если только Лондон не пункт назначения всех местных никчемных папаш.

— У меня отец тоже уезжал часто, — говорит Кел. Стремится наладить связь, но Трея это, похоже, не трогает. — Скучаешь?

Трей жмет плечами. Кел уже разбирается в этих пожатиях плечами, их много, и они богаты оттенками. Это вот означает, что тема закрыта за отсутствием интереса к ней.

У Кела, таким образом, остается два варианта: либо Трей делает что-то плохое, либо что-то плохое делают с Треем. Пока Келу не удается придумать, как заговорить хоть о том, хоть о другом. Он отдает себе отчет: если напортачит, Трея потом ищи свищи. Если бедокурит сам Трей — это пожалуйста, но на ребенка, которого обижают, свежеобретенный Келом талант не будить лихо не распространяется. И поэтому с Треем он обращается так же, как в самом начале, — занимается своими делами и позволяет малявке подобраться поближе, когда время придет.

Время приходит недели через две. Дождливое утро, прохладное и тихое, с легким ветерком, что забредает в открытое окно и пахнет пастбищем. Кел с Треем закончили шлифовать стены в гостиной, загрунтовали углы и делают перерыв, перед тем как приступить к основной задаче. Сидят за столом, жуют печенье с шоколадом, вклад Трея, — теперь бывают дни, когда он заявляется с печеньем, а раз был даже яблочный пирог. Кел знает наверняка, откуда все это берется, и его слегка покусывает совесть, когда он все же ест это, однако считает, что будет спокойнее, если не вдаваться в этот вопрос.

Трей методично и сосредоточенно поглощает печенье. Кел пытается размять узел на шее. Все из-за матраса, нытье и боль в мышцах уже затихли. Тело почти привыкло к работе, и Келу это нравится — так же, как нравилось ему, что мышцы ноют. Поначалу он предполагал, что слишком стар и не привыкнет совсем, но тело справилось. Кел чувствует себя моложе, чем полгода назад.

— Белка, — говорит он, показывая в окно на сад. — На днях подстрелю несколько и сварю нам беличье рагу.

Трей осмысляет сказанное, смотрит, как белка утекает под изгородь.

— А как на вкус?

— Неплохо. Как дичь. Крепче курятины.

— Белка укусила мою сестру, — говорит Трей. — За палец. Можно и съйисть.

— Когда мне было лет десять, — говорит Кел, — я жил у дедушки, и мы с тремя приятелями ходили с ночевкой в лес за дедовым домом. В первый раз дедушка сказал нам, чтоб мы поосторожней, потому что водится в этом лесу зверь под названием белкошак. Гибрид белки и кота, но крупнее и белки, и кота — и свирепее. У него здоровенные когти и клыки и рыжий мех, и он вцепляется либо в глотку тебе, если сидишь, либо в яйца, если стоишь. О том, что он изготовился нападать, узнаёшь по таким странным звукам. Типа рычания вперемешку со стрекотом.

Кел показывает, как это. Трей слушает и наблюдает, выскребая зубами начинку печенья. Кел взял привычку рассказывать Трею все подряд, что на ум взбредет, — просто компанейски, не обращая особого внимания, есть какой-то отклик или нет.

— В лес мы все равно пошли, — говорит, — но в палатке навалили большую гору камней, на всякий случай. Поздно ночью, как раз когда устроились в спальниках, снаружи послышался звук. — Повторяет. — Чуть не обосрались. Вылезли из спальников, набрали камней и давай кидаться. Несколько раз хорошо так попали, и тут слышим — дедушка кричит, что хватит. Кто-то угодил ему прямо в лицо, губу рассек.

— Это был он, — говорит Трей. — Он и шумел.

— Ну да. Не бывает никаких белкошаков.

— И чё сделал? Отлупил?

— Не. Ржал как конь, кровь стер, принес нам здоровенный мешок зефирок.

Трей усваивает сказанное.

— Чего это он? Зачем прикидывался?

— Думаю, хотел посмотреть, как мы поступим, — говорит Кел, — в сложной ситуации. Он же отпустил нас одних. А на следующий день начал учить меня стрелять из ружья. Сказал, раз я собираюсь сражаться с тем, что меня пугает, надо это уметь, и уж лучше я буду точно знать, во что стреляю, прежде чем жать на курок.

Трей осмысляет.

— А меня научите?

— У меня пока нет оружия. Как добуду, тогда может быть.

Видимо, это его устраивает: Трей кивает и доедает печенье.

— Бобби Фини говорит, видал в горах пришельцев, — произносит, выхватив эту мысль из какой-то череды их. — В школе болтали.

— Ты собираешься стрелять по пришельцам?

Трей делает лицо “совсем без мозгов”.

— Нет никаких пришельцев.

— Ты что же, считаешь, Бобби придумал их, чтоб дурить голову людям, как мой дедушка?

— Не.

Кел улыбается, попивает кофе.

— Что же он тогда видел?

Трей пожимает плечом — одним, это означает, что не хочет рассуждать об этом.

— Вы не верите в пришельцев, — говорит он, вглядываясь в Кела.

— Может, и нет, — отзывается Кел. — Я придерживаюсь широких взглядов, и кто знает, может, где-то пришельцы и есть, но сам я никогда не видел ничего такого, чтобы решить, будто они прилетали.

— У вас братья или сестры есть? — требовательно спрашивает Трей ни с того ни с сего. Искусство болтовни пацан пока не освоил. Любой его вопрос звучит как на допросе.

— Трое, — отвечает Кел. — Две сестры, один брат. А у тебя?

— Три сестры. Два брата.

— Много детей-то, — говорит Кел. — Дом у вас большой?

Трей насмешливо фыркает уголком рта.

— Не.

— Ты среди них который по счету? Старший? Младший?

— Третий. А вы?

— Старший.

— Вы с остальными дружите?

Из всех вопросов, какие Трей успел задать до сих пор, этот самый личный. Кел отваживается глянуть на пацана, но тот сосредоточенно разбирает на части следующее печенье. У него свежая стрижка под машинку, но выглядит так, будто стриг себя он сам, ближе к затылку виден недостриженный клок.

— Вполне, — отвечает Кел. На самом деле они не родные, с каждым он виделся от силы пару раз, и где-нибудь братьев-сестер у него, вероятно, даже больше, но все эти сведения не кажутся сейчас полезными. — А ты?

— Кое с кем, — отвечает Трей. Резко закидывает печенье в рот и встает: перерыв, надо полагать, окончен.

— Пей молоко, — говорит Кел.

— Не люблю молоко.

— Я купил. Пей.

Трей заглатывает молоко, морщится и ставит кружку на стол, будто тяпнул стопку.

— Лады, — развеселившись, говорит Кел. — За дело. Погоди.

Отправляется в спальню, возвращается со старой клетчатой рубашкой, кидает ее Трею.

— На.

Трей ловит, смотрит на нее непонимающе.

— Зачем?

— Придешь домой весь в краске — мама не обрадуется.

— Она не заметит.

— А если заметит, узнает, что ты не был в школе.

— Ей плевать.

— Решай сам, — говорит Кел. Принимается отколупывать отверткой крышку от банки с грунтовкой.

Трей разглядывает рубаху, крутит ее в руках так и сяк. Затем надевает. Повертывается к Келу, вскидывает руки и лыбится: манжеты болтаются, полы доходят до колен, а по ширине поместилось бы три Трея.

— Хорошо смотришься, — говорит Кел, улыбаясь в ответ. — Подай вон те.

Показывает на лотки для краски и валики в углу. Купил он два комплекта; достались дешево, да и Кел решил, что даже если малой перестанет приходить, все равно пригодятся. Трей явно впервые видит такие приспособления. Рассматривает их и вперяет в Кела вопросительный взгляд, хмурится.

— Смотри, — говорит Кел. Наливает грунтовку, макает в нее валик, отжимает избыток жидкости о насечки, затем быстро прокатывает валиком по стене. — Понял?

Трей кивает и повторяет за ним точь-в-точь, даже отряхивает валик, как показали, под небольшим углом, чтобы не капало.

— Хорошо, — говорит Кел. — Помногу не набирай. Сделаем в несколько слоев — слишком густо не надо. Я начну отсюда и пойду по верху, а ты по низу вот оттуда. На середине встретимся.

Теперь уже вместе им работается легко, они знают ритмы друг друга и как не путаться друг у друга под ногами. Дождь редеет. С небесной вышины доносятся крики гусей, птицы строятся наизготовку перед дальней дорогой; далеко внизу, в траве под окном, прыгают и бросаются на червей мелкие птички. Минут через двадцать работы Трей произносит совершенно ни с того ни с сего:

— У меня брат пропал.

Келу удается замереть лишь на долю секунды, прежде чем его валик вновь приходит в движение. По самому тону Трея он бы понял, даже если б не расслышал слов: Трей здесь поэтому.

— Да? — говорит Кел. — Когда?

— В марте. — Трей все еще катает валиком по стенке, прилежно, на Кела не смотрит. — Двадцать первого.

— Так, — произносит Кел. — Сколько ему?

— Девятнадцать. Звать Брендан.

Кел прощупывает путь, на цыпочках.

— А полиция что?

— Им не говорили.

— Как так?

— Мамка не захотела. Сказала, что он уехал, что он уже вырос и ему можно.

— Но ты так не считаешь.

Трей прекращает грунтовать, наконец смотрит на Кела, и на лице у пацана чудовищное, туго скрученное горе. Долго качает головой.

— Так что же, по-твоему, случилось?

Трей говорит, понизив голос:

— Я думаю, забрали его.

— Похитили типа?

Кивок.

— Так, — осторожно выговаривает Кел. — Есть догадки — кто?

Трей сейчас каждой своей клеточкой сосредоточен на Келе. Говорит:

— Вы б могли выяснить.

Миг тишины.

— Малой, — бережно говорит Кел, — скорее всего, мамка твоя права. Из того, что все говорят мне, люди в основном уезжают отсюда, как только вырастают.

— Он бы мне сказал.

— Твой брат еще подросток. Они вот такую тупую херню устраивают. Я знаю, это больно, если вы крепко дружили, но рано или поздно он подрастет и поймет, что говенно поступил. И тогда выйдет с тобой на связь.

Упрямый подбородок каменеет.

— Он не сбежал.

— Есть причины для такой уверенности?

— *Точно* знаю. Не сбежал он.

— Если ты о нем беспокоишься, — говорит Кел, — тебе надо в полицию. Понимаю, что мама не хочет, но ты и сам можешь. Принять заявление от несовершеннолетнего они имеют право. Заставить твоего брата вернуться домой, пока он сам не будет готов, им никак, но повозиться, чтоб ты из головы мог выбросить, — вполне.

Трей смотрит на него так, будто не верит, что кто-то настолько недалекий все еще дышит.

— Что? — уточняет Кел.

— Гарды* ничего не будут делать.

— Будут-будут. Это их работа.

— От них, бля, никакого толку. Вы давайте. Вы расследуйте. Сами увидите: он не сбежал.

— Я не могу расследовать, малой, — говорит Кел еще мягче. — Я больше не легавый.

— Все равно давайте. — Трей возвышает голос. — Делайте вот это все, что вы сказали, — когда ищут людей. Поговорите с его дружками. Последите за домами.

— Я мог все это, потому что у меня был жетон. А теперь нету, и никто не станет отвечать мне на вопросы. Начну следить за чьим-нибудь домом — сам же и окажусь под арестом.

* Гарда Шихана (ирл. *Garda Síochána*, “Стража правопорядка”) — ирландская полиция.

Трей его даже не слышит. Стискивает валик в кулаке, подняв высоко, как оружие.

— Прослушайте их *телефоны*. Проверьте его *банковские* карточки.

— *Малой*. Даже если я был легавым, был я им не здесь. У меня нет здесь друганов, кого можно попросить об одолжении.

— Тогда *сами* давайте.

— Как по-твоему, похоже на то, что у меня тут есть возможности...

— Тогда еще что-нибудь давайте. *Что-нибудь*.

— Я на пенсии, малой, — все еще бережно, однако решительно произносит Кел. Не хочет оставлять малому надежду. — Ничего не могу тут поделать, даже если б хотел.

Трей швыряет свой валик через всю комнату. Срывает с себя старую Келову рубаху, пуговицы летят во все стороны, и сует ее поглубже в банку с грунтовкой. Замахивается и вмазывает капающей рубахой в отсеки бюро, вкладывает в бросок весь свой вес. Бюро опрокидывается. Трей выбегает.

Бюро изгваздано. Кел поднимает его и стирает крупные плюхи грунтовки той же рубашкой — все равно ее в утиль, с таким никакая прачечная не справится. Затем мочит тряпку и смывает оставшееся. К счастью, грунтовка на водной основе, но затекла в половину стыков полочек, тряпкой туда не добраться. Кел подступается с зубной щеткой, себе под нос обзывая Трея мелким гаденышем.

Вообще-то по-настоящему разозлиться не удается. Сперва отец пацана, следом его старший брат — немудрено, что малой хочет такого ответа, какой вернет кого-то одного домой и не будет подразумевать, что Трея намеренно бросили без оглядки. Келу просто жаль, что малой не раскололся раньше, не надо было ему так долго лелеять надежды втихую.

Кел не столько злится, как сам сейчас понял, сколько ему не по себе. Это чувство Келу не нравится — не нравится и то, что он прекрасно и сознает его, и понимает: это чувство знакомо ему, как голод или жажда. Кел никогда не бросал дел незакрытыми. В основном это было полезно, из Кела получился упертый, терпеливый работяга, доводивший расследования до конца, когда едва ль не все прочие давно сдались, но временами было в этом и слабое место — нескончаемая долбежка там, где никогда не проломится, утомляет и мучает человека, не более того. Кел трет дерево сильнее и пытается восстановить бездумную свободу того, что его не касается, прогуливает Трей или нет. Кел напоминает себе, что он это дело в работу не брал — и что это вообще никакое не дело. Но ему по-прежнему не по себе, и ощущение никуда не девается.

В голове у него Донна говорит: “Господи, Кел, что, опять?” Лицо ее на этот раз не улыбчиво — оно усталое, все черты, чужие этому лицу, вытянуты книзу.

Тщедушный молодой грач, хлопая крыльями, опустился на подоконник и задумчиво рассматривает комнату, уделяя особое внимание пачке печенья и ящику с инструментами. С грачами Кел наконец достиг некоторого успеха, они теперь усаживаются на пень умять его объедки, а сам он наблюдает за ними с заднего крыльца, пусть и пырятся они на него нагло, и шуточки сальные насчет его мамы попутно отпускают. Впрочем, сейчас Келу не до них.

— Ступай своей дорогой, — говорит он молодому грачу. Тот исторгает нечто похожее на вульгарное фырканье и не трогается с места.

Кел машет рукой и на грача, и на бюро. Внезапно и мощно ему хочется вон из дома. Успокоить мысли способно, как ему кажется, лишь одно — поймать себе ужин, но ему неохота сидеть на речном берегу весь день и мочить зад ради призрачной вероятности поймать окунька-другого, а чертову лицензию на оружие ему все еще не выдали. В целом, принимая во внимание некоторых его знакомых, у кого оружие есть, а также то, что у Дони Макграта не было возможности выхватить в пабе “глок”, Кел понимает логику ограничений в этих местах, но сегодня они его бесят. Жениться или купить дом он мог бы шустрее, а и то и другое, по мнению Кела, — предприятия значительно более чреватые опасностями, чем владение охотничьим ружьем.

Он решает отправиться в город и разузнать у парня в участке, нет ли каких новостей по той лицензии. Попутно можно заскочить в прачечную, заодно купить себе новую зубную щетку, а также обогреватель, чтоб Мартов коварный холод до Кела не добрался. Выходит из дома, прихватив мусорный мешок с грязной одеждой, дверь запирает.

Дождь вновь окреп, долгие завесы его плещут по лобовому стеклу. Кел ловит себя на том, что высматривает Трея. Несколько миль вверх в горки, как сказала Лена, по такой погоде — прогулка долгая. Но на дороге пусто, лишь попадаются изредка у низких каменных стенок сбившиеся в кучу коровы да рассеяны точками по полям овцы, пасутся себе невозмутимо. Ветви клонятся низко, хлещут бока "паджеро". Горы под тяжкой пелериной дождя пригашены и призрачны.

Городок Килкарроу старый и уютный, ряды кремовых домиков расходятся от рыночной площади, а с холма открывается вид на поля и вьющуюся реку. Пара тысяч жителей, что, если учесть прилегающие деревни, вместе дает достаточно оживления для магазина хозтоваров и автоматической прачечной. Кел сдает одежду и, накинув капюшон от дождя, отправляется в полицейский участок.

Участок расположен в здании, похожем на крупный сарай, зажатый между двумя домами, выкрашен в белый и опрятно отделан синим. Открыт по нескольку часов в кое-какие дни. В дальней комнате несколько человек по радио обсуждают друг с другом дорожные выбоины. За столом в передней комнате некто в мундире читает местную газетку-маломерку и с подлинной самоотдачей чешет под мышкой.

— День добрый, — говорит Кел, утирая дождь с бороды. — Погодка будь здоров.

— Ой да, мировецки приятный день, — любезно отзывается мундир, откладывая газетку и откидываясь на стуле. На несколько лет моложе Кела, круглолицый, пузо на этапе становления, в целом смотрится отчищенным до блеска целиком и полностью. Кто-то заштопал надорванный карман его рубашки меленькими, прилежными стежками. — Чем могу служить?

— Я подавался на оружейную лицензию пару месяцев назад. Вот оказался в городе, решил проверить, нет ли каких новостей насчет этого.

— В течение трех месяцев после подачи вам должно прийти письмо так или иначе, — сообщает мундир. — Если не придет, значит, вам отказали, официально. Но, само собой, иногда они запаздывают. Даже если вестей никаких, вполне может быть, что все шик. Я б накинул сверху месячишко, прежде чем переживать. Ну или два.

Кел видал этого парня и раньше — в разных воплощениях. Такой сидит в захолустье не потому что бестолочь, или бузотер, или несостоявшийся сыщик и мается от прокисших амбиций, а потому что он тут всем доволен. Ему нравится, что дни у него складываются без спешки и сюрпризов, лица кругом знакомые, а ум, когда пора отправляться к жене и детишкам, безоблачен. Он — тот легавый, каким Кел — в некотором смысле или, возможно, в большинстве их, — к своему сожалению, решил не быть.

— Ну, вряд ли я вправе жаловаться, — говорит Кел. — Когда я еще служил, всю писанину клали в самый низ стопки — и с концами. Не станешь же возиться с чьим-то там собачьим паспортом, если есть настоящая полицейская работа.

Мундир сосредоточивается.

— Вы служили? — переспрашивает он, чтобы убедиться, что все понял правильно. — В смысле, в органах правопорядка?

— Двадцать пять лет. Полиция Чикаго. — Кел широко улыбается и протягивает руку. — Кел Хупер. Рад знакомству.

— Гарда Деннис О'Малли, — говорит мундир, отвечая на рукопожатие. Кел делал ставку на то, что этот мундир не из тех, кто усмотрит в этом попытку мериться хуями, и ставка сыграла: у О'Малли вид искренне восторженный. — Чикаго, а? У вас там небось движни хватает.

— Движни-то хватает — а еще больше писанины, — говорит Кел. — Как везде. У вас тут хорошее место, похоже.

— Я б ни на что не променял, — отзывается О'Малли. По его выговору Кел вычисляет, что О'Малли не из этих краев, но те края от этих отличаются мало: густой, вальяжный ритм — не городской. — Не всякому подойдет, это да, но мне годится.

— Какого сорта дела у вас тут случаются?

— В основном автотранспортное, — поясняет О'Малли. — Ух и горазды же они, падлы, гонять здесь. И пьяными за руль садиться. Трое парняг улетели в канаву — ехали домой из паба, в субботу ночью, у Гортина. Ни один до больницы не дожил.

— Слыхал, да, — говорит Кел. Муж подруги двоюродной сестры Норин — из тех бедолаг. — Сил нет как печально.

— Но это примерно худшее из того, что у нас тут случается, ладно. Других нарушений немного. Мазут воруют время от времени. — В ответ на непонимающий взгляд Кела: — Топочный мазут, из цистерн. И сельхозинвентарь. И наркотиков у нас тут чуток — они, понятно, нынче всюду. Ни в какое сравненье с тем, как у вас там в Чикаго, я б сказал. — Одаряет Кела застенчивой улыбкой.

— У нас навалом ДТП, — говорит Кел, — и наркоты. Сельхозинвентаря воруют мало, правда. — И следом, не успев даже толком собраться это произнести: — В основном я работал по части розыска пропавших людей. Вряд ли у вас тут такого много.

О'Малли смеется.

— Есусе, нет. Я тут двенадцать лет, пропало два человека. Один парень всплыл в реке через несколько дней. Вторая — ма́ля́, поссорилась с мамашей и удрала в Дублин к двоюродной.

— Ну, теперь понятно, отчего вы это место ни на что не променяете, — говорит Кел. — Но я вроде слыхал, что какой-то парень пропал этой весной. Неверно слыхал?

От этого О'Малли ошарашенно выпрямляется.

— Кто же это будет?

— Брендан какой-то. Редди?

— Редди, которые из Арднакелти?

— Ага.

— А, эти, — говорит О'Малли, вновь расслабляясь в кресле. — Сколько там Брендану?

— Девятнадцать.

— Так и немудрено тогда. И, честно вам сказать, скатертью дорожка.

— Бедовые?

— Ой нет. Шалопуты просто. Бытовуха случалась, но сам-то подался в Англию пару лет тому, и безобразия кончились. Я их знаю, потому что ребятня в школу не ходит. Учительница не хочет защиту детей вызванивать, звонит мне. Я туда еду и толкую с мамашей, нагоняю страху божьего на ребятню насчет интернатов для малолетних. На месяц-другой берутся за ум, а потом снова-здорово.

— Знаю таких, — говорит Кел. Незачем даже спрашивать, почему учительница не звонит в службу защиты прав ребенка ни по какому поводу, пока у детей кости целы, или почему не звонит туда сам О'Малли. Никому не надо, чтоб власти заслали сюда городских пацанов в костюмах — все станет только хуже. Свою рубашку тут носят как можно ближе к телу. — Мамка загнать их в школу не в силах? Или не желает?

О'Малли жмет плечами.

— Она чуток... ну понимаете. Не малахольная или что там, ну. Просто мало на что годная.

— Хм. По-вашему, значит, Брендан не пропал? — спрашивает Кел.

О'Малли фыркает.

— Боже, нет. Молодой парень же. Обрыдло жить в горках с мамашей, сбежал покантоваться на полу у какого-нибудь приятеля в Голуэе или Атлоне, где можно по дискотекам ходить и молоденьких клеить. Все естественно, конечно. А кто сказал, что он пропал?

— Ну, — произносит Кел, задумчиво чеша загривок, — какой-то мужик в пабе болтал, что парень подевался. Я небось понял криво. Видимо, слишком долго искал пропавших, везде они мне теперь мерещатся.

— Тут нету, — жизнерадостно говорит О'Малли. — Надоест Брендану себя обстирывать — вернется. Если только не найдет себе молоденькую, чтоб ему стирала.

— Нам всем такая не помешала б, — отзывается Кел с ухмылкой. — Ну, я не собирался то ружье для самообороны использовать, но приятно знать, что и не понадобится.

— Ой батюшки, нет. Погодите-ка минутку, — говорит О'Малли, выбираясь из кресла, — надо глянуть в систему насчет этого разрешения. Какое ружье берете?

— Депозит внес за славное "хенри", двадцать второго. Нравятся мне старомодные.

— Красотка, — говорит О'Малли. — У меня самого "винчестер". Не очень-то умею с ним, но крысищу у себя в саду на той неделе сбил. Здоровенная такая — и наглая как танк. Я себя прям Рембой почувствовал, как есть. Погодите тут покамест.

Бредет в дальнюю комнату. Кел оглядывает теплую маленькую приемную, читает потрепанные плакаты на стенах: "РЕМНИ БЕЗОПАСНОСТИ СПАСАЮТ ЖИЗНИ", "МАРШ ЗА ПРОФИЛАКТИКУ САМОУБИЙСТВ", "ДЕСЯТЬ СОВЕТОВ ПО БЕЗОПАСНОСТИ НА ФЕРМЕ" — и слушает, как О'Малли подпевает джинглу в рекламе какого-то хлеба. Здесь пахнет чаем и картофельными чипсами.

— Так, — торжествующе говорит О'Малли, возвращаясь, — в системе отмечено, что разрешение есть, да и с чего б ему не быть. Со дня на день придет письмо. Можете сходить с ним на почту и пошлину оплатить там.

— Очень признателен, — говорит Кел. — И рад знакомству.

— Взаимно. Загляните как-нибудь ближе к закрытию, ясное дело, вдарим с вами по пинте, отпразднуем ваш приезд на Дикий Запад.

— Почту за честь, — отзывается Кел. Дождь все еще льет. Кел набрасывает капюшон и выбирается под дождь, пока О'Малли не пришло в голову оставить гостя на чашку чая.

Пока одежда стирается, Кел отыскивает паб, берет себе сэндвич с ветчиной и сыром и пинту "Смитика". Этот паб совсем не того сорта, что "Шон Ог", — просторный, ярко освещенный, здесь пахнет горячей вкусной едой, деревянная мебель блестит, за стойкой обширный выбор кранов. В углу обедает и хохочет компания женщин за тридцать.

Сэндвич хорош, хорошо и пиво, но Кел не получает от них должного удовольствия. Его болтовня с О'Малли не только не угомонила мысли — она разбередила их еще пуще. Не то чтоб Кел хоть на минуту поверил, что Брендана Редди похитили неизвестные личности. О'Малли, во всяком случае, подтвердил то, что Кел смекал с самого начала: у Брендана были все причины сбежать, а причин задерживаться тут — не очень много.

Не дает покоя ему то, что Трей был прав в одном: от гард — по крайней мере, для выполнения задачи Трея — ни хрена пользы. Как только О'Малли услышал имя Редди, пиши пропало. И так же со всеми остальными. Кел размышляет о тех размытых дождем холмах и о мало на что годной матери. Ребенку в этом возрасте нельзя совсем без прибежища оставаться.

Досаждает ему непокой. Кел приканчивает пинту быстрее, чем сам того хотел, и устремляется обратно под дождь.

Покупает в хозяйственном масляный обогреватель и новую банку грунтовки, а также всякие другие припасы, в том числе новую зубную щетку в супермаркете. Молоко не прихватывает. Уверен, что малой больше не явится.

6

Следующее утро — сплошная нежная дымка, мечтательная и невинная, вся из себя такая, будто вчерашнего дня не случилось. Сразу после завтрака Кел собирает рыбацкие снасти и отправляется к реке, что в паре миль отсюда. В том маловероятном случае, если Трей все же вернется, пустой дом ему будет дополнительным ударом по сусалам, но Кел считает, что оно правильно. Пусть уж лучше малой расстроится, чем нагородит себе полную голову пустых надежд.

Рыбачит Кел в этой реке всего второй раз. Укладываясь спать, он каждый вечер собирается назавтра пойти на рыбалку, но дом вечно предлагает ему больше радушия: домом надо заниматься, Келу неймется увидеть, что получится, а рыба может и подождать. Сегодня это радушие попросту назойливо. Кел желает, чтобы дом оказался где-то далеко, и сидеть к нему лучше спиной.

Поначалу кажется, что река — то, что Келу надо. Достаточно узкая — могучие старые деревья смыкаются над нею — и довольно бурная, вода в ней бурлит и пенится; берега окроплены рыжим золотом опавших листьев. Кел отыскивает незаросший участок под большим мшистым буком и не спеша выбирает наживку. Среди ветвей скачут и огрызаются друг на дружку птицы, не обращая на Кела никакого внимания, а запах воды так крепок, что Кел ощущает его всей кожей.

Тем не менее через пару часов романтика выветривается. В прошлый раз Кел наловил себе окуней на ужин за полчаса, не больше. В этот раз он видит рыбу, видит, как она прицельно выхватывает с поверхности всякую живность, но ни одна не проявила к его наживке никакого интереса — даже не пригубила. И Кел начинает понимать на собственном опыте, о каком коварном холоде вел речь Март: то, что казалось приятным прохладным деньком, просочилось через Келов зад и выстудило его до костей и наружу. Из богатого перегноя под слоями мокрых листьев рядом он выкапывает немного червей. Рыбе наплевать и на них.

Тот день, когда он собрался учить Алиссу ловить рыбу, выдался таким же. Ей тогда было, может, лет десять; они отправились в долгий отпуск в избушке — Донна нашла это место, название которого Кел сейчас не может ухватить памятью. Они с Алиссой просидели у озера три часа, и не клевало ничего, кроме мальков, но Алисса пообещала маме, что принесет в дом ужин, и без этого уходить не собиралась. В конце концов Кел глянул в ее красное, несчастное, упрямое личико и сказал, что у него есть план. Они сгоняли в магазин и купили пакет с замороженным рыбным филе, нацепили его Алиссе на удочку и вернулись в дом с воплями: "Крупную поймали!" Донна глянула на улов и сказала, что рыба еще живая и ее надо оставить домашним питомцем. Все трое хихикали как полоумные. Когда Донна вывалила филе в плошку с водой и назвала его Бертом, Алисса хохотала так, что не устояла на ногах.

Пусть хоть одна клятая рыба потягается с ним хорошенько, а затем он соорудит из нее добрый ужин, и тогда все, что там болтается у него в голове, уляжется по местам — так думает Кел. Рыбе же его душевные нужды без всякого интереса, она продолжает играть с его крючком в пятнашки.

Через полдня совершенно по нулям Кел начинает думать, что репутация реки — разводка комиссии по туризму*, а окуневый ужин в прошлый раз — чистое везение. Собирает снасти и направляется к дому, не торопясь там оказаться. Если вдруг Трей все же решит заявиться и попытать удачу еще разок, со всей этой затеей придется завязать, не откусив попутно малому башку.

* Точнее, комиссия по гостеприимству (ирл. *An Bord Fáilte*) — с 1952 года преемница Ирландской комиссии по туризму (осн. 1939). С 2003 года называется *Fáilte Ireland* (букв.: "Гостеприимство Ирландии").

На полдороге к дому он натыкается на Лену — та ходко шагает ему навстречу, при ней собака, шуршит по кустам впереди.

— День добрый, — говорит она, подзывая собаку щелчком пальцев. На ней просторная бурая шерстяная куртка и синяя вязаная шапочка, натянутая поглубже, видно лишь несколько прядей светлых волос. — Рыба есть?

— Навалом, — отвечает Кел. — И вся умней меня.

Лена хохочет.

— Эта речка с характером. Попытайте счастья завтра — не будете знать, куда девать.

— Может, так и сделаю, — говорит Кел. — Это собака-мамаша?

— А, не. Та ощенилась на прошлой неделе только, сидит дома со щенками. Эта — ее сестра.

Собака — умного вида молодой рыже-черный бигль — дрожит и фыркает от пылкого желания познакомиться с Келом.

— Можно поздороваться? — спрашивает Кел.

— Валяйте. Этой все б любиться, а не драться.

Кел протягивает руку. Собака обнюхивает каждый дюйм, до какого в силах дотянуться, виляет всей своей задней половиной.

— Хорошая собака, — говорит Кел и чешет ей шею. — Как там мамаша с детьми?

— Шик. Пять щенков. Сперва думала, первый не выживет, а он теперь пухлый, как плюшка, и всех остальных распихивает, чтоб добраться куда ему надо. Желаете взглянуть, если примериваетесь?

Лена засекает ту одну секунду, нужную Келу, чтобы собраться с мыслями на этот счет.

— На Норин не обращайте внимания, — забавляясь, говорит она. — На щенков зайти глянуть можно, и я не сочту это предложением руки и сердца. Клянусь как на духу.

— Ну, я не сомневаюсь, — отзывается смущенный Кел. — Просто задумался, не отложить ли на потом, когда у меня всего этого не будет в руках. Я ж не знаю, далеко ли отсюда вы живете.

— Мили полторы вон туда. Дело ваше.

Желание, чтобы Лена бросила потешаться, диктует Келу ответ лишь отчасти.

— Наверно, справлюсь. Признателен за приглашение.

Лена кивает и поворачивает назад, после чего они устремляются по узкой грунтовке, а живые изгороди из покрытого желтыми цветами дрока помахивают им с обеих сторон. Кел машинально сбавляет ход — привык к Донне, пять футов четыре дюйма на каблуках, — но осознает, что это незачем: Лена вполне поспевает в ногу с ним. У нее долгий свободный шаг деревенской женщины, походка легкая, словно она могла бы гулять так весь день.

— Как с домом справляетесь?

— Неплохо, — отвечает Кел. — Начал красить. Мой сосед Март устраивает мне разносы за то, что я выбрал старый добрый белый, но Март, похоже, не лучший источник советов по интерьеру.

Что-то в нем ждет от Лены советов по цветовой схеме — похоже, Мартова болтовня застряла в голове. Но Лена говорит другое.

— Март Лавин, — и рот ее кривится ехидно, — не стоит этого мужика слушать. Нелли, — резко одергивает она собаку — та выволакивает из канавы что-то темное и раскисшее, — фу. — Собака неохотно выпускает добычу и убегает поискать что-нибудь еще. — А земля? — продолжает Лена. — Что с ней планируете?

Как ни смешно, Март постоянно задает новому соседу ровно этот же вопрос, не пытаясь скрыть, что разведывает долгосрочные планы Кела. Сам Кел представляет свои планы смутновато. Сейчас ему не удается вообразить время, когда захочется посвящать себя чему-то помимо ремонта дома, ловли окуней и стоматологической истории Клоды Мойнихан в изложении Норин. Он признает, что такое время может рано или поздно настать. Вот когда оно настанет, рассуждает Кел, возможно, он отправится послоняться по Европе, пока не слишком состарился, а затем, когда уймет зуд в ногах, вернется сюда. Больше ему нигде быть не нужно.

— Ну, — говорит он, — я еще толком не решил. У меня на земле этот лесок, хочу оставить его как есть, там половина орешник, а фундуком я способен питаться с утра до ночи. Пару яблонь, может, посадил бы, чтоб было что-то сладкое в придачу к орехам через сколько-то лет. А еще собирался участок под огород справить.

— О боже, — произносит Лена, — вы ж не из этих, которые автономные, а?

Кел лыбится.

— Не-а. Просто засиделся в конторе, хочу побыть на свежем воздухе.

— Слава богу.

— У вас тут этих, которые автономные, много?

— Случаются. У людей фантазии насчет того, чтоб вернуться к земле, они считают, что здесь самое оно. На вид тут так, надо думать. — Кивает на горы впереди, сутулые, охряные, укрытые там и сям лохмотьями тумана. — По большей части никто из них один конец лопаты от другого не отличит. На полгода их тут хватает.

— Меня устраивает ограничивать охоту и собирательство преимущественно лавкой вашей сестры, — говорит Кел. — Надо признать, Норин меня чуточку пугает, но не настолько, чтоб я растил себе собственный бекон.

— Норин что надо, — говорит Лена. — Хотела б я сказать, не обращайте внимания — и она от вас отстанет, но она не отстанет. Норин неспособна ничего видеть так, чтоб не пытаться извлечь из этого прок. Просто пропускайте мимо ушей.

— Она тут не на ту лошадь ставит, — говорит Кел. — От меня сейчас никому никакого проку.

— Да и ничего страшного. И не давайте Норин переубедить себя.

Идут молча, но молчание это не тяготит. В дроке попадается ежевика; крепко сбитые косматые пони в поле объедают кусты, время от времени Лена срывает ягодку и кладет в рот. Кел следует ее примеру. Ягоды темные, спелые, но все же с терпким привкусом.

— Обдеру их на днях да заделаю варенья, — говорит Лена. — Если выдастся день, когда я решу заморочиться.

Сворачивает с дороги на длинную грунтовую тропу. Поля по обе стороны — пастбища, там высокая трава и крепкий коровий дух. Какой-то дядька осматривает корове ногу, вскидывает голову на Ленин оклик, машет ей, кричит что-то в ответ, Кел не улавливает.

— Киаран Малони, — говорит Лена. — Выкупил у меня землю. — Кел представляет ее в этих полях, в резиновых сапогах и заляпанных грязью штанах, и как она запросто окорачивает разыгравшегося жеребенка.

Ее дом — длинное одноэтажное здание, свежепокрашенное, на окнах ящики с геранью. Лена не приглашает Кела внутрь, а ведет в обход дома к низкой постройке из грубого камня.

— Пыталась оставить ее щениться в доме, — говорит, — но куда там. Пожелала в хлеву. В конце концов я решила, что беды не будет. Стены тут толстые, холод не проберется, а замерзнет — дорогу знает.

— Вы этим с мужем занимались — скотиной?

— Было дело, ага. Молочной. Хотя тут не держали, не. Это старый хлев, ему век-другой. В основном мы тут хранили корм.

В хлеву сумрачно, освещен он только мелкими высокими оконцами, и Лена права насчет стен — здесь теплее, чем Кел предполагал. Собака лежит в последнем стойле. Они присаживаются на корточки, Нелли остается на почтительном расстоянии; заглядывают внутрь.

Собака-мать — рыжая с белым, свернулась в просторном деревянном ящике вокруг пищащей кучи-малы щенят, елозящих друг по дружке, чтобы подобраться поближе.

— Славный помет, — замечает Кел.

— А вон тот заморыш, о котором я обмолвилась, — говорит Лена, протягивает руку и выхватывает толстого щенка в черных, рыжих и белых пятнах. — А теперь гляньте, как вымахал.

Кел тянется, чтоб взять щенка, но собака-мать приподнимается, из груди ее прет тихий рык. Остальные щенки потревожены, яростно пищат.

— Дайте ей минуту, — говорит Лена. — Она не так хорошо воспитана, как Нелли. Я ее всего несколько недель как взяла, не было времени научить манерам. Как увидит, что сестра ее не против вас, так и мировецки все будет.

Кел оставляет в покое щенков и принимается возиться с Нелли, а та впитывает это с радостью, лижется и виляет хвостом. И действительно: собака-мать укладывается обратно среди щенков, а когда Кел поворачивается к ней, позволяет ему взять заморыша у Лены — всего лишь приподнимает губу.

Глаза у щенка крепко закрыты, голова болтается на шее. Он глодает Келу кончик пальца крошечными беззубыми деснами, ищет молоко. У него рыжая морда и черные ушки, по носу белый сполох, на рыжей спине черное пятно в форме драного флага. Кел гладит мягкие вислые уши.

— Давно мне такого не перепадало, — говорит он.

— Хорошо с ними, это да, — говорит Лена. — Мне-то щенки ни к чему были — да и две собаки, если уж на то пошло. Хотела одну, вот и взяла Нелли из приюта — их обеих оставили на обочине. Те, кто взял Дейзи, не удосужились ее стерилизовать, а когда она забеременела, вернули в приют. Приют позвонил мне. Сперва я отказалась, но потом подумала — а чего нет-то? — Сует руку в ящик, пощекотать щенку лоб пальцем; щенок слепо тычется ей в ладонь. — Принимаешь, что само в руки идет, наверно.

— Обычно не кажется, что есть выбор, — соглашается Кел.

— И конечно, щенки эти — дикая смесь. Одному богу известно, кто их возьмет.

Келу нравится, как она держится с ним рядом — не подается к нему как женщина, которая его хочет или хочет, чтобы он ее хотел, без равновесия, так, будто ему с минуты на минуту предстоит ее ловить, а стоит на ногах крепко, плечом к плечу с ним, как напарник. В хлеву пахнет кормом для скота, сладко и орехово, пол усыпан золотой соломенной пылью. Речной холод постепенно тает у Кела в костях.

— Что-то от ретривера есть, похоже, — говорит он. — А вон тот в конце вроде как на терьера смахивает, судя по ушам.

— Чистокровная дворняга, я б сказала. Никак тут не узнаешь, сгодятся ли они для охоты. А караульные собаки из биглей никакие. Хомяк и тот свирепее.

— А голос они подать могут в случае чего?

— Если кто-то на вашей земле, знать они вам дадут, это да. Всё замечают — и хотят вам об этом доложить. Но худшее, на что способны, — зализать чужака в клочья.

— Я б не стал просить своего пса выполнять за меня грязную работу, — говорит Кел. — Но хотел бы, чтоб меня, если что, предупредили.

— Вы с ними ладите, — говорит Лена. — Если хотите, можете одного взять.

Кел до этой минуты не отдавал себе отчета, что его оценивают.

— Недельку-другую подумаю, — говорит. — Если можно.

Лена обращает к нему лицо, ей опять забавно.

— Напугала я вас? Разговорами об этих залетных, которые через одну зиму собирают манатки?

— Дело не в этом, — отвечает Кел, слегка опешив.

— Я вам говорила, почти всем хватает полгода. Вы здесь уже сколько? Четыре месяца? Не волнуйтесь, никакого рекорда вы не поставите, если смотаете отсюда удочки.

— Просто хочу точно знать, что поступлю с собакой по-честному, — говорит Кел. — Это ж ответственность.

Лена кивает.

— Правильно, — говорит. Чуть вскидывает бровь; не разобрать, верит ему или нет. — Сообщите, когда решите, вот что. Какой-то вам приглянулся тут? Вы первый, кому предлагаю, у вас право выбора.

— Ну, — говорит Кел, проводя пальцем заморышу по спинке, — мне вот этот с виду нравится. Уже доказал, что он не из слабаков.

— Скажу остальным желающим, что этот на выданье, — говорит Лена, — если кто спросит. Захотите зайти глянуть, как он растет, — сперва звякните, чтоб я была дома, дам вам номер. В некоторые дни я на работе.

— Где работаете?

— На конюшне, по ту сторону от Бойла. Веду бухгалтерию, но иногда и с лошадьми помогаю.

— Они у вас тоже водились? Вместе со скотиной?

— Своих не было. Пускали к себе чужих на постой.

— У вас тут, судя по всему, серьезное предприятие было, — замечает Кел. Заморыш перевернулся у него в ладони на спинку; Кел щекочет ему брюшко. — Все, похоже, сильно изменилось.

Стремительно возникшей улыбки он от нее не ждал.

— Вы забрали себе в голову, что я горемычная одинокая вдовушка, сокрушенная от утраты фермы, где она со своим мужем с ног сбивались в трудах-то. Верно?

— Вроде того, — признает Кел, улыбаясь в ответ. Он всегда тяготел к женщинам, опережающим его на шаг, хотя понятно теперь, куда это его завело.

— Нисколечко, — добродушно говорит Лена. — Да я с радостью от этой дряни отделалась. С ног-то мы сбивались, это точно, и Шон вечно тревожился, что обанкротимся, а чтоб тревоги эти свои облегчить, запил. И эти вот три беды вместе устроили ему инфаркт.

— Норин говорила, что он помер. Соболезную вашей утрате.

— Почти три года уже. Привыкаю потихонечку. — Лена чешет собаку-мать за ухом, собака блаженно щурится. — Но на ферму я затаила зло. Едва дождалась, чтоб сбыть ее с рук.

Кел хмыкает. Замечает, что Лена разговаривает с человеком, которого едва знает, довольно свободно и что большинство людей среди его знакомых, склонных к этому, либо психи, либо стремятся с какими-то своими целями усыпить его бдительность, но вот Лены он не опасается. Отдает себе отчет, что каким бы откровенным разговор ни казался, однако едва ли не все, что она рассказывает о себе, так разрозненно, что едва уловимо.

— Ваш муж ферму не отдал бы, а?

— Ни за что. Шону была нужна свобода. У него в голове не помещалось, как так — батрачить. А мне... — она показывает поворотом головы на все, что вокруг, — вот это — свобода. Не батрачить. Выхожу с работы — и я вольная птица. Не вытаскивают меня из постели в три часа ночи, потому что отёл пошел неудачно. Лошади мне нравятся, но еще больше они мне нравятся, когда от них в конце дня можно уйти.

— По мне, так это совершенно осмысленно, — говорит Кел. — И вот так просто все разрешилось?

Она пожимает плечами.

— Более-менее. Сестры Шона начали давить: семейная ферма, мол, продала, он еще остыть в земле не успел, — в этом духе. Хотели, чтоб я их сыновей сюда работать пустила, а потом оставила им, когда помру. Я решила, что лучше мне жить без них, чем с этим местом у себя на горбу. Они мне все равно никогда особо не нравились.

Кел смеется, мгновение спустя Лена ему вторит.

— Считают, что я сучка черствая, — говорит она. — Может, и правы. Но в некоторых смыслах я сейчас счастливее, чем когда бы то ни было. — Кивает на заморыша, тот перекатился на правый бок и пищит вполне яростно, аж мать насторожилась. — Вы гляньте-ка на этого парня. Куда он это складывать собирается, ума не приложу, но хочет еще.

— Дам-ка я вам всем заниматься своими делами, — говорит Кел, бережно укладывая щенка в ящик, где кроха протискивается между братьями и сестрами к еде. — Я сообщу насчет этого малыша.

Лена не приглашает его на чай и не провожает к дороге. Кивает на прощанье у дверей и заходит в дом, даже не махнув рукой напоследок, Нелли скачет рядом. Но Кел, покидая это место, ощущает в себе больше радости, чем за весь день до этого.

Это настроение держится, пока он не оказывается дома, где обнаруживает, что кто-то спустил ему все четыре колеса.

— Малой! — орет он, надсаживаясь. — Вылазь!

Но в саду тихо, если не считать насмешек грачей.

— Малой! *А ну!*

Ничто не шелохнется.

Кел чертыхается, выуживает из багажника пускач со встроенным насосом. Пока возится с этой чертовой штукой, подключает и приводит в норму первое колесо, успокаивается и до него коечто доходит. Чтобы выпустить из колес воздух, и быстрее, и легче просто порезать их. Если Трей взял на себя вот этот труд, значит, причинить настоящий ущерб не стремился. Он стремился высказаться. Кел не вполне понимает, в чем это высказывание состоит. “Я собираюсь доставать тебя, пока ты не сделаешь то, что мне нужно” или, может, “Ты мудак”, но по части общения Трей и в целом не очень силен.

Кел берется за второе колесо — и тут появляются Март с Коджаком.

— Что ты тут затеял со своим призовым пони? — спрашивает Март, кивая на “паджеро”. Увидев на днях, как Кел полирует машину, Март считает, что отношение Кела к проселочному рыдвану уж слишком трепетное и городское. — Ленты ему в гриву вплетаешь?

— Более-менее, — отзывается Кел, почесывая Коджаку башку, пока тот проверяет улики, оставленные на Келе собаками Лены. — Подкачиваю шины.

К счастью, у Марта ум занят кое-чем поважнее, ему не до колес Кела, сплющенных, как ведьмина титька.

— Тут парнишка повесился, — уведомляет он Кела. — Дарра Флаэрти, из-за речки. Отец вышел утром на дойку и обнаружил его на дереве.

— Ужас какой, — говорит Кел. — Мои соболезнования семье.

— Передам. Двадцать годков всего.

— В этом возрасте они это и творят. — На секунду Кел вспоминает напряженное лицо Трея: “Он не сбежал”. Вновь принимается прикручивать шланг насоса к колесному клапану.

— Я все последнее время знал, что с парнем не то, — говорит Март. — Видал его в городе на мессе аж три раза этим летом. Сказал его отцу, чтоб приглядывал, но нельзя ж с них глаз не спускать день и ночь.

— А почему б ему в церковь не ходить? — спрашивает Кел.

— Церковь, — сообщает Март, вытаскивая кисет из кармана куртки и извлекая оттуда маленькую самокрутку, — она для женщин. В основном для старых дев, они-то да, любят сыр-бор устраивать вокруг того, кому второе чтение делать, или насчет цветов на алтарь. И для мамок она, которые ребятню приводят, чтоб не выросли безбожниками, да и для старичья — эти всем показывают, что еще покамест не померли. Если к мессе начинает ходить молодой парень, дело дрянь. Что-то неладно — либо в жизни у него, либо в голове.

— Ты сам к мессе ходишь, — замечает Кел. — Ты ж его там увидел.

— Хожу, — признает Март, — от случая к случаю. У Фолана треп классный, следом, — и воскресный ужин. Нравится мне иногда, чтоб ужин готовил кто-то другой. И если надо купить или продать скотину, иду к мессе как миленький. Многие сделки заключаются у Фолана после полуденной мессы.

— А я-то решил, что ты просто набожный парень, типа, — ухмыляясь, говорит Кел.

Март смеется, пока не начинает давиться дымом.

— Да куда там, к чему мне эта суета, в мои-то годы. Какие мне, деду старому, грехи? У меня даже широкополосного интернета нету.

— Есть же в этих краях хоть какие-то доступные грехи, — говорит Кел. — А как же потин Малахи Как-его-там?

— Никакой не грех это, — заявляет Март. — Есть то, что против закона, а есть — что против церкви. Иногда оно и впрямь одно и то же, а иногда — нет. Вам, что ли, не втолковали это в вашей-то церкви?

— Может, и втолковывали, — говорит Кел. Мыслями он не целиком и полностью с Мартом. Келу было б веселее, понимай он отчетливей и то, на что Трей способен, и каковы его границы. У Кела есть ощущение, что и то и другое гибко и определяется в основном обстоятельствами и потребностями. — Давненько уж я не из тех, кто в церковь ходит.

— Мы, думаю, твоим требованиям не соответствуем. У вас там во всех церквях играют со змеями* да в экстазах бьются. Такого мы тебе тут предложить не можем.

— Клятый святой Патрик, — говорит Кел. — Изгнал весь наш инструментарий.

* Проповеди со змеями (с 1908) — практика обращения с ядовитыми змеями в подтверждение силы своей веры во время проповедей в некоторых церквях США.

— Не мог он предвидеть наплыв янки. Вас тогда вообще не изобрели.

— А теперь смотри, — говорит Кел, поглядывая на датчик давления, — мы повсюду.

— Да и пожалуйста. Святой-то Патрик и сам был пришлым, ну? С вами у нас жизнь интересней. — Март затаптывает окурок сапогом. — Скажи-ка вот что: как там дела с той развалиной, с бюро?

Кел резко вскидывает взгляд от манометра. Всего на секунду ему кажется, что он уловил в голосе Марта намек на то, что вопрос-то лукавый. С некоторых участков Мартовой земли открывается прекрасный вид на задний двор Кела.

Март наклоняет голову, невинный, как дитя.

— Нормалёк, — говорит Кел. — Состарить, а потом лаком покрыть — и будет в полном боевом.

— Орел, — говорит Март. — Если когда понадобится пара фунтов, всегда сможешь обустроиться плотником, мастерскую вон в сарае у себя оборудуешь, найдешь подмастерье, чтоб пособлял. Хорошего только выбери. — Далее, в ответ на повторный взгляд Кела: — Я вроде видел, как ты в город ехал вчера после обеда?

Кел приносит Марту печенье и точит с ним лясы, пока Марту это не прискучивает и он не высвистывает Коджака и не уходит вдаль по полю. Шины вновь на ходу — во всяком случае, на какое-то время. Кел убирает пускач и идет в дом. Хотя б дому ущерба никакого, насколько можно судить.

Кажется, что сэндвичи, которые он брал с собой на реку, были давным-давно, однако готовить Келу не хочется. Вчерашний непокой перерос в откровенную тревогу, резкую и зудящую, — такую и к ногтю-то не прижмешь особо, куда там унять совсем.

В Сиэтле еще рано, но заставить себя ждать он не может. Выбирается на задний двор, где прием не такой паршивый, и звонит Алиссе.

Она отвечает, но голос у нее невнятный и напряженный.

— Папа? Все в порядке?

— Ага. Извини. Минутку улучил, решил, позвоню-ка я прям сейчас. Не хотел пугать.

— А. Да нет, ничего.

— Как сама? Все путем?

— Ага, все хорошо. Слушай, пап, я на работе, и...

— Конечно, — говорит Кел, — без проблем. Ты точно путем? Тот грипп не вернулся?

— Нет, все хорошо. Просто дел завал. Потом созвонимся, ага?

Кел отключается с тревогой, та делается все больше и неугомоннее, рыщет у него в мыслях, набирая прыть. Стаканчик-другой "Джима Бима" ему б не повредил, да только никак себя не заставить. Не удается стряхнуть чувство, что на него надвигается некое бедствие, кто-то в опасности, и Келу, чтобы не упустить возможность исправить что-то, необходимо держать при себе весь свой рассудок. Напоминает себе: чья-то там опасность — не его ума дело, но мысль эта не приживается.

Он поспорить готов, что малой за ним наблюдает откуда-нибудь, но Март сейчас у себя на поле, возится с овцами, услышит, если Кел крикнет. Кел обходит сад по периметру, прочесывает поле на задворках и огибает лесок, но ничего, кроме пары кроличьих нор, не находит. Вновь и вновь проигрывая в голове телефонный разговор, слышит, что с каждым разом голос Алиссы звучит как-то не так — он вымотанный, разбитый.

Не успев взять в толк, что он действительно собирается это проделать, Кел звонит Донне.

Трубку не снимают долго. Кел уже готов сбросить звонок, но тут она отвечает.

— Кел, — произносит она. — В чем дело?

Кел едва не отключается. Ее голос совершенно, полностью бесстрастный; он не понимает, как ответить этому голосу, исходящему от Донны. Но если сбросит звонок, почувствует себя напрочь балбесом и потому говорит:

— Привет. Напрягать тебя не буду. Хотел спросить кое о чем.

— Лады. Давай.

Кел не понимает ни где она, ни чем занята, фоновый шум напоминает ветер, но, вполне возможно, это просто связь такая.

Пытается сообразить, который час в Чикаго — видимо, полдень?

— Вы с Алиссой последнее время виделись?

Небольшая пауза. С тех пор как они расстались, каждый их с Донной разговор насыщен такими паузами: она оценивает, соответствует ли ее ответ на его вопрос новым правилам, которые она единолично установила для их отношений. Правила эти до сведения Кела она не довела, а потому он понятия не имеет, в чем они заключаются, но, невзирая на это, иногда ловит себя на том, что, словно эдакий малолетний поганец, сознательно пытается их нарушить.

Судя по всему, такой вопрос правилами допускается. Донна отвечает:

— Я у них гостила пару недель в июле.

— Ты с ней разговариваешь?

— Ага. Раз в несколько дней.

— С ней все нормально, как тебе показалось?

Пауза тянется в этот раз чуть дольше.

— А что?

Кел ощущает, как в нем поднимается озлобление. Но он не пускает его в свой тон.

— По голосу мне не показалось, что все хорошо. Не могу сказать, почему именно, то ли переутомилась на работе, то ли еще почему, но я заволновался. Она, что ли, приболела? Этот малый, Бен, — он с ней нормально обращается?

— А меня ты чего спрашиваешь? — Донна изо всех сил борется за свой бесстрастный голос, но в этой борьбе уступает, что дает Келу крошечное, но удовлетворение. — Я не нанималась быть у вас с ней посредником. Хочешь знать, как там Алисса, — спрашивай ее сам.

— Я спросил. Говорит, все в порядке.

— Ну и вот.

— Она... Ладно тебе, Донна, ну чего ты. Ей опять не по себе? Что-то случилось?

— Ты ее спрашивал?

— Нет.

— Ну так спроси.

Тяжесть пропитывает Келу кости — такая знакомая, что он от нее устает. Столько у них с Донной было подобных ссор в тот год, когда она ушла, — нескончаемых, ведших в никуда, не имевших никакого внятного направления, как те сны, в каких бежишь изо всех сил, а ноги у тебя при этом едва двигаются.

— Ты бы мне сказала? — спрашивает он. — Если б что-то случилось?

— Черта с два. Если Алисса что-то не говорит тебе, значит, не хочет, чтоб ты знал. Это ее выбор. Да и если что-то случилось, что ты с этим поделаешь оттуда, где ты сейчас?

— Я бы прилетел. Мне прилететь?

Донна исторгает взрывной звук чистого отчаяния. Донна любила слова и употребляла их во множестве, их хватало, чтобы уравновесить недостаток их у Кела, но все равно недоставало, чтобы вместить ее чувства; ей нужны были руки, лицо и набор звуков, как у пересмешника.

— Ты невыносим, понимаешь? И вроде умный мужик, боже ты мой... Знаешь что, я пас. Не буду я больше за тебя думать. Мне пора.

— Конечно-конечно, — отвечает Кел, возвышая голос. — Передавай приветики Как-его-там... — Но она сбрасывает звонок, что, возможно, и к лучшему.

Кел стоит некоторое время у себя в поле, зажав телефон в руке. Хочет вмазать кулаком по чему-нибудь, но понимает, что ничего этим не изменит, только разобьет себе костяшки. От такого обилия здравого смысла чувствует себя старым.

В воздух просачивается вечер, над горами полосы холодного желтого, а у грачей на дубе вечернее совещание. Кел возвращается в дом и включает на “айподе” что-то из Эммилу Хэррис*. Надо, чтоб кто-то сейчас был с ним понежней, хоть ненадолго.

* Эммилу Хэррис (р. 1947) — американская кантри-, фолк-, блюграсс-певица, автор песен, музыкант.

Он все же прихватывает бутылку “Джима Бима” на заднее крыльцо. Почему бы и нет. Даже если кто-то там в какой-то опасности, похоже, от Кела помощи хотят в последнюю очередь.

Не видит он причин, почему бы ему не сидеть тут и не размышлять о Донне, раз уж все равно облажался и позвонил ей. Времени на ностальгию у Кела никогда не было, но размышлять о Донне представляется иной раз важным занятием. Порой ему кажется, что Донна планомерно вымарывает у себя из памяти все хорошее, что между ними было, чтобы погрузиться в блестящую новенькую жизнь, не надрывая сердца. Если не сохранит эту память и Кел, все их хорошее исчезнет, будто и не случилось вообще.

Кел думает про то утро, когда они обнаружили, что у них будет Алисса. Яснее некуда помнит, какая Донна была в его объятиях: кожа горячей обыкновенного, словно некий мотор разгонялся на новых цилиндрах, ошеломительная сила ее тяготения и таинство внутри нее. Кел сидит на заднем крыльце, смотрит, как сереют от сумерек зеленые поля, слушает грустный и нежный голос Эммилу, выплывающий из-за двери, и пытается понять, как вообще получилось переместиться из того дня в этот.

7

Наутро Кел просыпается со все тем же нехорошим нутряным чувством. Последние пару лет на службе он с ним просыпался ежедневно — с этой плотной, скрученной в узлы уверенностью, что на него прет что-то скверное, что-то неотвратимое и неумолимое, как ураган или массовое убийство. Кел от этого делался дерганым, как салага, окружающие замечали и говнились на него за это. Когда ушла Донна, он решил, что вот она, бомба, которую он ожидал. Да вот только чувство у него в потрохах никуда не девалось — громоздкое и хмурое, как и прежде. И тогда он решил, что дело, должно быть, в его среднем возрасте и в опасностях службы, что наконец догнали его с неким новым осознанием смертности человеческой, но, даже подав заявление и уволившись, он с этим чувством не расстался. Оно лишь начало ослаблять хватку, когда он подписал бумаги на это место, и окончательно отпустило, когда прошел по некошеной траве к облупленной входной двери. И вот опять оно, словно чувству этому понадобилось некоторое время, чтобы вынюхать Кела за много миль и настигнуть.

Он справляется с этим так же, как и прежде на службе, — пытается уморить себя работой. После завтрака берется красить гостиную — ожесточенно и быстро, изо всех сил, охота ему или нет. Помогает оно как и прежде, то есть не очень-то, но он хотя бы попутно нафигачил чего-то дельного. К ужину на загрунтованные стены почти везде нанесен первый слой краски. Кел по-прежнему пуглив, как дикий конь. День ветрен, а это значит, что и внутри, и снаружи, и в печной трубе уйма звуков, и Кел дергается при каждом, хотя понимает, что это всего лишь листья и оконные рамы. А может, и малой. Кел жалеет, что мамаша малого не решила отправить его в военную школу сразу же, как только тот начал от учебы отлынивать.

Дни укорачиваются. Когда Кел шабашит, уже стемнело — это беспокойная, шквалистая тьма, из-за нее замысел выгулять остатки того чувства кажется гораздо менее привлекательным. Кел ест гамбургер и пытается укрепить в себе решимость, и тут в его входную дверь ударяется нечто. На этот раз не ветер — что-то твердое.

Кел откладывает гамбургер, тихонько выбирается через заднюю дверь и крадется вдоль стены дома. В небе лишь стружка луны, тени густы и способны скрыть даже мужика его габаритов. Откуда-то из владений Марта сюда плывет невозмутимый клич совы.

Передняя лужайка пуста, ветер мотает траву туда-сюда. Кел ждет. Через минуту что-то мелкое вылетает из изгороди и влепляется в стену. На этот раз слышны смачный хруст и плюх о камень — и тут до Кела доходит. Чертов малой закидывает его дом яйцами.

Кел возвращается в дом и замирает посреди гостиной, оценивая положение и усиленно прислушиваясь. К яйцам применим тот же вывод, что и к покрышкам: пару камней раздобыть проще, и ущерба от них больше. Малой не нападает на Кела — он его требует.

Еще одно яйцо плюхает во входную дверь. Не успев осознать это, Кел сдается. Ему по силам выстоять против этого пацана и по силам выстоять против собственных неисповедимых непокоев, но не против того и другого разом.

Кел отправляется к мойке, наполняет водой пластиковый таз для посуды и отыскивает старое кухонное полотенце. Затем выносит все это к двери и распахивает ее.

— Малой! — орет он в изгородь громко и от души. — Вылазь!

Тишина. Затем прилетает яйцо и вляпывается в стену в нескольких дюймах от Кела.

— Малой! Я передумал. Кончай с этой херней, пока я не передумал еще раз.

Вновь тишина, дольше предыдущей. И вот Трей — упаковка из-под яиц в одной руке, яйцо в другой — выступает из-за изгороди и стоит, выжидая, готовый сорваться с места или метнуть. Клин света от двери вытягивает его тень позади, удлиняет и сужает Трея — темную фигуру, сгустившуюся в снопе света на безлюдной дороге.

— Позанимаюсь я твоим братом, — говорит Кел. — Ничего не обещаю, но гляну, что можно сделать.

Трей вперяется в него с беспримесным животным подозрением.

— Чего это? — спрашивает он.

— Я же сказал. Передумал.

— Чего это?

— Не твоя забота, — отвечает Кел. — Но не потому что ты тут херней маешься, скажем так. Тебе это еще нужно или как?

Трей кивает.

— Лады, — говорит Кел. — Только ты сперва давай отмой-ка это говно. Как закончишь, заходи в дом, потолкуем. — Оставляет полотенце и лоханку с водой у порога, возвращается в дом, шваркает дверью.

Доедает остатки котлеты, слышит, как дверь открывается, внутрь рвется ветер, ищет, за что бы схватиться. В дверях стоит Трей.

— Ты всё? — спрашивает Кел.

Тот кивает.

Келу незачем проверять, качественно ли Трей прибрался.

— Лады, — говорит. — Садись.

Трей не двигается. До Кела доходит: малой боится, что его заманивают внутрь, чтобы поколотить.

— Господи, малой, — говорит Кел, — да не буду я тебя бить. Если все чисто, мы квиты.

Трей смотрит на бюро в углу.

— Ага, — говорит Кел. — Его ты испоганил прилично. Почти всё я отмыл, но кое-что в щелях осталось. Зубной щеткой пройдешься как-нибудь.

Малой все еще опаслив.

— Я б сказал, пусть дверь стоит открытой — на случай, если захочешь удрать, — говорит Кел, — но там слишком ветрено. Решай сам.

Через минуту Трей решает. Входит в комнату, закрыв за собой дверь, и сует Келу упаковку из-под яиц. Внутри осталось одно.

— Ну спасибо, — говорит Кел. — Сунь в холодильник.

Трей подчиняется. Затем усаживается за стол напротив Кела, стул отодвигает подальше, ступни напряженные — мало ли что. На Трее грязная парка армейской зеленой раскраски, что для Кела облегчение: он гадал, есть ли вообще у малого зимняя одежда.

— Есть хочешь? Пить?

Трей качает головой.

— Лады, — говорит Кел. Отодвигает стул — Трей вздрагивает, — относит тарелку в мойку, уходит к себе в комнату и возвращается с блокнотом и ручкой.

— Для начала, — говорит он, пододвигая стул к столу, — скорее всего, я ничего не найду. А если найду, выяснится то, что твоя мама сказала сразу, — твой брат сбежал. Ты к такому готов?

— Он не сбегал.

— Может, и нет. Я говорю, что все может оказаться не таким, как у тебя на уме, и надо быть к этому готовым. Ты готов?

— Угу.

Кел знает, что это враки, даже если этого не знает сам малой.

— Уж пожалуйста, — говорит. — Второе: херню ты мне не впариваешь. Я задаю вопрос — ты даешь мне полный ответ, какой у тебя есть. Даже если он тебе не нравится. Попрет херня — я выхожу из игры. Ясно?

Трей отзывается:

— Вы тоже. Все, что найдете, сообщаете мне.

— По рукам, — говорит Кел. Перекидывает обложку блокнота. — Так. Полное имя твоего брата?

Малой выпрямляет спину, укладывает руки на колени, будто это у них устный экзамен, где надо не ударить в грязь лицом.

— Брендан Джон Редди.

Кел записывает.

— Дата рождения?

— Двенадцатое февраля.

— Где он проживал до того, как пропал?

— Дома. С нами.

— С нами — это с кем?

— С мамкой. С сестрами. С другим моим братом.

— Имена, возраст.

— Мамка — Шила Редди, ей сорок четыре. Мэв девять. Лиаму четыре. Аланне три.

— Ты сказал, что сестер у тебя три, — говорит Кел, записывая. — Где еще одна?

— Эмер. В Дублин уехала два года назад. Ей двадцать один.

— Есть вероятность, что Брендан остановился у нее? — Трей мотает головой. — Почему нет?

— Они не ладят.

— Как так?

Жмет плечами.

— Брендан говорит, она тупая.

— Чем занимается?

— Работает в "Магазинах Даннз"*. Товар раскладывает.

— А Брендан что? Работал? Учился в школе? В колледже?

— Не.

— Почему?

Жмет плечами.

— Когда он бросил школу?

— В прошлом году. У него выпускной свид**, он не бросал.

— Хотел ли он что-то делать? В колледжи какие-нибудь подавался, на работы устраивался?

— Хотел электротехником быть. Или химиком. Баллов не хватило.

* *Dunnes Stores* (с 1944) — ирландская транснациональная сеть розничных магазинов (в основном продовольственных, одежных и хозяйственных).

** Экзамен на выпускное свидетельство (*The Leaving Certificate Examination*, ирл. *Scrúdú na hArdteistiméireachta*, с 1925) — аналог современного российского ЕГЭ.

— А чего? Бестолочь?

— Нет!

— Так почему тогда?

— Школу терпеть не мог. И учителей.

Малой пуляет ответы, будто участвует в викторине на время. Кел глядит на него и видит, что Трею от этого хорошо. Вот к чему — они вдвоем сидят напротив друг друга за столом, с блокнотом и ручкой, — стремился малой все это время.

— Выкладывай, что там еще есть про него, — говорит Кел. Какой он?

Брови у Трея сползаются, такое ему явно не приходилось формулировать.

— Ржачно с ним, — наконец отвечает. — Много треплется.

— Ты уверен, что вы с ним родня?

Трей наставляет на Кела непонимающий взгляд.

— Неважно, — говорит Кел. — Чисто подколоть тебя. Давай дальше.

Малой выдает растерянную гримасу "чего-ты-еще-от-меня-хочешь", но Кел ждет.

— Шебутной он, — отвечает Трей. — Мамка ему за это вваливает. И в школе влетало — и еще за то, что хулиганит. — Кел ждет. — Мотоциклы любит. И мастерить что-нибудь. Типа в моем детстве он мне наделал машинок, которые ездили, и эксперименты показывал на выгоне — взрывал всякое. И он не тупой. У него много чего на уме. Он в школе кучу денег зашиб — покупал в городе сласти и продавал их на обеде, пока учителя не застукали. — Поглядывает на Кела, проверяет, хватит ли всего этого.

Кел считает, что Брендан, похоже, уродился в папашу куда крепче Трея, — и гляньте, куда папашу понесло.

— Хорош, — говорит. — Это мне, чтоб понимать, кого ищу, прикинуть, в какую сторону двигаться. По здоровью ограничения у твоего брата есть? Психические расстройства?

— Нет!

— Это не оскорбление, малой, — говорит Кел. — Мне надо знать.

Пацан все равно негодует.

— Шик у него все.

— К врачу никогда ни за чем не обращался?

— Руку сломал раз. Упал с мотоцикла. Но он тогда в больницу поехал, а не к врачу.

— Подавленным он тебе казался когда-нибудь? Встревоженным?

Очевидно, что этим понятиям Трей уделял не очень много внимания.

— Его будь здоров уело, когда не поступил в колледж, — поразмыслив, предполагает он.

— Уело как именно? Типа просидел весь день у себя в комнате? Отказался от еды? Перестал разговаривать? Как?

Трей бросает на Кела взгляд "ну ты и истеричка".

— Не. Типа уело. Типа матерился страшно, в тот вечер уехал гудеть и всю неделю зажигал. А потом сказал, да пошел он, этот колледж, все будет шик-блеск.

— Лады, — говорит Кел. На склонность к депрессии не похоже, но родственники — не всегда самые наблюдательные. — С кем тусовался?

— С Юджином Мойниханом. С Фергалом О'Коннором. С Падди Фаллоном. С Аланом Герагти. И с другими парнями тоже, но в основном с этими.

Кел записывает названных.

— С которым ближе всего?

— У него нет, типа, лучшего друга. С кем придется.

— Подруга есть?

— Не. Последнее время нету.

— Бывшие?

— Он пару лет гулял с Каролайн Хоран, еще в школе.

— Хорошие отношения?

Трей пожимает плечами. На этот раз преувеличенно: "Мне-то с какого фига знать?"

— Когда закончились?

— Сколько-то уже. До Рождества.

— Из-за чего?

Опять жмет плечами.

— Она его бросила.

— Разборки были? Она его в чем-нибудь обвиняла? Что он ее бьет или изменяет ей?

Жмет плечами.

Кел подчеркивает имя Каролайн.

— Где искать Каролайн? Работает где-нибудь тут?

— В городе. Ну или работала, по-любому, когда Брен с ней гулял. Лавка со всяким гамном для турья. Иногда она еще подсобляет Норин, они с ее матерью двоюродные. Кажись, в колледж поступила, вот что, но я не знаю тогда.

— С кем другим у него проблем не возникало?

— Не. Ссорился с парнями, бывало. Ничего серьезного, в общем.

— Ссорился типа как? Спорили? Орали? На кулаках? На ножах?

Трей вновь одаряет Кела взглядом "истеричка".

— Не на *ножах*. Все остальное — это да. Ничего не значило.

— Просто пацаны как пацаны, — говорит Кел, кивая. Все это вполне может быть правдой, но лучше проверить. — А оттягивается как? Увлечения?

— Играет в хёрлинг. Тусуется.

— Пьет?

— Иногда. Не каждый вечер, типа.

— Где? В "Шоне Оге"?

Этот вопрос удостаивается возведенных горе очей.

— "Шон" для старперов. Брендан ездит в город. Или в гости к кому.

— Какой он, когда пьяный?

— По-плохому не напивается, ничего такого. Хулиганит, типа они с ребятами наворовали указателей дорожных в городе и повтыкали их людям в газоны. А один раз родители Фергала уехали, и он устроил вечеринку и уснул пьяный, ну и остальные ему в уборную овцу притащили.

— Брендан бывает задиристый? — спрашивает Кел. — Драки сам затевает?

Трей исторгает пренебрежительное “пффт”.

— Не. Лезет в драку иногда, типа как парни из Бойла полезли к ним в городе. Но сам не нарывается.

— А с наркотой как? Употребляет?

Вот тут Трей впервые умолкает. Посматривает на Кела опасливо. Кел взгляд не отводит. Он не обязан ни подталкивать, ни уговаривать — не тот случай. Если Трей решит, что не хочет в итоге ввязываться, Кел не в обиде.

— Иногда, — наконец выдает Трей.

— Какие?

— Гаш. Экстази. Чуток спидов.

— Где берет?

— Есть тут парни в округе, у них всегда найдется. Все знают, что за этим — к ним. Ну или в городе покупал иногда.

— Сам толкал?

— Не.

— Откуда знаешь?

— Он мне всякое рассказывал. Я не настучу. Он это знал.

В глазах Трея промелькивает пылкий огонек гордости. Кел улавливает этот дух. Малой был у Брендана в любимцах, и всё в их связи было особенным.

— С полицией проблемы?

Уголок рта у Трея пренебрежительно дергается.

— За то, что пинал уроки. Этот жирный приезжает из города и мозги засирает.

— Он вам одолжение делает, ребята, — говорит Кел. — Мог заложить вас органам опеки, и вы и мама ваша огребли бы канители. А он вместо этого тратит время, приезжает и беседы с вами проводит. В следующий раз увидишь его — спасибо скажи, вежливо. Еще как-то Брендан на полицию нарывался?

— Пару раз ловили за превышение. Гонялся, типа, с дружбанами. Чуть права не отняли.

— Еще что-то?

Трей качает головой.

— А за что его не ловили?

Они смотрят друг на друга. Кел предупреждает:

— Я тебе сказал. Любая херня — и отбой.

Трей говорит:

— Иногда ворует у Норин.

— И?

— И еще кое-где по городу. Ничего такого крупного. Чисто поржать.

— Еще что-то?

— Не. Норин доло́жите?

— Да она знает уже, малой, — ехидно отвечает Кел. — Но не волнуйся, не скажу я ей ничего. Как у Брендана с вашим папкой?

Трей не дергается, просто смаргивает.

— Плохо.

— Типа?

— Ссорились.

— Спорили? Или физически?

Трей свирепо зыркает: какого черта Кел сует в это свой нос. Кел сидит, наблюдает, не мешает молчанию длиться, пока чуйка пацана тягает его в разные стороны.

— Ну, — в конце концов отвечает Трей. Лицо у него напрягается.

— Часто?

— Сколько-то.

— Насчет чего?

— Отец сказал, что Брендан паразит, захребетник. Брен ему: "На себя посмотри". И иногда... — Подбородок у Трея дергается, но он продолжает. Свою часть сделки блюдет. — Чтоб отец не трогал мамку или нас кого-то. Когда отец бесился.

— Так, — говорит Кел, оставляя эту тему, — маловероятно, что Брендан подался к отцу.

Трей исторгает резкий, взрывной звук, напоминающий смех.

— Ни в жисть.

— Номер отцова телефона у тебя есть? Или электронный адрес? На всякий случай.

— Не.

— А Брендана?

— Номер знаю.

Кел открывает чистый листок в блокноте, передает Трею. Тот пишет старательно, крепко нажимая на ручку. Ветер снаружи все еще гуляет, громыхает дверью и протискивается в щели, студит им лодыжки.

— Смартфон у него? — спрашивает Кел.

— Ага.

Часок с этим номером в руках — и его технари на работе знали бы всё, что у Брендана на уме. У Кела никаких таких умений нету, ничего из их программного обеспечения и, разумеется, никакого права на это.

Трей возвращает блокнот.

— Пытался звонить? — спрашивает Кел.

За это огребает взгляд "во недоумок-то".

— Каэшн. С городского, каждый раз, как мамки нету рядом.

— И?

Впервые за весь день у Трея на лице возникает эта жуткая, напряженная горестность. Держится из последних сил.

— Автоответчик.

— Так, — бережно отзывается Кел, — прямиком на автоответчик? Или все же звонит какое-то время?

— В первый день звонил. А потом сразу автоответчик.

Это, конечно, могло означать, что Брендана держат в заложниках злые мужики, не оставившие ему в застенке зарядку для мобильного. А еще это могло означать, что он, добравшись туда, куда хотел, завел себе новый номер. А еще это могло означать, что он повесился на дереве где-нибудь в горах и телефон продержался чуть дольше хозяина.

— Так, — повторяет Кел. — Пока вводных мне хватит, чтоб начать. Молодец.

Трей выдыхает.

— Не, — говорит Кел, — мы еще не закончили. Мне надо знать про то, как у вас все было, когда вы последний раз виделись.

Через секунду Трей вдыхает еще раз и собирается с духом заново. На этот раз требуется усилие. Вид у малого внезапно делается утомленный, под глазами круги — слишком он юн для всего этого, — но Келу довелось побеседовать со множеством детей, слишком юных для подобного, и ни один не оказывался в таких беседах по собственному желанию. Кел говорит:

— Двадцать первое марта, с твоих слов.

— Угу.

— Какой был день недели?

— Вторник.

— Отмотай на несколько дней назад. Происходит ли что-нибудь необычное? Брендан ссорится с мамой? С кем-то из приятелей? С мужиками в городе?

— Мамка не ссорится. Она не такая.

— Лады. С кем-нибудь еще?

Трей жмет плечами.

— Нинаю. Не говорил.

— Его не взяли на работу? Заикался о новой девушке? Домой пришел позже обычного? Ищем хоть что-то не похожее на привычный распорядок.

Малой задумывается.

— Он был немножко сам не свой в ту неделю, наверное. Типа злой. В тот день, когда ушел, ему было мировецки, вот что. Мамка сказала: "Ты шибко довольный", а он ей: "А чего киснуть-то, по-любому у меня на это времени нет". И все.

— Хм, — выдает Кел. План побега парня бы взбодрил, это точно. — Давай-ка теперь про двадцать первое. Начни с начала. Ты просыпаешься.

— Брена не вижу. Еще спит. Ухожу в школу. Возвращаюсь домой, он смотрит телик. Сажусь с ним. Чуть погодя он уходит.

— Во сколько?

— Где-то в пять. Птушта мамка позвала к чаю, а он сказал не, ему надо по делам, и ушел.

— На чем поехал? Машина, мотоцикл, велосипед?

— Ни на чем. У мамки есть машина, но он ее не брал. Мотоцикла у него нет. Пешком пошел.

— Сказал тебе куда?

— Не. По прикидкам, пошел к ребятам. На часы поглядывал, будто ему надо где-то быть.

Или успеть на автобус. Автобусы в Дублин и Слайго ездят по главной дороге, всего в паре миль отсюда, и хотя официальной остановки у них нет, Норин заверила Кела, что почти все шоферы — люди добрые, подбирают. Кел записывает: "Расписание автобусов 4–8 вечера, вт.".

— Болтали о чем-нибудь, пока телик смотрели?

— О моем дне рожденья. Брен обещал купить мне годный велик, у меня только старый, гамно сраное, цепь заедает все время. Ну и про передачу по телику. Какое-то шоу с пением, не помню какое.

— Какой он был? В настроении? Не в настроении?

— Кабутта неймется ему. Все время болтает, хает, как люди поют. То на один край дивана сядет, то на другой. И тыркает меня, если не отвечаю.

— Для него это нормально?

Трей дергает плечом.

— Да вроде. Он вечно прыг да скок, как у скрипача локоток, мамка говорила. Но не прям так чтоб.

— А в тот день что было по-другому?

Малой теребит потрепанное место на коленке джинсов, прочесывает мысли в поисках подходящих слов. Кел заглушает порыв предложить Трею бросить это дело.

— Брен, — выжимает из себя Трей, — он баламут, в основном-то. Всегда ржачно с ним. Всем ржачно ваще-та... у нас с ним были шутки типа. Только наши с ним. Ему нравилось ржаку мне устраивать.

Кел понемножку понимает, что́ исчезновение Брендана значит для Трея. Малой, похоже, с тех пор ни разу не смеялся.

— Но в тот день он ржаку не устраивал, — говорит Кел.

— Угу. Ни разу. Такой же дерганый был, как на экзаменах. — Трей внезапно и резко хмурится. — Это не значит, что он собирался...

— Сосредоточься, — говорит Кел. — Во что он был одет? Будто в город собрался? Или как?

Трей задумывается.

— Да обычно. Джинсы, худи. Не как в город — не в парадной рубашке, ничего такого.

— Куртку брал?

— Бомбер только. Дождя не было.

— Сказал что-нибудь, когда собирается вернуться? “Поесть оставьте что-нибудь” или “Не ждите к ужину” — что-то в этом духе?

— Нинаю. — Лицо у Трея вновь напрягается. — Не помню. Хоть и стараюсь.

Кел продолжает:

— И он не вернулся.

— Ну. — Малой под паркой хохлится, будто ему холодно. — Ни в тот вечер, ни когда у меня школа назавтра кончилась.

— А раньше такое бывало с ним?

— Ну. Оставался у кого-то из дружбанов.

— То есть ты решил, что и в тот раз так.

— Сперва. Угу. — Вид у Трея осунувшийся, свернутый в себя — как у бездомных детей, на кого выливается гораздо больше жизни, чем они в силах впитать. — Мне и беспокойно не было.

— А когда стало?

— Через день после. Началось беспокойство. Мамка позвонила ему, да только трубку никто не снял. Еще через день обзвонила людей, не у них ли он. Да никто ж не видел. Даже в тот вечер, когда он ушел. Так говорили, по крайней мере.

— И в полицию она не звонила?

— Да толку-то *говорить* ей. — Вспышка чистой ярости в глазах у Трея застает Кела врасплох. — Сказала, он просто ушел, как мой па. Легавые с этим ничего не смогут сделать.

— Лады, — говорит Кел. Пишет цифру “1” возле имени Шилы Редди, обводит ее.

— Ищешь его, ищешь, — вдруг говорит Трей, — по всем дорогам, везде в горках. Дни напролет. Вдруг у него в яме нога застряла и он ее сломал, ну или как-то.

На миг Кел видит это — как малой, сгибаясь под ветром, пробирается по обширным склонам, заросшим вереском и болотной травой, среди валунов, покрытых мхом и лишайником.

— Есть причины, с чего б ему оказаться в горах?

— Он туда хаживал иногда. Чисто побыть одному.

Тут, конечно, не Скалистые, но Кел знает, что они достаточно большие и недобрые, чтоб забрать человека, если он оплошает.

— Вещи его осматривал?

— Ну.

— Нашел что-нибудь неожиданное? — Трей качает головой. — Что-нибудь пропало?

— Нинаю. Ни к чему было высматривать такое.

Взгляд малого резко соскакивает вниз, и Кел понимает, что́ Трей искал. Записку со своим именем на ней. "Вот куда я подался", или "Я вернусь", или хоть что-нибудь.

— Деньги нашел какие-то? — спрашивает.

От этого вопроса Трей опять срывается, горячий от гнева.

— Руки б не взяли.

— Я знаю, — говорит Кел. — Но нашел?

— Не.

— А ожидал? Брендан держит наличку в доме?

— Угу. Конверт, на самом дне его ящика со свитерами. Иногда выдавал мне пятерку оттуда, если срубал где-то. Видите? Знал, что я у него не сворую.

— И конверт был пустой.

— Ну.

— Когда ты там наличку видел последний раз?

— За пару дней до того, как Брен ушел. Я захожу, а он считает сидит на кровати. Сколько-то сотен, может.

И в тот же день, когда Брендан исчез, исчезли и его сбережения. Трей не дурачок. Никак не мог он упустить, на что это указывает.

Кел говорит:

— И ты думаешь, кто-то его похитил.

Трей закусывает губу. Кивает.

— Лады, — говорит Кел. — Есть ли кто у тебя на уме, на такое способный? Кто-то в округе опасен, кто уже, может, что-то мутное устраивал?

Трей таращится на Кела, будто на этот вопрос не существует ответа. Наконец пожимает плечами.

— Я не про всякое сраное фуфло типа магазинных воришек или самогонщиков. Кто-то кого-то тут похищал когда-нибудь? Ранил по-серьезному?

Еще одно пожатие плечами — на этот раз преувеличенное: "Мне-то откуда знать?"

— Кто-то, от кого мама велит тебе держаться подальше?

— Нытик Барри Молони. Старается уговорить пойти с ним — за конфеты, а если говоришь нет, то хнычет.

— С тобой он так пытался?

Трей презрительно выдувает воздух уголком рта.

— В детстве.

— А ты что?

— Деру дашь, да и всё.

— А Брендан — у него с этим мужиком были неприятности в детстве? Или у остальных твоих братьев и сестер?

— Не. Нытик Барри не... — Губы кривятся от отвращения. — Он убогий. Люди в него кидают всякое.

— Еще о ком-нибудь тебя предупреждали?

— Не.

Кел кладет ручку, откидывается на стуле, разминает шею, пострадавшую от сна на матрасе.

— Давай, малой, выкладывай начистоту, — говорит. — Откуда ты взял, что твоего брата похитили? Утверждаешь, что никто с ним разборок не устраивал, ни в какие нехорошие дела он не лез, обычный парень. С чего ты так уверен, что он не просто сбежал?

Трей произносит с несокрушимой уверенностью:

— Он бы так не стал делать.

Кел давным-давно достиг точки, в какой эти слова сообщали ему усталость от всего человечества. Все невинные говорят так — и верят в это до победного, вплоть до того мига, когда дальше уже никак. *Мой муж ни за что не поступил бы так с нашими детьми; мой ребенок не вор*. Келу кажется, что надо бы встать где-нибудь на углу и выдавать всем предупреждения на листках бумаги, где было бы написано: “Кто угодно способен на что угодно”.

— Лады, — говорит он. Закрывает блокнот и собирается по привычке сунуть его в нагрудный карман, но осознает, что нагрудного кармана у него нет. — Посмотрим, куда нас это заведет. Как ты добираешься отсюда к себе?

От этого вопроса Трей опасливо мотает головой.

— Мимо Марта Лавина где-то с милю, а потом дорога поворачивает вон туда, в горку. Мы живем там в паре миль. А что?

— Мама твоя знает, что ты сюда ходишь?

Трей качает головой, что неудивительно.

— Никто, — говорит.

Кел не настолько в этом уверен, если учесть обзор, открывающийся Марту на Келов двор, но решает об этом даже не заикаться.

— Пока что, — говорит, — пусть так и остается. Поэтому, если я объявлюсь у твоего дома и навещу твою маму, мы с тобой не знакомы. Можешь так?

Трей совершенно не в восторге от мысли, что Кел заявится к ним на порог.

— Ты хочешь, чтобы я этим занялся, или нет? — спрашивает Кел.

— Угу.

— Значит, делай, как велено. Я знаю, что и как. А ты нет.

Трей признает это и кивает. Выглядит он выжатым и ослабшим, будто ему только что удалили зуб без обезболивания. Говорит:

— Вот так вы это делали, когда легавым были?

— Примерно.

Трей наблюдает за ним и прокручивает происходящее в голове, там, за серыми глазами.

— Как вышло, что вы легавым стали?

— Тогда казалось, что это надежная постоянная служба. Мне как раз такое требовалось. — Алисса уже была на подходе, а в пожарной части вакансий не нашлось.

— У вас отец легавый?

— Не, — отвечает Кел. — Отец у меня постоянством не отличался.

— Чё делал?

— То-сё понемножку. В основном разъезжал везде, торговал всяким. Некоторое время пылесосами. Одно время продавал туалетную бумагу и моющие средства — фирмам. Говорю ж, непостоянно у него все было.

— Но в легавые вас взяли.

— Конечно. Им-то что, да хоть козлом залетным он у меня будь, лишь бы я службу свою исполнял.

— Здорово там было?

— Иногда, — говорит Кел. Его отношение к службе, поначалу чистосердечное и пылкое, постепенно стало до того запутанным, что он предпочитает о ней не думать. — Похоже, Брендан хорошо сечет в электричестве. Он какую-нибудь халтуру на стороне брал — срубить чуток бабла?

Трей, кажется, сбит с толку.

— Ага. Бывало. Починить что-нибудь типа.

— Он бы мог проводку в этом доме переделать, если бы мне понадобилось?

Трей смотрит на него так, словно Кел утратил рассудок.

— Тут не то что в те деньки, когда у меня бляха имелась, — поясняет Кел, — и можно было лезть к людям с любыми вопросами. Если предстоит ошиваться по округе и заговаривать о твоем брате, мне нужен повод.

Трей осмысляет.

— Он чинил проводку у нас в гостиной. Его ж нету, ну. Люди знают.

— Ага, но я-то могу и не знать, — говорит Кел. — Я пришлый, еще не сообразил, кто тут кто. Вот услышал я, что упомянули парня, который электричеством занимается, — откуда мне знать, где он есть и где его нету?

Впервые за весь день на лице Трея возникает улыбочка.

— Будете тупого из себя ломать, — догадывается он.

— Как считаешь, получится?

Улыбка делается шире.

— У вас — запросто.

— Умник тоже мне, — говорит Кел, но радуется, что удалось согнать с лица у малого хмарь. — А теперь вали давай. Пока мама твоя не заинтересовалась, куда ты делся.

— Она не.

— Значит, пока я не передумал.

Малой проворно слетает со стула, но попутно лыбится Келу, чтобы показать, что ему хоть бы хны. Принимает как должное, что Кел не отступится, раз дал слово. Келу это кажется одновременно и более трогательным, и более пугающим, чем он допускал.

— Можно я завтра приду? Узнаю, что выяснили.

— Есусе, малой, — говорит Кел. — Дай мне время. Давай ты не будешь ничего ожидать по крайней мере неделю или две. А может, и вообще.

— Ага, — говорит Трей. — Можно я все равно приду?

— Ага, валяй. У тебя свидание с бюро и зубной щеткой.

Трей кивает — одиночный решительный дёрг, дает понять, что отношение к этому серьезное.

— Приходи после обеда, — говорит Кел. — Мне утром надо по делам.

У малого ушки на макушке.

— Куда пойдете?

— Меньше знаешь — крепче спишь.

— Я хочу делать что-нибудь.

Он весь на взводе и искрит энергией, чуть ли не подпрыгивает на месте. Келу он таким нравится, но в то же время его от этой живости коробит. Уже почти не сомневается в том, что́ обнаружит. С Бренданом тут хрестоматийный побег, соответствует по всем пунктам: скучающий, не находящий себе места, не преуспевающий пацан с говенной домашней жизнью, без работы, без девушки или близких друзей, какие могли бы его укоренить, никаких карьерных планов, в краю, где не предлагается ни перспектив, ни развлечений. На другой же чаше весов вроде бы ничего: никакой серьезной уголовщины, никаких серьезных уголовников в друзьях, никаких психических расстройств — ничего.

Кел допускает пятипроцентную вероятность несчастного случая, пятипроцентную — самоубийства, девяносто процентов — собрался и свалил. Ну, может, восемьдесят девять процентов, что собрался и свалил, а один процент — что-то другое.

— Лады, — говорит он. — Ты проверь, не пропало ли что из вещей брата. Вы в одной комнате с ним?

— Не. Он с Лиамом.

— А кто с кем еще?

— Я с Мэв. Аланна с мамкой.

И Шила ее не отселила. Оставила место Брендана за ним — даже полгода спустя. Это подсказывает Келу, что она сказала Трею правду: считает, что Брендан удрал и вернется. Вопрос лишь в том, просто ли это надежда или у Шилы есть причины так думать.

— Хм. Лиаму четыре, верно? — спрашивает Кел. — Он заметит, если ты полезешь разнюхивать. Подожди, пока не уйдет на улицу играть или еще как-то. Если не улучишь подходящее время, оставь до следующего дня.

Трей одаряет Кела взглядом "ну естественно". Застегивает парку. Резкий ветер все еще гремит входной дверью, пытается ворваться, не сдается.

— Поищи всякое типа зарядки от Брендановa телефона, — говорит Кел, — или его бритвы. Такое, что можно рассовать по карманам, — что он бы хотел забрать с собой, если б собирался куда-то на пару дней. Если у него был ранец или рюкзак — проверь, на месте ли. То же касается одежды — если знаешь, какая у него водилась.

Трей вскидывает взгляд, бросив возиться с молнией на куртке, мгновенно настораживается.

— Вы думаете? Что он куда-то зачем-то собрался, а его там взяли?

— Я ничего не думаю, — отвечает Кел. — Покамест. — Внезапно на него накатывает это ощущение, которое случается вновь и вновь с тех пор, когда Трей был еще неизвестной величиной и Кел решал, как с ним поступить, — глубокое осознание просторов глухомани вокруг дома, чувство, что тебя окружает бескрайняя незримая паутина, где одно неловкое движение способно встряхнуть нечто столь удаленное, что Кел его еще даже не углядел. — Ты уверен во всем этом, малой. Так? Потому что если не уверен, сейчас самое время сообщить мне об этом.

Трей закатывает глаза так, будто Кел только что велел ему доедать брокколи.

— До завтрева, — говорит малой, набрасывает капюшон и уходит во тьму.

8

На горном склоне холоднее, чем на выпасах внизу. Холод здесь отличается по качеству и от того, какой у Кела в доме, — он здесь изощренней и требовательнее, на отточенном ветру берется за Кела сразу. После десятилетий определения погоды в широких категориях объема неудобств — мокро, морозно, жарища, годится — Кел с удовольствием замечает здесь тонкие оттенки. Прикидывает, что сейчас уже мог бы различить пять, а то и шесть разновидностей дождя.

Что касается гор, они тут не ахти какие — протяженная череда горбов высотой футов в тысячу, может, но контраст придает им мощи без всякой пропорции к их размеру. Вплоть до подножий поля привольны, нежны и зелены; горы дыбятся бурые и дикие, откуда ни возьмись, и застят собой горизонт.

Уклон дороги Кел ощущает ляжками. Дорога — тропа, не более — вьется вверх среди вереска и скальных выходов, дикие травы клонятся с обеих сторон. Выше цепляются за горный склон густые ельники. Долетает предупреждающий высокий клич птицы, а глянув вверх, Кел видит какого-то хищника, что борется с ветром, мелкий на фоне жидкого синего неба.

Дорогу Трей объяснил хорошо, и через пару миль вверх по склону Кел оказывается возле приземистого, отделанного каменной штукатуркой дома, стоящего поодаль от дороги в лысеющей траве посреди невнятно огороженного двора. В углу обмякла побитая серебристая “хёндэ-акцент” с номерными знаками 2002 года. Двое маленьких детишек — видимо, Лиам и Аланна — долбят камнями по какой-то ржавой железке.

Кел продолжает шагать. Через сотню ярдов вверх по тропе отыскивает заболоченный участок почвы и сует туда ногу по щиколотку. Вытащить ее труднее, чем он ожидал, болото вцепляется в ботинок поразительно крепко, старается удержать. Высвободившись, Кел разворачивается и направляется к дому.

Дети все еще сидят на корточках над своей железкой. Когда Кел опирается на калитку, они прекращают стучать и смотрят на него.

— Доброе утро, — обращается Кел к ребенку постарше — к мальчику. — Мама дома?

— Ага, — отвечает мальчик. У него нестриженые темные волосы, линялая синяя толстовка и сходство с Треем, которого достаточно, чтобы Кел был уверен, что пришел куда надо.

— Можешь попросить ее выйти на минутку?

Дети не сводят с него глаз. Кел распознает это едва заметное отстранение — осторожность детей, которым уже известно, что чужак, ищущий родителей, скорее всего, некое воплощение того самого Дяди, а от Дяди ничего хорошего не жди.

— Я так хорошо гулял, — говорит Кел, горестно скривившись, — и вот что себе устроил, вы поглядите. — Показывает свой мокрый ботинок.

Девочка хихикает. У нее милое замурзанное личико и каштановые волосы, собранные в два неровных хвостика.

— Да-да-да, — делано обижаясь, отзывается Кел. — Конечно, смейтесь над балбесом в мокром ботинке. Но я-то думал, может, у мамы вашей найдется что-нибудь, чем можно подсушить чуть-чуть, чтоб не пришлось мне чвакать всю дорогу с горки?

— Чвакать, — повторяет малышка. Опять хихикает.

— Вот именно, — говорит Кел, улыбаясь ей и помахивая ногой. — Чвакать до самого дома.

— Сейчас позовем маму, — говорит мальчик. Тянет сестру за рукав — достаточно сильно, та теряет равновесие и плюхается попой в грязь. — Пошли. — Убегает за дом, а сестра пытается одновременно встать и не спускать глаз с Кела.

Пока их нет, Кел оглядывает дом. Он в упадке, оконные рамы перекосились и шелушатся, среди черепицы на крыше прет мох.

Правда, то там, то здесь кто-то руку все же приложил. По обе стороны от двери горшки с цветами, разноцветный урожай их только-только сошел, а в углу двора виднеется некая игровая конструкция, сооруженная из случайных деревяшек, веревок и труб. Кел ожидал бы, что одинокая женщина на этой верхотуре с выводком ребятишек обзаведется собакой, а то и двумя, но никакого лая не слышно.

Дети возвращаются, кружа возле высокой сухопарой женщины в джинсах и свитере с озадачивающе уродливыми узорами — такие вещи бывают только с чужого плеча. У нее жесткие рыже-бурые волосы, стянутые сзади в неряшливый пучок, и закаленное стихиями, остистое лицо, когда-то, в давнюю пору, едва ли не красивое. Кел знает, что она помоложе его на несколько лет, но на взгляд не скажешь. У нее тот же настороженный вид, что и у детей.

— Простите за беспокойство, мэм, — говорит Кел. — Я тут гулял и сдуру сошел с дороги. Нашел себе славную здоровенную лужу.

Поднимает ногу. Женщина смотрит на нее так, будто понятия не имеет, что это вообще, да и дела ей нет.

— Живу в нескольких милях вон тама, — говорит и показывает Кел, — идти туда с мокрой ногой далековато. Я подумал, а ну как вы сможете меня выручить.

Она переводит взгляд на его лицо, медленно. Это взгляд женщины, на которую свалилась прорва всякого, — не единой лавиной, а струйкой, понемногу, за долгие годы.

— Вы тот американец, — наконец произносит она. Голос у нее ржавый и непривычный к беседе, словно разговаривала она последнее время немного. — В доме О'Шэев.

— Так и есть, — говорит Кел. — Кел Хупер. Рад знакомству. — Протягивает руку поверх калитки.

Почти вся настороженность сходит. Женщина делает шаг ему навстречу, вытирает руку о джинсы, коротко подает ее Келу.

— Шила Редди, — говорит.

— Ой, — отзывается Кел, обрадованно узнавая, — я уже слыхал это имя. Так-так... — Он прищелкивает пальцами. — Точно.

Лена. Сестра Норин. Рассказывала мне о своей юности и упомянула вас.

Шила смотрит на него без любопытства, ждет, когда он объяснит, чего он хочет.

Кел улыбается.

— Лена сказала, что вы с ней когда-то были чумовые. Вылезали по ночам в окно и ловили попутки на дискотеку.

Это цепляет Шилу — достаточно, чтобы возник вялый тик улыбки. Одного зуба не хватает, рядом с передними.

— Давно дело было, — произносит она.

— И не говорите, — горестно подхватывает Кел. — Помню, бывало, когда шел тусоваться, успевал в полудюжине мест побывать и до рассвета дома не появлялся. А теперь три пива в "Шоне Оге" — и с меня ажиотажа хватит, считай, на неделю вперед.

Застенчиво улыбается ей. У Кела богатый опыт держаться безобидно. При его-то габаритах это требует усилий, особенно с одинокой женщиной. Впрочем, Шила вроде бы и не боится — уже не боится, поняв, кто он такой. Она не из робких. Опасалась она не его как мужчины, а того, какой властью он, вероятно, мог быть наделен.

— В те времена, — говорит он, — я б запросто пошел домой мокрым. А вот нынче кровоснабжение-то не лучшее, пока всю эту дорогу с горы протопаю, пальцы на ногах отнимутся. Можно у вас попросить бумажных полотенец, хоть промокнуть немножко, или ветошь какую-нибудь? Или, может, даже пару сухих носков, если найдутся лишние?

Шила вновь оглядывает его ногу и кивает.

— Что-нибудь найду, — говорит она, разворачивается и направляется к дому. Дети болтаются на игровом сооружении и наблюдают за Келом. Он улыбается им, дети в лицах не меняются.

Шила возвращается с рулоном бумажных полотенец и парой серых мужских носков.

— Вот, — говорит она, передавая все это за ворота.

— Миз Редди, — говорит Кел, — вы меня спасли. Я перед вами в большом долгу.

Она не улыбается. Наблюдает, сложив руки у пояса, как он устраивается на валуне возле ворот и снимает ботинок.

— Простите, что нога вот такая, — говорит он, смущенно улыбаясь. — Утром чистая была, не то что сейчас.

Дети подобрались поближе и хихикают.

Кел комкает полотенце, засовывает его в ботинок и дает воде впитаться, не спешит.

— Красивые здесь края, — говорит он, кивая на склон, вздымающийся за домом.

Шила бросает краткий взгляд за плечо и отводит глаза.

— Может, — говорит она.

— Хорошо тут растить детей. Чистый воздух, навалом места, есть где носиться, а много ль ребенку надо.

Шила пожимает плечами.

— Сам я рос деревенским мальчишкой, — поясняет Кел, — но долго прожил в городе. Мне здесь как в раю.

Шила говорит:

— Я б счастлива была никогда этого больше не видеть.

— Вот как? — произносит Кел, но она не отзывается.

Пробует ботинок — более-менее сухо, лучше вряд ли станет.

— Люблю я гулять по холмам, — говорит он. — Город сделал меня жирным и ленивым. Оказавшись здесь, возвращаюсь к полезным привычкам. Но еще б вернуться к привычке смотреть под ноги.

Ответа вновь нет. Шила — работенка потруднее, чем он подписывался. Норин, Март и прочие ребята в пабе укрепили в Келе ожидания, что праздная болтовня в этих местах — это просто, но теперь он, во всяком случае, понимает, у кого Трей набрался навыков общения. Но вроде бы Шила не возражает против его трепа. За тем, как он обертывает мокрый носок в свежее бумажное полотенце и сует его в карман, наблюдает без интереса, но при этом не производит впечатления человека, у которого есть срочные дела.

— Ах-х, — выдыхает Кел, натягивая сухой носок, надеванный, но целый. — Так-то лучше. Я их постираю хорошенько и верну вам.

— Незачем.

— Наверное, я б тоже не захотел возврата носков, побывавших на грязных ножищах у кого-то постороннего, — говорит он, шнуруя ботинок и улыбаясь. — Принесу вам новую пару, как только выберусь в город. А пока... — Достает из кармана куртки два батончика “Кит Кат”. — Брал с собой поесть по дороге, но раз вернусь теперь раньше, вряд ли они мне понадобятся. Можно предложу вашим карапузам?

Шила отзывается тенью улыбки.

— Они-то обрадуются уж точно, — говорит. — Сладкое любят.

— Дети же, — говорит Кел. — Моя дочурка, пока такая вот была, как они, уплетала б конфеты с утра до ночи, только дай. Где б жена моя конфеты ни держала по дому, я враз про то знал, потому что дочурка, она как охотничья собака, всегда на них выведет. — Изображает.

Шила улыбается все шире, смягчается. То, что перепадает за так, даже по мелочи, воздействует на бедняков — расслабляет их. Это теплая милая волна изумления: раз в кои-то веки мир с тобой щедр.

— Эй, — зовет он, вставая и протягивая шоколадки через забор. — Любите “Кит Кат”, ребята?

Дети поглядывают на мать, чтоб разрешила. Та кивает, они приближаются, отталкивая друг дружку, и выхватывают батончики.

— “Спасибо” скажите, — произносит Шила машинально. Дети не благодарят, хотя девочка оделяет Кела широкой счастливой улыбкой. Оба поспешно удаляются к игровой конструкции, пока кто-нибудь не забрал у них шоколадки.

— У вас только эти двое? — спрашивает Кел, удобно опираясь о калитку.

— Шестеро. Эти — младшенькие.

— Ух ты, — говорит Кел. — Уйма тяжкой работы это. Старшие дети в школе?

Шила оглядывается по сторонам, словно кто-то из детей вдруг материализуется откуда ни возьмись, и эту возможность Кел целиком допускает.

— Двое, — отвечает Шила. — Остальные выросли.

— Погодите, — говорит Кел, с восторгом сообразив, что к чему. — Так Брендан Редди — ваш сынок? Который с электричеством помог тому парню, как его... тощий такой, в кепке?

Шила тут же отстраняется, мгновенно и полностью. Взгляд соскальзывает с лица Кела, Шила вперяется в дорогу, словно наблюдает за неким действом.

— Не знаю, — произносит она. — Может, и он.

— Вот это удача, — говорит Кел. — Птушта, понимаете, у меня в доме, у О'Шэев? Я там все ремонтирую сам. Справляюсь почти со всем — и со слесаркой, и с малярկой. А вот с проводами возиться не хочу, пока не глянет кто-нибудь, кто соображает, что делает. Брендан же понимает в электричестве, так?

— Ага, — говорит Шила. Она крепко обнимает себя обеими руками. — Понимает, ага. Но его тут нет.

— А когда вернется?

Шила дергает плечами.

— Не знаю. Уехал. Этой весной.

— Ой. Переехал? — понимающе спрашивает Кел.

Она кивает, по-прежнему не глядя на него.

— Где-то поблизости? Можно ему позвонить?

Она качает головой, резко.

— Не сказал.

— Ну, суровая штука, — миролюбиво говорит Кел. — Моя дочка, она тоже такое разок устроила. Когда ей восемнадцать было. Шлея ей под хвост попала насчет того, что мы с ее мамой недостаточно свободы ей даем, и удрала. — Алисса отродясь такого не вытворяла. Всегда была послушным ребенком, следовала правилам, стремилась никого не расстраивать. Зато взгляд Шилы вернулся к Келу. — Наша мама собралась ее искать, но я сказал — не надо, пусть победа останется за ней. Если отправимся ее искать, она только больше сбесится и в следующий раз сдернет еще дальше. Пусть побудет и вернется, когда сама захочет. Вы своего сынка искали?

Шила отвечает:

— Знать бы где.

— Ну, — говорит Кел, — паспорт у него есть? Без этого далеко не уедешь.

— Я ему не получала. Мог сам добыть, так-то. Ему девятнадцать. Или в Англию вот можно без паспорта.

— Может, он повидать какие места хотел? Кого-нибудь навестить? Наша девочка вечно твердила, что нравится ей Нью-Йорк, и, ясно-понятно, туда и сбежала.

Шила вскидывает плечо.

— Полно таких мест. Амстердам. Сидней. Нет таких, где б я могла его поискать.

— Когда дочка уехала, — задумчиво рассуждает Кел, перекладывая руки на калитке и наблюдая, как дети расправляются с шоколадками, — ее мама все думала, что мы должны были это предвидеть. Со всеми этими разговорами про Нью-Йорк — надо было уловить намек. Прямо-таки извелась вся на этот счет. Мальчишки, они другие. — Келу никогда не нравилось вправлять дочь в такие байки по работе, предпочитал воображаемого сына Бадди. Иногда, впрочем, девочка придает нужный ракурс. — Они тихушники, а?

— Брендан не такой, — говорит Шила. — Он большой болтун.

— Да? Намекал, что подумывает уехать?

— Про отъезд не заикался. Говорил, что все ему обрыдло, и только. Обрыдло без дела сидеть. Без денег. Он прорву всякого хотел всегда и никак не мог… — Бросает на Кела взгляд, в котором читаются стыд, непокорство и обида. — Оно выматывает.

— Это да, — соглашается Кел. — Особенно если выхода не видать. Для молодого человека это тяжко.

— Я-то знала, что ему надоело. Может, надо было… — Ветер бросает пряди волос ей в лицо, она смахивает их, резко, тыльной стороной руки, красной от работы.

— Нельзя винить себя, — бережно произносит Кел. — Я и жене говорил. Вы ж не телепат. Имеем что имеем.

Шила кивает, но без убежденности. Взгляд вновь соскальзывает с Кела.

— Жену вот еще что задело, — продолжает Кел, — дочка записку оставила. Написала нам, какие мы злые и что во всем сами виноваты. Я-то понял, что это она себе пару нагнала полну голову, чтоб набраться храбрости и уехать, а вот мама наша по-другому все поняла. Ваш сынок записку оставил?

Шила вновь качает головой.

— Ничего, — отвечает. Глаза сухие, но в голосе саднит, царапает.

— Ну, он молодой, — говорит Кел. — Как моя дочка была. В этом возрасте они не соображают, что с нами творят.

Шила говорит:

— Ваша дочка вернулась?

— Конечно, — улыбаясь, отвечает Кел. — Пара месяцев понадобилась, чтоб характер показать и устать в столовке работать да жить вповалку в студии, где полно тараканов, и вернулась как миленькая. Целая-невредимая.

Улыбается — едва дергает губами.

— Слава богу, — говорит.

— Ой да, — говорит Кел. — Богу — и тараканам. — Продолжает, уже серьезно: — Но ждать тяжело, спору нет. Мы каждую минуту переживали, а вдруг она там с каким-нибудь парнем сошлась, а он с ней обращается плохо, а вдруг ей жить негде. А то и чего похуже. — Выдыхает с шумом, оглядывает горы. — Тяжкие времена. Может, с мальчишками иначе. Вы тревожитесь за него? Или прикидываете, что он один не пропадет?

Шила отворачивает лицо прочь, сглатывает, он видит, как дергается длинная жила у нее на шее.

— Тревожусь, уж всяко, — говорит она.

— Есть причины? Или просто потому что вы мать и у вас работа такая?

Ветер вновь лупит ее прядями волос по острой скуле. На этот раз она от них не отмахивается. Говорит:

— Всегда есть причины тревожиться.

— Не хочу лезть не в свое дело, — говорит Кел. — Простите, если зарываюсь. Но просто скажу вот что: дети творят всякую жуть. В основном дело житейское, все проходит. Не всегда, но в основном так.

Шила быстро переводит дух и вновь смотрит на Кела.

— Шикарно у него все будет, — говорит она, в голосе внезапный резкий отпор: Шила уже не витает мыслями. — По-всякому, я его не виню. Он поступает так, как мне надо было в его возрасте. Все у вас с носками этими хорошо теперь?

— Как заново родился, — отвечает Кел. — Спасибо вам.

— Ну да, — говорит Шила. Она уже вполоборота к дому. — Лиам! Аланна! Слезайте с этой хреновины, идите обедать!

— Очень выручили, — говорит Кел, но она уже спешит прочь по траве. Едва оглядывается, чтоб кивнуть через плечо, и скрывается за домом, подгоняя детей резкими взмахами рук.

Кел спускается с горы. Если не считать ельников, деревья здесь редки: попадаются одинокие, угловатые и скрученные, голые к зиме и постоянно сдутые на сторону памятью о настойчивых, господствующих здесь ветрах. В распадке кто-то навалил рухляди: ржавая железная кровать с испятнанным матрасом, груда здоровенных пластиковых мешков, разодранных, мусор прет наружу. Кел проходит мимо остатков каменных стен заброшенного домишки. Старая ворона, устроившаяся в траве, что прорезалась в трещинах, широко распахивает клюв и велит Келу шагать дальше своей дорогой.

Таких людей, как Шила, ему попадалось множество — и в детстве, и по службе. Неважно, уродились они такими или почему-нибудь стали, поле зрения у них ненамного шире, чем у затравленного зверя. Все силы уходят на то, чтоб как-то устоять на ногах, куда там нацелиться на что-то покрупнее или подальше — лишь бы на один шаг опережать беды и выхватывать попутно случайные подарки. Становится еще чуть яснее, что мог значить такой брат, как Брендан, для малого вроде Трея — в таком вот доме.

Шила сказала малому правду — или, во всяком случае, то же, что говорила и себе: она считает, что Брендану надоело и он удрал — и вернется. Вполне может быть, что все так, но Шила не сообщила Келу ничего такого, что дало б ему продвинуться в эту сторону дальше, чем он уже есть. Ее вера стоит на одной лишь надежде, опирается на пустоту, не крепче дыма.

Ее тревога же непробиваема и иззубрена, как обломок скалы. У Шилы есть причины беспокоиться за Брендана, пусть она и не собирается делиться ими с Келом. А вот кто-нибудь из приятелей Брендана, может, и поделится.

Кел считал, что покончил с этим навсегда в тот день, когда сдал бляху. "Вы гляньте-ка, — думает он с чувством, которому не может дать названия, — похоже, всё при мне".

Донна закатила бы глаза и сказала: "Я так и знала — удивительно только, что тебя так надолго хватило". Говорила, что Кел одержимо лезет все исправлять, как тот, кто дергает и дергает рычаг игрового автомата и не оставляет его в покое, пока не загорятся огни и не посыплется выигрыш. Кел отвергал это сравнение, ссылаясь на то, сколько тяжкого труда и сноровки он вкладывает в исправление, но Донна лишь всплескивала руками и отвечала взрывным фырканьем взбешенной кошки.

Возможно, Донна права — ну или отчасти права, так или иначе. Беспокойство как рукой сняло.

Март опирается на калитку Кела, взгляд устремлен в поля, курит свою самокрутку. Заслышав скрежет Keловых ботинок на дороге, поворачивается и приветствует его, улюлюкая и вскидывая кулак к небу.

— Молодец ты удалец!

— А? — произносит Кел.

— Слыхал я, ты давеча был у Лены. Как у вас там дела? Покувыркаться дали?

— Господи, Март.

— Дали?

Кел качает головой, не в силах сдержать ухмылку.

Прищуренные Мартовы глаза горят озорством.

— Не подведи меня, братец. Хоть поцеловать-потискаться урвал себе?

— Дали потискать щенка, — отвечает Кел. — Это в счет?

— Ой да батюшки светы, — с отвращением отзывается Март. И добавляет чуть более философски: — Ну, уже подвижки, как ни поверни. Бабы любят, когда мужик щенков любит. В дамках будешь, не успеешь оглянуться. Выгуливать ее ведешь?

— Не-а, — отвечает Кел. — А вот щенка, может, возьму.

— Если это от ейного бигля, брал бы. Хорошая собака. Ты там, что ли, весь день проторчал? Щеночков тискал?

— Не. В горы гулять ходил. Влез ногой в болото, правда, ну и вернулся. — Показывает мокрый ботинок.

— Ты осторожней на болотах этих, вот что, — говорит Март, осматривая ботинок. Сегодня на нем грязная оранжевая бейсболка с надписью "ДЫБОМ ШЕРСТЬ ЗАТО ЯХТА ЕСТЬ". — Не знаешь ты, как у них все устроено. Не туда ногу поставишь — и уж не вынешь. Там битком турья, болота жрут их все равно что конфетки, как есть. — Лукаво косится на Кела.

— Батюшки, — говорит Кел. — Я и не подозревал, что на кону моя жизнь.

— И это ты еще с горянами не видался. Они все вглухую чокнутые, наверху-то, башку тебе проломят, как только глянут.

— Комиссии по туризму ты бы не понравился, — замечает Кел.

— Комиссия по туризму в горки не лазит. Ты сиди тут, внизу, где мы, цивилизованные.

— Может, так и надо, — говорит Кел, берясь за калитку. Март не шелохнется, Кел продолжает: — В городе я не был, братан. Уж извини.

Лукавство у Марта с лица слетает мгновенно и полностью, остается хмарь.

— Я тут не печенья жду, — говорит он. Еще раз крепко затягивается и швыряет окурок в лужу. — Пошли ко мне на заднее поле. Кое-что покажу.

Овцы Марта сбились в кучу на ближнем. Они дерганые, толкаются и нервно топчутся на месте, траву не жуют. На дальнем поле пусто — ну или почти. Посреди зеленой травы неопрятная бледная куча, с ходу не разобрать, что это.

— Одна из лучших моих овец, — говорит Март, распахивая ворота. В голосе у него однозвучность, совсем не похожая на привычный оживленный напев, и Келу с ней немножко неуютно. — Сегодня утром нашел.

Кел обходит овцу так, как обходил бы место преступления, чуть стороной и не торопясь. В белой шерсти копошатся тучи крупных черных мух. Кел подходит ближе, машет рукой, чтобы поднялись, кружа и сердито жужжа, и дали ему глянуть.

До овцы добралось что-то гадкое. Горло — месиво свернувшейся крови, то же во рту, раззявленном слишком широко. Глаз нет. Прямоугольный кусок на боку длиной в две ладони вырезан до самых ребер. Под хвостом здоровенная красная дыра.

— Ну, — говорит Кел, — нехорошее это дело.

— То же, что и с овцой Бобби Фини, — отзывается Март. Лицо жесткое.

Кел осматривает траву, но та слишком пружинистая, следов не удерживает.

— Я поискал, — говорит Март. — И в грязи у дороги тоже. Ничего не видать.

— Коджак никаких следов не вынюхал?

— Он пастуший пес, а не ищейка. — Март дергает подбородком на овцу. — Вот это все ему страсть как не понравилось, вообще. Чисто сбесился. Не понимал, то ли нападать, то ли ноги уносить.

— Бедолага, — произносит Кел. Присаживается на корточки глянуть поближе, но держится все же на расстоянии — от овцы уже прет насыщенный дух падали. Края ран чистые и отчетливые, словно нанесли их острым ножом, но Кел знает из трепотни с ребятами из отдела убийств, что с мертвой кожей бывает всякое странное. — У Бобби больше овец не погибло?

— Не погибло, — отвечает Март. — Он половину ночей последнее время торчал на своей земле, надеялся застать зеленых человечков, вдруг те за добавкой спустятся, но страшней барсука ничегошеньки не увидел. Ты мне вот что скажи: какому такому зверю ума хватит угробить отдельную овцу на всей ферме, а следом убраться с места, где есть еда, стоит только фермеру спохватиться?

Кел размышляет о том же.

— Крупная кошка, может, — произносит он. — Но у вас тут таких не водится, верно?

— Эти умные твари, оно так, — говорит Март. Щурится на горы. — Но нету их — в наших краях точно. Хотя кто его знает, вдруг кто бросил чего тут. Подходящее оно место, горки эти, чтоб избавляться от чего-нито.

Кел говорит:

— Человеку вот еще ума хватило бы уйти после одной овцы.

Март не сводит глаз с гор. Говорит:

— Кто-то, у кого с головой плохо, ты вот о чем. Мозги у кого споганились.

— Есть тут такие, кто подходит под описание?

— Я таких не знаю. Но, может, мы просто не ведаем, знамо дело.

— В деревне таких размеров?

— Никогда не знаешь, что за опарыш кому мозги йист, — произносит Март. — Парнишка у Маннионов — приятный такой юноша, никаких хлопот мамке с папкой, а несколько лет назад швырнул кота в костер. Сжег его заживо. Ни капли не выпил, ничего. Просто захотелось.

Кто угодно способен на что угодно — даже здесь, похоже. Кел говорит:

— И где сейчас тот малой Маннион?

— Уехал в Новую Зеландию после этого. Не возвращался.

— Хм. Будешь в полицию звонить? В Отлов бездомных животных?

Март бросает на него в точности такой же взгляд, как у Трея, — "во недоумок-то".

— Лады, — говорит Кел. Интересно, зачем Март привел его сюда. Уже и так все будь здоров как запуталось, куда ему дело о мертвой овце в придачу. — Твоя овца, тебе и решать.

— Хочу знать, кто это сделал, — говорит Март. — У тебя там чуток леса, его хватит, чтоб мне спрятаться. Ты б пустил меня посидеть там ночь-другую-третью, а?

— Думаешь, вернется?

— Не к моим овцам. Но из того лесочка отлично видно землю Пи-Джея Фаллона, а у него славное стадо. Если эта тварь придет к нему — напорется на меня в дозоре.

— Ну это пожалуйста, — говорит Кел. Он не в восторге от мысли, что Март будет там ошиваться сам по себе. Март — худосочный мелкий старик с хлипкими суставами, а Келу известно, как, вероятно, известно и Марту, что дробовик — отнюдь не волшебная палочка. — Я б с тобой. Прикрыть все базы.

Март качает головой.

— Лучше я сам. Одному проще прятаться, чем двоим.

— Я на своем веку поохотился достаточно. Знаю, как замереть и не двигаться.

— Ой нет. — Лицо у Марта сминается в ухмылке. — При твоих-то размерах, что б там ни было, оно ж тебя из космоса засечет. Сиди дома и не студи яйца из-за чего-то, что небось давно убежало уж всяко.

— Ну, раз ты так уверен, — говорит Кел. Надо предупредить Трея, чтоб по ночам больше не шлялся тут, а то может кончиться тем, что получит себе полную задницу дроби. — Дай знать, если передумаешь.

Мухи осели тугими, копошащимися плюхами. Март пинает овцу кончиком сапога, и мухи взвиваются вновь, ненадолго, после чего опять принимаются за дело.

— Ни звука не слышал же, — произносит он. Пинает овцу еще раз, покрепче. Затем разворачивается и топает прочь, к дому, руки в карманах куртки.

Почтальон навещал: разрешение на оружие дожидается Кела на полу у входной двери. Подавая заявление, он мечтал о домашнем рагу из кролика и никакой серьезной необходимости в виду не имел. Едва ли не первое, что привлекло его внимание, когда он только начал приглядываться к Ирландии, — отсутствие любых опасностей: ни тебе оружия, ни змей, медведей или койотов, никаких “черных вдов”, даже комаров нету. Келу кажется, что он почти всю свою жизнь имеет дело с дикими тварями, теми или иными, и его греет мысль о том, что на пенсии можно будет не брать их в расчет. Ирландцам вроде должно быть уютно в мире — по-особенному, так, что они этого даже не замечают. Теперь же ружье кажется чем-то, что в доме иметь хорошо, и чем скорее, тем лучше.

На обед делает себе сэндвич с ветчиной. Пока ест, ухитряется вытащить из интернета расписания автобусов. По вторникам вечером на главной дороге есть один автобус до Слайго, около пяти, и один в Дублин, в начале восьмого. И тот и другой подходят по времени, хотя ни тот ни другой не кажутся Келу очевидным ответом. Главная дорога милях в трех пешком от дома Редди, а Брендан, по словам Трея, вышел из дома где-то в пять, как раз когда Шила подавала чай, что по местным меркам означает ужин. Представление о времени у Трея довольно приблизительное, потому его прикидка может быть и неточная, да и Кел сомневается, что Шила подает еду по четкому графику, но даже четыре пятнадцать слишком близко к автобусу на Слайго. Вместе с тем пять или даже пять тридцать — слишком рано, чтоб выходить к дублинскому автобусу, особенно если из-за этого оставаться без ужина почем зря. В общем и целом, если Брендан собирался куда-то далеко, Кел склонен предполагать, что его кто-то подбросил.

Набирает номер Брендана — просто наудачу. Как Трей и сказал, прямая переадресация на автоответчик: “Привет, это Брендан, оставьте сообщение”. Голос юный, сипловатый, быстрый и непринужденный, словно Брендан быстренько наговорил на телефон в паузе между более важными делами. Кел пробует раз-другой угадать пароль от автоответчика, если вдруг парень оставил его по умолчанию, но ни одна попытка ни к чему не приводит.

Доедает сэндвич, моет за собой и отправляется к “Оружию и боеприпасам Даниэла Буна”. Заведение Даниэла Буна прячется в путаных задворках, и Кевин — таково настоящее имя Даниэла, вихлявый всклокоченный мужик — смотрелся бы уместнее в заплесневелом подвальном магазине грампластинок, но ассортимент знает как свои пять пальцев, Келова промасленная “хенри” 22-го калибра у него наготове.

Давненько Кел не держал в руках такое оружие и успел забыть это чистое физическое удовлетворение. Теплая плотность орехового приклада — совершеннейшее удовольствие для ладони; затворный механизм работает так гладко, что Кел мог бы передергивать затвор хоть весь день напролет.

— Что ж, — говорит он, — ради этого стоило ждать.

— На такое вот спроса немного, — говорит Кевин, опираясь о прилавок бедром и обиженно взирая на ружье. — Иначе не пришлось бы заказывать. — Кевин принял это на свой счет. Отчетливо почувствовал, что ударил в грязь лицом — а вместе с ним, возможно, и вся страна, — раз позволил какому-то янки застать себя неподготовленным.

— У моего дедушки такое было, — говорит Кел. — Когда я был пацаном. Не знаю, что с тем ружьем сталось. — Прикладывает "хенри" к плечу и прицеливается, упиваясь тем, до чего изящно сбалансирован его вес. Никакой особой нежности Кел к своему служебному "глоку" питать так и не научился — с этим его наглым чванным пониманием, что существует он для того, чтоб его наставляли на людей. Ничего, кроме агрессии, в нем не было, никакого достоинства. "Хенри" же, по мнению Кела, — как раз то, чем оружие должно быть.

— Они мало в чем изменились, — говорит Кевин. — Пристреляетесь, и оглянуться не успеете. На стрельбища подадитесь, да?

— Не, — отвечает Кел. Его слегка задевает предположение, что у него вид того, кому для стрельбы нужен полигон. — Обед себе настреляю.

— Кроликов я прям люблю, — говорит Кевин. — Особенно сейчас, когда они отъелись хорошенько к зиме. Принесите мне одного, я вам скидку сделаю на патроны.

Кел возвращается домой, собираясь в точности так и поступить, чтобы заслужить у Кевина прощение за "хенри". Планы его меняются, поскольку у него на крыльце, опершись на входную дверь, сидит Трей, коленки торчат, жует пончик.

— Хорош тягать всякую херню у Норин, — говорит Кел.

Малой убирается с дороги, чтобы Кел мог открыть дверь. Лезет в карман куртки, вручает Келу бумажный пакет, в котором обнаруживается еще один слегка раздавленный пончик.

— Спасибо, — говорит Кел.

— Добыли ружье, — замечает впечатленный Трей.

— Ага, — подтверждает Кел. — У тебя в семье нету, что ли?

— Не.

— Как так? Живи я на такой верхотуре, да еще нет никого вокруг, я б хотел, чтоб было чем защищаться.

— У отца было. Продал, перед тем как уехать. Что-нибудь нашли?

— Говорил тебе. Дай время. — Кел заходит внутрь, ставит ружье в угол. Не хочется ему показывать Трею, где у него сейф для ружья.

Трей входит следом.

— Понятно, да. Что сегодня нашли, по-любому?

— Будешь доставать меня с этим, я тебя выпру и чтоб не приходил неделю вообще.

Трей запихивает остаток пончика в рот и, пока жует, осмысляет сказанное. Судя по всему, приходит к выводу, что Кел не шутит.

— Вы сказали, что научите меня, — говорит, кивая на ружье.

— Я сказал "может быть".

— Мне годов хватит. Отец показывал Брену, когда ему двенадцать было.

Что не имеет значения, поскольку ружья того не стало прежде, чем Брендана, но Кел все равно мысленно подшивает это в папку.

— У тебя дело есть, — напоминает он малому. Открывает ящик с инструментами и кидает Трею старую зубную щетку. — Теплая вода и жидкость для посуды.

Трей ловит зубную щетку, сбрасывает парку на стул, набирает кружку посудного мыла и воды, осторожно укладывает бюро на пол, чтоб устроиться рядом на коленях. Кел стелет брезент и отжимает крышку на банке с краской, косится на малого. Тот берется за работу в таком темпе, за каким Келу не угнаться, — хочет заново показать себя с лучшей стороны после того, как взбрыкнул. Кел льет краску в поддон и предоставляет малому работать.

— Удалось проверить вещи Брена, — не отрываясь, говорит Трей.

— И?

— Зарядка от телефона на месте. И бритва, и пена для бритья, и дезодорант. И сумка школьная — у него только она и есть.

— Одежда?

— Ничего не пропало, как я вижу. Только то, в чем он был. У него немного.

— У него есть что-нибудь, что он бы не оставил? Что-нибудь ценное?

— Часы, от дедушки. Мамка подарила ему на восемнадцать лет. Их нету. Носит их все время, по-любому.

— Хм. Ты молодец, — говорит Кел, обмакивая валик.

Трей говорит в ответ, погромче, с отзвуком торжества и страха:

— Видите!

— Это не особо много значит, малой, — осторожно говорит Кел. — Небось сообразил, что заметят, если он вещички заберет. Наличные у него были, все недостающее мог добыть.

Трей закусывает щеку изнутри и вновь склоняет голову над бюро, но собирается что-то сказать, и Келу это видно. Он принимается класть второй слой краски на стену и ждет.

Так продолжается некоторое время. Между тем Кел обнаруживает, что его рабочий ритм ему нравится больше, когда малой рядом. Пока возился один последние несколько дней, работа шла неровно — то быстрее, то медленнее; разницы по результатам никакой, а вот на нервы действует. Малому же надо показывать, как все делается правильно, и Кел работает ладно да гладко. Лютый темп Трея постепенно замедляется до более размеренного.

Наконец он произносит:

— Вы заходили к нам домой.

— Ага, — отзывается Кел. — А ты, вероятно, в кои-то веки был в школе.

— Что мамка сказала?

— То, что ты и думал.

— Это не значит, что она права. Мамка наша, она не замечает. Иногда.

— Ну, мы все так, — говорит Кел. — Что она тебе рассказала?

— Она про вас не заикалась. Это Аланна. Сказала, заходил бородатый дядька в мокром ботинке, дал им “Кит Каты”.

— Угу. Вышел прогуляться, на беду, влез в болото аккурат возле твоего дома. Прикинь?

Трей не улыбается. Через секунду говорит:

— Мамка не малахольная.

— Я и не говорил такого никогда.

— Люди говорят.

— Люди, молясь, говорят много лишнего*.

Трей явно понятия не имеет, к чему это.

— Вы считаете, она малахольная?

Кел обдумывает вопрос, попутно отмечая, что ему бы очень не хотелось врать Трею, если есть такая возможность.

— Нет, — наконец говорит он, — я б не сказал, что малахольная. Она мне кажется такой дамой, кому очень не повредило бы везение.

По тому, как дернулись у Трея брови, Кел догадывается, что в таком свете малой на это еще не смотрел. Через минуту он говорит:

— Так найдите Брендана.

Кел отзывается:

— Приятели Брендана, о которых ты упоминал. Кто из них самый надежный?

Очевидно, Трей об этом не думал.

— Нинаю. Падди жуткое трепло, вывалит что угодно. А Алан, тот ротозей, жопу с пальцем перепутает. Может, Фергал.

— Где Фергал живет?

— На другой стороне деревни, полмили вниз по дороге. Овечья ферма, белый дом. Допро́сите его?

— Который из них самый смышленый?

Трей кривится.

— Юджин Мойнихан считает, что он такой. На курсы ходит в Слайго Тех**, по бизнесу или типа того. Считает, что один он весь гениальный.

* Отсылка к Мф. 6:7.

** Слайгоский технологический институт (осн. 1970) — государственное высшее учебное заведение в Слайго.

— Вот и молодец, — говорит Кел. — В Слайго переехал или все еще тут?

— Ему неохота по съемным хатам толкаться. Точняк катается туда каждый день. У него мотоцикл.

— Где Юджин живет?

— В деревне. Здоровенный желтый дом с оранжереей сбоку.

— Какие они, эти ребята?

Трей насмешливо фыркает уголком рта.

— Юджин задрот. Фергал тупарь.

Кел хмыкает. Понятно, что это примерно все подробности, на какие остается надеяться.

— Похоже, Брендан приятелей себе выбирает не шибко талантливо.

За это получает злой взгляд.

— Не очень-то есть из чего выбрать, тут-то. Что делать, ну?

— Я не критикую, малой, — говорит Кел, вскидывая руки. — Пусть тусуется с кем хочет.

— Допрóсите их?

— Побеседую. Я тебе объяснял уже. Со знакомыми пропавших людей мы беседуем.

Трей кивает, его это устраивает.

— А я что делаю?

— Ты не делаешь ничего, — отвечает Кел. — Держишься подальше от Юджина, держишься подальше от Фергала, не отсвечиваешь. — У Трея делается бунтарская мина. — Малой.

Трей закатывает глаза и возвращается к работе. Кел решает не дожимать: малой смекает, что к чему, он не бестолочь. Пока, во всяком случае, скорее всего, станет поступать, как велено.

Когда небо в окне загорается за деревьями оранжевым, Кел говорит:

— Который сейчас час, по твоим соображениям?

Трей смотрит на него с подозрением.

— У вас в телефоне есть.

— Я знаю. Мне нужна твоя прикидка.

Недоверие во взгляде остается, но Трей пожимает плечами.

— Может, семь.

Кел проверяет. Восемь минут восьмого.

— Близко, — говорит. Если Трей прикидывает, что Брендан вышел в пять, вероятно, ошибается не слишком. — И довольно поздно, давай-ка домой. В ближайшие дни надо, чтоб тебя тут не было, когда темнеет.

— Почему?

— Из-за моего соседа Марта — кто-то убил у него овцу. Он сейчас не самый счастливый мужик.

Трей осмысляет.

— У Бобби Фини овцу убили, — говорит.

— Угу. Знаешь, кто в округе вот так овец может убивать?

— Собака, наверно. Такое уже бывало. Сенан Магуайр ее пристрелил.

— Наверно, — говорит Кел, вспоминая четкий вырезанный кусок у овцы на ребрах. — Ты тут в ночи не видал собаку, какая бегает сама по себе? Или любого другого зверя, чтоб такое мог сотворить?

— Темно, — замечает Трей. — Не всегда знаешь, что́ видишь.

— То есть ты что-то видел.

Малой дергает плечом, взгляд следует за четкими взад-вперед зубной щетки.

— Люди заходили в дома, где им не место, — пару раз.

— И?

— И ничего. Топаешь дальше.

— Правильно, — говорит Кел. — А теперь брысь. Завтра можешь прийти. После обеда.

Трей встает, вытирает руки о джинсы, кивает на бюро. Кел осматривает.

— С виду неплохо, — замечает. — Еще часок-два работы, и будет как новенькое.

— Как доделаю, — говорит Трей, суя руку в рукав парки, — научи́те меня вон тому. — Дергает подбородком на ружье и устремляется к двери, прежде чем Кел успевает ответить.

Кел встает у двери и смотрит, как малой, держась у изгороди, топает прочь. В высокой траве на поле у Кела приметны мелкие движения — кролики выбираются к вечерней трапезе, — но на уме у Кела не “хенри” и не рагу. Как только Трей сворачивает к горам, Кел выжидает минуту и направляется к калитке. Смотрит в тощую спину малому, пока тот бредет между кустами ежевики в густеющих сумерках вверх по дороге, руки в карманах. Даже после того, как Трея уже не видать, Кел продолжает стоять, уложив руки на калитку и прислушиваясь.

9

Келу всегда нравились утра. Для него это не то же самое, что быть утренним человеком, сам он не жаворонок: чтобы клетки у него в мозге наладили связь друг с другом, Келу нужны время, дневной свет и кофе. Утро он любит не за то, как оно воздействует на него, а просто так. Даже посреди буйного чикагского района рассветные звуки рождались с ошеломительной изысканностью, а в воздухе витал лимонный, вычищенный запах, каким дышишь глубже и шире. В этих же местах первый свет растекается по полям, словно творится нечто священное, зажигает искры на миллионах росинок и превращает паутины на изгородях в радуги; туман вьется над травами, а первые кличи птиц и овец, кажется, легко преодолевают многие мили. Когда только удается себя заставить, Кел старается встать пораньше и съесть завтрак на заднем крыльце, упиваясь холодом и ароматом земли. Пончик, который Трей притащил ему вчера, все еще в приличной форме.

Вай-фай сегодня покладист, Кел открывает в телефоне Фейсбук и разыскивает Юджина Мойнихана и Фергала О'Коннора. Юджин черняв и продолговат, в профиле выложил некую полубогемную фотографию — где-то на мосту, вроде как в Восточной Европе, судя по виду. У Фергала широкая улыбка, он луноликий, с глянцевитыми, как у ребенка, красными щеками, в поднятой руке пинта.

У Брендана тоже есть страничка в Фейсбуке, хотя последний пост годичной давности — "ставь лайк, делись", некая попытка выиграть билеты на какой-то музыкальный фестиваль. На фотографии он на мотоцикле, улыбается через плечо. Тощий, каштановые волосы, лицо остистое и, что ли, чувствительное — такие в некоторых настроениях пригожи, а в некоторых нет и подразумевают быстрые перемены. Кел видит в нем Шилу — в скулах и в очертаниях рта, а вот Трея не видит совсем.

Если Юджин студент, а Фергал — фермер, значит, нет сомнений, который из них субботним утром, скорее всего, уже на ногах. Кел проходит деревню насквозь, лавка Норин и "Шон Ог", а также чинный бутик дамской одежды все еще спят за рольставнями; дорога пуста, лишь какая-то старуха, на перекрестке пристраивающая цветочки в гроте с Девой Марией, оборачивается поздороваться. Полмили далее тянутся обширные поля, где толпятся толстые суматошные овцы и стоит белый приземистый фермерский дом. Во дворе здоровый детина во флисовой куртке и рабочих штанах разгружает с прицепа мешки и таскает их во внушительный сарай из рифленого железа.

— Доброе утро, — говорит Кел у ворот.

— Доброе утро, — говорит парень, вскидывая на себя очередной мешок. Слегка запыхался. От физического усердия лицо у него блестит так же, как на фотоснимке из паба, — и та же благорасположенная открытость к Келу, какую запечатлела фотокамера, словно Кел, возможно, явился сюда, чтобы внезапно угостить его чем-нибудь.

— Славные у вас там овцы, — говорит Кел.

— Годные, да, — устраивая мешок поудобнее на плече, отзывается Фергал. Рыхловат, мягкие каштановые волосы и женоподобные бедра. Выглядит он как человек, до которого многое доходит не сразу. — Было бы больше, но уж чем богаты.

— Да? Это почему же?

Фергал от этого вопроса приостанавливается и смотрит на Кела круглыми глазами, словно опешил от того, что кому-то это может быть неизвестно.

— Так засуха прошлым летом, ясно ж. Пришлось продать часть стада, нечем кормить было.

— Досада какая, — говорит Кел. — Зато этим летом дождя залейся.

— Всяко лучше, — соглашается Фергал. — В прошлом году засуха пришлась аккурат на спариванье. Ягнят нам тогда скосило жуть как.

— Меня в ту пору тут не было, — говорит Кел. Прищуривается на небо, рябое жемчужно-белое и серое. — Трудно представить себе, что этим местам может достаться больше солнца, чем они способны усвоить. На туристических сайтах такое не впаривают.

— Обожаю солнце, вот как есть, — признается Фергал, застенчиво улыбаясь. — В прошлом году с ума сойти можно было — ненавидеть солнце. Ум за разум.

Келу этот парнишка нравится, нравится этот разговор, и он был бы вполне готов продолжать в том же духе. Ощущает укол злости на Трея и его бестолкового братца.

— Кел Хупер, — говорит он, протягивая руку. — Я из старого дома О'Шэев, на другом конце деревни.

Фергал ковыляет к нему, перекладывает мешок так, чтобы освободить руку.

— Фергал О'Коннор, — говорит, отвечая на рукопожатие.

— Вот это да, — говорит довольный Кел. — Я слыхал, ты, может, как раз тот, кто мне нужен, — и вот он ты. Можно подсобить, пока беседуем?

Пока Фергал умещает это у себя в голове, Кел входит в ворота, заботливо закрывает их за собой и тянет с прицепа мешок. Вскидывает на плечо, благодарно осознавая, что четыре месяца назад он бы себе полдюжины мышц сорвал. На мешках нарисован силуэт овцы, а ниже значится: "КАЧЕСТВЕННОЕ ПИТАНИЕ".

— Носим в сарай? — спрашивает.

Вид у Фергала растерянный, но ничего разумного, как еще обойтись с Келом, ему в голову не приходит, и парень соглашается.

— Ага, туда, — говорит. — Овечий корм.

Кел шагает за Фергалом в сарай. Здесь чисто, потолки высокие, много воздуха, помещение разделено на длинные ряды стойл с металлическими перегородками; стога сена и мешки с кормом сложены вдоль одной стены. У балок пара юных ласточек вьется вокруг гнезда.

— Повезло ж вашим овцам, — произносит Кел. — Хорошее место.

— Скоро пригодится, — отзывается Фергал. — Старичье говорит, зима будет злая. — Он все поглядывает через плечо, но никак не сообразит, какой вопрос задать.

— Старичье обычно не ошибается?

— Обычно нет, угу. В основном.

— Ну и вот, — говорит Кел, бросая мешок поверх внушительной кучи. — Я как раз очень надеюсь, что ты меня сможешь выручить. Собираюсь обустроить дом, пока зима не нагрянула, и ищу, кто б мне в кухне проводку переложил. Какой-то парень в пабе заикнулся насчет Брендана Редди, что, дескать, вот к кому надо за этим делом обращаться.

Глядит на парня — как он воспримет имя Брендана, но Фергал лишь растерянно смаргивает.

— Я его поискал, — продолжает Кел, — но миз Шила Редди сказала, что его сейчас нету. Сказала, может, ты мне поможешь.

Оторопь в Фергале крепнет.

— Я?

— Она так сказала.

— Да уж всяко я понятия не имею насчет электрики. Брендан, он умеет, это точно. Но его нету.

Кел подмечает вот это "умеет".

— Ох черт, — говорит. — Похоже, я все неправильно понял. Вот же идиот-то. — Жалостно улыбается Фергалу, тот улыбается в ответ — это чувство ему явно знакомо. — Прости, что помешал. Давай я хоть доделаю с тобой вместе, чтоб как-то отработать.

— Ой, да не. Всё шик, по-любому. Простите, что я вам без пользы.

— Теперь мне интересно, уж не хотела ли миз Редди от меня избавиться, — произносит Кел, когда они вместе направляются к прицепу, — а ты лучший друг Брендана, ты первый пришел мне на ум. — Вскидывает второй мешок на плечо и пропускает Фергала к прицепу. — Понимаешь, я тут, кажется, облажался по-крупному. Влез такой и давай расспрашивать, где Брендан. Я ж тогда всю историю-то не знал.

Скорость, с какой голова Фергала поворачивается к Келу, — первый намек на то, что Брендан Редди, вероятно, не просто удрал к огням большого города. Это понимание настигает Кела с ясностью звука — четкого тихого звяка металла по камню.

Фергал говорит:

— Какую историю? — Кел миролюбиво смотрит в эти круглые, напуганные синие глаза. — Что его мама говорила?

— Ну, дело не столько в том, что она сказала, — поясняет Кел, — сколько в том, что я просек.

— Что?..

Кел выжидает, но Фергал продолжает таращиться.

— Скажем так, — наконец произносит Кел, тщательно выбирая слова и показывая свою старательность. — Когда люди говорят, что Брендана нету, они не имеют в виду, что он собрал манатки, поцеловал маму на прощанье, нашел себе уютную квартирку в городе и каждое воскресенье возвращается к семейному обеду. Правильно же?

Вид у Фергала настороженный. Черты его лица для такого не приспособлены, и смотрится он поэтому комически застывшим, как ребенок, на которого присел жук.

— Нинаю, — выдавливает он.

— Штука вот в чем, — говорит Кел. — Семья Брендана изрядно о нем переживает, сынок.

Фергал смаргивает.

— Переживает в смысле? — Он слышит свой вопрос, понимает, до чего тот дурацкий, и краснеет еще пуще.

— Они боятся, что его могли похитить.

Это потрясает Фергала совершенно.

— Похитить? Ох ты батюшки, ну нет. *Похитить?* Кто?

— Ну, это ты мне скажи, сынок, — здравомысленно говорит Кел. — Я ж в этих краях пришлый.

— Нинаю, — помолчав, выдает Фергал.

— Ты за него не тревожишься?

— Брендана не... уж всяко он... Шикарно у него всё.

Кел с виду удивлен, и ему это почти не нужно изображать.

— Ты хочешь сказать, что знаешь это железно, сынок? Ты видел его в последние полгода? Говорил с ним?

Все это значительно больше того, к чему Фергал был готов нынче утром.

— А, нет, не... я не говорил с ним, ничего. Я просто думаю, что всё шик. У Брена всегда так, по-любому.

— Видишь, — говорит Кел, качая головой, — вот так я понимаю, что старею. Молодежь вечно считает, что старики слишком много беспокоятся, а старики же считают, что молодняк беспокоится недостаточно. Твой приятель пропал много месяцев назад, а ты такой: "Тю, у него небось все путем". Старику вроде меня это кажется совершенно чокнутым.

— Я б сказал, его пуганули просто, вот и все. Не *похитили*. Ну зачем кому его похищать?

— Из-за чего пуганули? Или кто?

Фергал поправляет мешок на плече, ему явно все менее уютно.

— Нинаю. Никто.

— Ты сказал, что его пуганули, сынок. Значит, кто-то его пуганул. Кто же это может быть?

— Да я просто... Он такой вот, да. Мама у меня говорит, все Редди жуть как маются нервами. Он вернется, как успокоится.

— Миз Редди терзается до полусмерти, — говорит Кел, — переживает за него. Как бы твоя мама себя чувствовала, если б ты куда-то подевался так надолго?

Это Фергала догоняет. Он бросает затравленный взгляд на дом.

— Не очень, наверное.

— Да она день и ночь на коленях бы стояла, все сердце б выплакала, молясь, чтоб ее сыночек домой вернулся. Я уж молчу, — говорит Кел, продолжая жать на слабое место, — что́ б она сказала, узнай, что ты чью-то маму вынуждаешь так страдать, когда мог бы снять ей камень с души.

Фергал с тоской смотрит на сарай. Очевидно, ему бы хотелось уйти туда и либо сесть на кучу корма и все это осмыслить, либо просто спрятаться от Кела, пока тот не отступится и не уйдет отсюда.

— Помочь ей, кроме тебя, некому, сынок. К тебе Брендан шел в тот вечер, когда слинял. Ты его подбросил куда-нибудь?

— Что? Не ко мне! — Изумление на лице Фергала кажется Келу искреннее некуда, но вид Кел сохраняет скептический. — Да не со мной он встречался. Я его последний раз видел дня за два-три до этого. Он зашел, потому что хотел денег занять. Я дал ему сотню. Он сказал: "Круто, верну" — и ушел.

Кел хмыкает. Раз Брендан собирался слинять, любая мелочь пришлась бы кстати, но Келу интересно, с чего вдруг такая спешка.

— Сказал, зачем ему?

Фергал качает головой, но жест выходит едва заметно смазанный — и парень слишком часто смаргивает.

— И я его после этого не видел, — говорит. — Клянусь.

— Я, видать, ослышался, — говорит Кел. — Это я к чему: если тебе что-то известно насчет того, где Брендан болтается, тебе надо сказать об этом его маме. Мигом.

— Я никакого понятия не имею, где он. Как перед Богом клянусь.

— То, что тебе неизвестно, миз Редди без пользы, сынок, — замечает Кел. Вряд ли Фергал задумается, с чего вдруг какой-то посторонний вдруг весь из себя такой встревоженный насчет чувств Шилы Редди. — А что же тебе известно? Брендан сообщал о своих замыслах, правда же?

Фергал топчется в грязи, как беспокойный конь, рвется вернуться к работе, но Кел ни с места.

— Нинаю, — говорит Фергал наконец. Лицо у него разгладилось, взгляд сделался пустой и невыразительный. — Просто думаю, он чуть погодя вернется.

Келу этот взгляд знаком. Видал он такой много раз на уличных перекрестках и в кабинетах на допросах. Такой взгляд бывает не у пацана, который что-то натворил, а у его дружка — у того, кто убедил себя, будто ничего не знает, потому что его не было на месте; таким дружкам просто рассказывают о том, что произошло, и они решительно намерены доказать, что достойны этой малости приключения с чужого плеча — тем, что не стукачи.

— Так, сынок, — говорит Кел терпеливо, вскидывая бровь. — Я похож на тупого, по-твоему?

— Что?.. Нет. Я не...

— Ну, это приятно. Много у меня недостатков, но я не тупой — по крайней мере, не настолько, чтоб мне на это указывали.

Фергал все еще прячется за безучастный взгляд, но уже заметно, как всего его подергивает от тревоги. Кел говорит доверительно:

— Я и сам был когда-то буйным пацаном. Что б там Брендан ни замыслил, я, скорее всего, чудил похлеще. Но маму свою я до одури не пугал — так, чтоб месяцы напролет. Не корю тебя за то, что сам ты не хочешь с миз Редди общаться, но она имеет право знать, что происходит. Если есть у тебя какое сообщение для нее, я готов передать. Докладывать ей, откуда оно взялось, я не обязан.

Но он наткнулся на преграду в уме Фергала — смесь оторопи и преданности другу схватилась намертво, как цемент.

— Нинаю, куда Брендан делся, — произносит Фергал, на сей раз тверже прежнего. Он намеревается повторять это и больше ничего. Как многие люди, которым хватает сообразительности понять, что они слегка не догоняют, он знает, что всех, кто шустрее, он поборет вот этим.

Келу известны методы, как раскрошить эту преграду, но применять их не хочет. Макать бестолковых людей лицом в их бестолковость ему не нравилось никогда. Слишком уж это смахивает на игры в песочнице, когда травят слабого малыша, да и вообще — если в это влез, обратного хода уже не будет. Заводить себе врага в этих местах он не стремится.

— Что ж, — говорит он, вздыхая и качая головой, — дело твое. Надеюсь, передумаешь. — Келу не удается разобрать, действительно ли Фергал знает что-то такое, о чем лучше помалкивать, или это просто рефлекс. Кел допускает, что, возможно, из-за профессиональной деформации накручивает: на службе едва ли не больше всего времени тратилось впустую на людей, державших рот на замке без всякой особой причины, однако в краю талантливых трепачей Кел на такое наткнуться не рассчитывал. — А когда передумаешь, найдешь меня сам знаешь где.

Фергал мямлит что-то и устремляется в сарай со всей доступной прытью. Кел ковыляет рядом и задает какой-то вопрос о породах овец, и об этом они толкуют всю оставшуюся разгрузку. К концу работы Фергал изрядно расслабляется, а Кел шагает обратно в деревню, крутя в голове Фергала и Брендана.

Девятнадцатилеткой Кел себе не нравился. В свое время считал иначе — когда отрывался в Чикаго, хмельной от свободы, работал вышибалой в паршивых клубах и любился с Донной в квартирке на четвертом этаже без лифта и кондиционера. И только несколько лет спустя, когда они обнаружили, что на подходе Алисса, Кел осознал, что отрываться его никогда не перло. Весело было, это да, но в глубине души, так глубоко, что он и не замечал этого, Кел всегда хотел крепко стоять на ногах и обходиться с кем-нибудь порядочно.

Девятнадцатилетки, чуть ли не все до единого, не стоят на земле, считает он. Отрываются от семей и не находят никого, с кем зачалиться; мотает их, как перекати-поле. Неизвестные величины они — даже для тех, кто когда-то знал всю их подноготную.

Лучше всех девятнадцатилетку знают его дружбаны — и девушка, если у девятнадцатилетки есть хорошая. Фергал, которому ум Брендана известен куда лучше, чем его малышу-брату, или его маме, или сотруднику полиции Деннису, думает, что Брендана понесло куда-то по его же выбору и что бежит он не к чему-то, а от чего-то — или от кого-то.

У этих мест есть одна особенность, общая с более лихими районами, где Келу доводилось работать: в хорошую погоду люди здесь проводят почти все время на свежем воздухе, что удобно, если желательно наткнуться на них случайно. На подъездной дорожке у большого желтого дома с оранжереей у самой околицы юный брюнет в джинсах в облипку драит мотоцикл.

Мотоцикл — хилая маленькая "ямаха", но едва ли не новехонькая и обошлась недешево. То же можно сказать и о здоровенном черном внедорожнике, припаркованном рядом, и о знаменитой оранжерее, раз уж на то пошло. В палисаднике опрятные клумбы окружают фонтанчик в форме каменной пагоды с разноцветно светящимся хрустальным шаром на вершине. Из трепа в пабе Кел знает, что Томми Мойнихан — вроде как большая шишка на мясокомбинате в паре районов отсюда. Мойниханы, подобно О'Коннорам, пусть и по-другому, устроились на порядок лучше, чем Редди.

— Клевый моцик, — говорит Кел.

Парень поднимает на него взгляд.

— Спасибо, — говорит он, одаряя Кела полуулыбкой. Черты лица достаточно изысканны, чтобы многие вокруг, включая самого Юджина, вероятно, считали его смазливым, но лицу этому недостает скул и совсем нет подбородка.

— Трудно, поди, блюсти его в порядке — на таких-то дорогах.

Юджин более не считает нужным отрываться от своей тряпочки из микрофибры.

— Не проблема. Главное, быть готовым уделять этому время.

Того желания потусоваться да потрепаться, какое возникло с Фергалом, у Кела теперь нету.

— Эй, — говорит он, осененный мыслью, — ты ж никак Юджин Мойнихан, верно?

Тут Юджин берет на себя труд поднять взгляд.

— Это я, да. А что?

— Вот так повезло, — говорит Кел. — Мне сказали, что потолковать нужно с тобой, — и вот он ты. Мотоцикл тебя выдал. Слыхал, у вас в этих краях самый симпотный.

— Он ничего, — говорит Юджин, пожимая плечами и еще разок проводя тряпкой по глянцевому слою красной краски. Легкий приятный голос, почти весь местный акцент из него вытравлен. — Собираюсь его сменить на что получше, но пока сойдет.

— Был у меня мотоцикл, — говорит Кел, укладывая руки на массивную каменную опору ворот. — В твои годы. Мелкая, четыре раза перепроданная "хонда", но, елки-палки, как же я ее любил. Чуть ли не каждый заработанный цент шел прямиком на нее.

Юджину неинтересно, и он ленится даже делать вид, что это не так. Вскидывает брови.

— Вы меня искали?

Кел, склонный согласиться с оценкой Трея, которую тот дал личности Юджина, выдает историю про перекладку проводов и Брендана и что Шила Редди отправила его к Юджину. К концу изложения вид у Юджина не настороженный, а слегка презрительный.

— Не занимаюсь я электрикой, — говорит он.

— Нет?

— Нет. Я занимаюсь финансами и инвестированием. В колледже.

Кел подобающе под впечатлением.

— Что ж, — говорит, — правильно делаешь, раз не тратишь время на случайные заработки. Сам я не шибко образованный человек, но это-то знаю. Раз уж выпала тебе такая возможность, само собой, надо использовать ее по полной.

Он замечает этот взгляд, ехидный и недоверчивый, каким Донна удостаивала его, когда он скатывался в густой захолустный говор дедовых дружбанов. "Вахлачить" — так она это называла и не выносила на дух, хоть никогда и не говорила этого, но Кел знал. Донна — джерсийская девушка из предместий, но она свой выговор никогда и не выпячивала, и не прятала, окружающим предоставлялось принимать ее такой, какая она есть. Донна считала, что Кел роняет себя, подыгрывая чужим дурацким предубеждениям. С гордостью у Кела все в порядке, просто она в другом. Изображать пентюха оказывается иногда по-всякому полезно. Донна же считала, что это не повод.

Мнение Донны не меняет того, что во взгляде у Юджина появляется оттенок презрения — аккурат какой надо.

— Ага, — говорит. — Вот я и собираюсь.

— Похоже, я промазал, — говорит Кел, снимая бейсболку, чтобы задумчиво почесать голову. — Но Брендан-то Редди проводкой занимается, верно? Хоть это я правильно понял?

— Занимался, да. Но где он сейчас, я не знаю. Извините.

Тут Кел теряется.

— Не знаешь?

— Нет. Откуда?

— Ну, — говорит Кел, натягивая бейсболку, — похоже, никто не знает. Загадка прям вроде как. Но мне все говорят, какой ты крупный гений в этих краях. И я вот прикинул, что уж кто-кто, а ты наверняка знаешь, куда Брендан делся.

Юджин пожимает плечами.

— Он не сказал.

— Нарвался на что-то, нет?

Юджин дергает плечом и сосредоточивается на полировке краски; щурясь, смотрит вдоль поверхности, чтоб ни единого развода не осталось.

— Ой, — продолжает Кел, широко улыбаясь. Разыгрывать карту с виноватостью перед мамочкой тут незачем — не с этим пацаном. — Дошло. Ты ж такой умник, я сразу забыл, что ты еще юный. Тебе все еще кажется, будто трепаться нельзя, иначе отлупят на игровой площадке.

Юджин резко вскидывается.

— Я не ребенок.

— Верняк. Так что ж там дружочек натворил? — Кел по-прежнему улыбается, поудобнее устраивается у столба. — Дай-ка прикину. Плохие слова на стенке из баллончика написал и перепугался, что мамочка всыплет? — Юджин не снисходит до ответа. — Девчоночка от него залетела, пришлось из города убраться, пока ее папка дробовик ищет?

— Нет.

— Что ж тогда?

Юджин вздыхает.

— Я вообще-то не в курсе, во что там вляпался Брендан, — говорит он, наклоняя голову вбок, чтобы оценить блеск под новым углом, — и мне плевать. Знаю одно: не такой он умный, как ему кажется, а значит, можно запросто огрести. Вот и все.

— Хм. — Улыбка у Кела ширится. Он отмечает вот это “кажется”. — Хочешь сказать, что этот пацан Брендан такой финт удумал, что ты в нем ни ухом ни рылом, а балбес, значит, он?

— Нет. Я вам говорю, мне *неохота* в это ни ухом ни рылом.

— Угу. Конечно.

— А вам-то что?

Если б Кел попробовал разговаривать вот так с человеком, годящимся ему в отцы, он бы потом неделю сесть не мог.

— Ну, — тянет он, — кажись, я просто нос сую. Я из маленького города в глухомани, где людям нравится лезть не в свое дело. — Он счесывает что-то у себя с загривка и разглядывает это. — И на родине у меня всегда хватало людей, которые рассуждают так, будто все им известно, а копнешь поглубже, так они говна от гуталина не отличат. И так, видать, по всему белу свету.

— Слушайте, — раздраженно говорит Юджин. Устраивается на корточках, готовясь изъясняться доходчиво. — Мне известно, что у Брендана имелся какой-то план заработать денег, потому что у него вечно голяк, и вдруг он такой, типа, мы этим летом, может, двинем на Ибицу. И понятно же, что дело левое, потому что за несколько дней до того, как он уехал, мы отвисаем такие, тут двое из Гарды мимо идут, и Брендан сел на *измену*. Я думал, может, у него гаш при себе, ну и я такой: “Господи, да выдыхай ты, не за твоим косяком они приехали в такую даль”, а он такой: “Ты не догоняешь, чувак, все может быть фигово, типа без балды фигово” — и умёлся, будто ему зад подпалили. В общем, я очень доволен, что понятия не имею о подробностях, спасибочки. Не рвусь целыми днями сидеть на допросе и отвечать на бессмысленные вопросы какого-нибудь недоумка из Гарды. Окей?

— Ага, — говорит Кел. Ловит себя на том, что Юджин ему слегка противен. Понятно, что Юджин с Бренданом были друзьями в силу обстоятельств и привычки, а не по выбору. У Кела тоже есть такие друзья детства, некоторые выросли и натворили всякого, из-за чего оказались в тюрьме, — или не натворили совсем ничего, просто сидели у себя на крыльце, посасывали сороковки* да строгали детей, каких не в силах прокормить. Он все еще с ними общается, а когда им сильно приспичит, ссужает сколько-то денег, деньги эти никогда не возвращают. Келу кажется, что Юджин мог бы хоть как-то озаботиться, во что там влип Брендан.

— Что Гарде было надо?

— Без понятия, — отвечает Юджин. Тщательно обматывает бампер тряпочкой, берет баллончик со смазкой и принимается методично опрыскивать тросы. — Сомневаюсь, что там что-то серьезное. Они, типа, минут через двадцать уехали. Но, зная Брендана... раз Гарда не за ним приехала в этот раз, он, может, решил, что всё шик, и взялся за свой великий план, а не сделал по-умному и не бросил все это, пока они и *впрямь* за ним не приехали. Я вот про что говорю — что Брендан не такой умный, как сам про себя думает. *Соображалки* ему хватает, но он не продумывает все досконально. Применил бы свои мозги в школе, а не чтоб рубить бабла по мелочи и удалбываться, — поступил бы в колледж. А если б применил их к своей гениальной затее, не стал бы так пугаться Гарды, а то сейчас, может, спит где-нибудь в *подворотне*.

Кел говорит:

— Он бы с тобой не связался, если б до такого дело дошло? Типа одолжить деньжат, чтоб не спать на улице?

— Ой, — произносит Юджин, видимо, впервые задумавшись над этим. — В смысле, я б само собой, если очень надо... Но он бы не стал. Брендан насчет денег чокнутый. Типа ему нельзя даже предлагать за его пинту заплатить, он сразу психует насчет благотворительности и выметается за дверь. Типа, да ё-моё, мы тут все просто вместе оттягиваемся, чё ты как этот? Понимаете?

Кел смекает, что Юджинова манера предлагать может быть того сорта, что и сам Кел в свои девятнадцать тоже за дверь бы вымелся. Он целиком и полностью соглашается с решением

* Сороковка (*амер., разг.*) — сорок жидких унций (ок. 1200 мл), пластиковая бутылка пива соответствующего объема.

Брендана обратиться за деньгами к Фергалу, а не к Юджину. Но даже так нужда должна быть очень суровой.

— Ну, есть такой вот щепетильный народ, — говорит он. — Брендан ничего не говорил тебе в тот день насчет того, куда собирается?

— В какой день?

— Когда уехал. Он же с тобой встречался, верно?

Юджин смотрит на Кела так, будто Кела нельзя выпускать на улицу без сопровождения.

— Эм-м, нет? Ничего, что я в Праге был с ребятами из колледжа? На пасхальных каникулах?

— Точно, — говорит Кел. — Пасхальные каникулы. Похоже, не ждать мне Брендана дома в ближайшее время, а?

Юджин жмет плечами.

— Да кто его знает. Он может забрать себе в голову что-нибудь да заявиться завтра — а может никогда не вернуться.

— Хм, — отзывается Кел. — А еще кто-нибудь меня тут выручит?

— Откуда мне знать, — говорит Юджин. Промокает избыток смазки и отклоняется, чтобы осмотреть мотоцикл. — Прокачусь-ка я, пусть высохнет хорошенько.

— Отличная мысль, — говорит Кел, отлипая от ворот. — Услышишь что-нибудь от Брендана, скажи ему, его тут работенка ждет.

— Без проблем, — отзывается Юджин, подбирая с дорожки шлем и стряхивая с него соринку. — После дождичка в четверг.

— Я из оптимистов, — говорит Кел. — Рад был поболтать.

Наблюдает, как Юджин с ревом уносится по дороге, прилежно ведя "ямаху" вокруг рытвин. На снимке Брендана в Фейсбуке мотоцикл попал в кадр совсем чуть-чуть, но Кел вполне уверен, что мотоцикл — вот этот. Юджину, во всяком случае, хватило щедрости дать приятелю покататься на своем моцике. Либо не одалживает свой шлем, либо Брендан остолоп и шлем не надел.

Кел возвращается по деревне, суббота здесь уже в полном разгаре. Пожилая блондинка, владелица бутика, наряжает манекен в витрине, одеяние кричит зверскими тропическими цветами, Норин начищает медь на двери, а бармен Барти протирает окна "Шона Ога" газеткой. Кел им всем кивает и прибавляет шагу, заметив, что Норин разворачивается к нему с тряпицей в руках и блеском в глазах.

Немного прогуливается по задворкам, после чего отправляется домой. Мысленно раскладывает добычу, наводит в ней порядок. Если Юджин прав и Брендан бегает от полиции, значит, первыми из списка возможных причин наверняка наркотики. У Брендана были связи, пусть даже низовые, и ему требовалась наличка. Может, решил начать торговать — или даже начал торговать, но не хватило его на это. Потому полиция заявилась разнюхать — а может, его поставщики чуток напугались поначалу, а Келу известно, что поставщики будь здоров пугливые, — вот Брендан и переполошился да сбежал.

Гарда О'Малли в городе не заикался ни насчет того, что отдел по борьбе с наркотиками интересуется этой деревней, ни о том, что Брендан Редди у кого-то на радарах. Вместе с тем гарда О'Малли мог и не знать.

Или же предпринимательский замысел Брендана вообще не был связан с наркотиками. У пацанов тут есть уйма способов добывать наличку по ту сторону от законности: перегонять ворованные машины через границу, помогать ребяткам, отмывающим черные доходы с сельскохозяйственного дизеля. И это еще с поверхности варианты, такое даже пришлый видит. Пацан вроде Брендана, у кого затей полна голова и есть предпринимательская жилка, способен придумать куда больше.

Еще одна возможность, о которой юный гений Юджин не подумал, — что Брендановы затеи по добыче денег и его страх полиции могут быть никак между собой не связаны. Может, он собирался легализовать свои подработки или прославиться на Ютьюбе. А тем временем, отдельно, занимался чем-нибудь скверным.

А еще есть вероятность, что ни затей по добыче денег, ни чего-то скверного и не существует в действительности. Не исключено, что у Брендана мозги перегрелись. Из всего, что Кел услышал, Брендан рисуется неустойчивым типом: то он царь горы и полон больших планов, то полошится и сбегает невесть от чего, а следом все пускает прахом. Девятнадцать — самый возраст наворотить всякого, что способно перегревать человеку мозги.

Меньше всего Келу нравились случаи, когда он пытался выйти на след, который никогда не существовал за пределами чьей-нибудь головы. Если человек сбегает в Кливленд, потому что там живет его любимый двоюродный родственник, или давний сокамерник, или удравшая от него девчонка, след надежный; Кел способен его нащупать и пройти по нему. А если человек сбегает в Кливленд, потому что голос из телевизора сказал ему, что в Кливленде в торговом центре его поджидает ангел, то след — сплошь дымок и воздух. Келу нужно понять, не лепит ли ум Брендана из воздуха.

Он принимает во внимание возможность, что Брендан где-то в горах, живет на самообеспечении в какой-нибудь заброшенной хижине и спускается по ночам резать овец. Этот образ нервирует его чуть сильнее должного. Кел от души надеется, что ему никогда не придется обрисовывать его Трею.

Кстати, о Трее: Кел не склонен посвящать пацана ни в какие сегодняшние события — во всяком случае, пока не выяснит, почему Брендан убежал, испугавшись полиции. Он дал слово малому сообщать все, что добудет, но, похоже, лучше подождать, пока не разузнает что-то стоящее, оставив пока в стороне туманное скопление намеков и вероятностей. Брендан мог вытворить такое, о чем малому придется рассказывать осторожно.

Кел осознает, что впервые в жизни сам решил что-то расследовать. На службе он принимал дела, потому что его на них назначали. Никогда не тратил время на раздумья, принесет ли его вмешательство пользу вовлеченным людям, обществу в целом и силам добра, — отчасти потому, что ему предстояло этим заниматься в любом случае, но в основном он просто считал, что это правильно в целом, а не в каждом конкретном происшествии. Большинство ребят полагали так же — по крайней мере, те, кому было не все равно. Случались и исключения — бывало, педофила какого-нибудь поколотят, а свидетеля почему-то никак не найти, или всем известного сутенера с репутацией ниже среднего шлепнут, однако никто особо не напрягается разбираться, кто нажал на спуск, — но в целом кому раздали, тот и работает. И вот впервые Келу выпало решать, браться за дело или нет, и он выбрал взяться. Надеется даже истовее обычного, что поступает правильно.

10

По дороге домой Кел заходит к Марту — разведать, как тот справился со своей ночной вахтой. Март открывает дверь, за ворот свитера у него заткнуто бумажное полотенце, у колена угрожающе фыркает Коджак. Дом пахнет старым торфяным дымом, готовящимся мясом и ошеломительной смесью приправ.

— Просто проверяю, не похитили ли тебя инопланетяне, — говорит Кел.

Март хихикает.

— Свят-свят, да на что я им такой сдался? Это тебе надо держать ухо востро — такому-то верзиле здоровенному. Вон сколько проб можно с тебя набрать.

— Надо сообразить себе костюм из фольги, — говорит Кел, подавая Коджаку ладонь лодочкой — пусть обнюхает.

— Попроси у Бобби Фини взаймы. У него, кажись, висит такой в гардеробе, Бобби в нем зеленых человечков ловит.

— Заметил чего ночью? — спрашивает Кел.

— Ничего такого, что б натворило тех дел, какие мы видели. Я защитил твою собственность от наглого ежика, но других опасностей не возникло. — Март лыбится Келу. — Ты боялся, что я валяюсь в том лесу и из меня рагу нарезали?

— Просто хотел узнать, не вычеркнуть ли мне то печенье из списка покупок, — отвечает Кел.

— Не дождетесь, вьюноша. Кто б это ни вытворил, пусть друзей и родственников с собой прихватит, если хочет меня завалить. — Март открывает дверь пошире. — Заходи давай, съешь чуток спагетти да выпей чаю.

Кел собирался отказаться, но спагетти раззадоривает в нем любопытство. Он-то считал Марта парнем “мясо-с-картошкой”.

— Ты уверен, что у тебя лишняя пайка есть? — спрашивает.

— Еще б, у меня тут на пол-округи. Всего, что мне нравится, я варю здоровую кастрюлю и проверяю, на сколько мне ее хватит. Давай. — Жестом зовет Кела внутрь.

В доме у Марта не то чтобы грязно, однако, по ощущениям, уборка тут давно уже не первая необходимость. Стены цвета зеленой тины, сплошь линолеум и пластик, почти все поверхности затерты до ряби. В кухне из большого деревянного транзистора Кайли Миноуг поет “Двинемся кукушкой”*.

— Садись там, — говорит Март, показывая на стол, где на клеенке в красную клетку подана его трапеза. Вроде спагетти-болоньезе, едва начатое. Кел устраивается, Коджак плюхается у очага и вытягивается с довольным стоном.

— Я-то думал, ты во все цвета радуги тут себе раскрасил, — говорит Кел. — На мой-то белый весь изговнился.

— Я тут вообще не красил, — уведомляет его Март с видом человека, заработавшего дополнительное очко. Вытаскивает из буфета вторую тарелку и кружку, нагребает спагетти из громадной кастрюли на плите. — Матушка моя, господи упокой ее, это она тут так. Когда руки у меня доберутся красить, можешь жизнь свою на кон поставить — никакого просто белого тут не будет.

— Ага, вот только руки у тебя не доберутся, — говорит Кел. Смекает, что упустил возможность чуток поддеть Марта. — Сам себе втирай что хочешь, но если до сих пор не взялся, значит, в глубине души оно тебе такое нравится.

— Не нравится. Цвет как из жопы хворой овцы. Я себе мыслю ярко-синий вот тут и желтый в коридоре.

* *Loco-motion* (1962) — танцевальная поп-композиция американских авторов Джерри Гоффина и Кэрол Кинг, написана изначально для Ди Ди Шарп; австралийская певица Кайли Миноуг записала ее в 1988 году.

— Не бывать тому, — говорит Кел. — Спорим на десять дубов: в этот же день через год стены у тебя будут того же оттенка овечьей срани.

— Никаких сроков я себе не назначаю, — с достоинством парирует Март, ставя полную тарелку, с горкой, перед Келом. — Ни чтоб тебе потрафить, ни кому еще. На-ка, займи свое ржало вот этим лучше.

Спагетти приходится усиленно пережевывать, а соус болоньезе обильно сдобрен мятой, кориандром и чем-то похожим по вкусу на анис. И вроде ничего так, если приспособиться.

— Вкусно, — говорит он.

— Мне нравится, — говорит Март, наливая Келу из заварника в форме далека*. — Да и угождать приходится одному себе. В этом большая свобода. Пока матушка была жива, в этом доме, кроме старого доброго мяса с картошкой, ничегошеньки не подавали. Она разваривала их так, что не отличишь одно от другого, если глаза закрыть, и никаких приправ — говорила, что это наполовину из-за приправ, что в заморских краях столько разводов, геев и прочего. Приправы попадают к ним в кровь и мутят им мозги. — Пододвигает к Келу по столу пакет молока и мешок сахара. — Когда померла, я решил немножко поэкспериментировать. Поехал в Голуэй в эти пижонские лавки для яппи и скупил у них все специи, какие были. Брату не нравилось, но у него-то и вода подгорит, так что ему без разбору. Налегай давай, пока не остыло.

Он подтаскивает стул и возвращается к еде. Похоже, обнаружились обстоятельства, в которых Март беседе не привержен: ест с полной сосредоточенностью большого труженика, и Кел следует его примеру. В кухне тепло от стряпни, за окном холмы мягки от тумана. Кайли свое допела, начинает другая женщина, голос чистый и сладкий, отрепетированно задушевный: "...нет границ..."** Коджак во сне тихонько пофыркивает и дергает лапами, гонится за кем-то.

* Далеки — раса мутантов-полукиборгов из британского фантастического телесериала "Доктор Кто" (с 1963).

** Речь о композиции *No Frontiers* (1989) в исполнении ирландской фолк-певицы Мэри Блэк (р. 1955).

— Дождь погодит, — наконец произносит Март, отодвигая тарелку и прищуриваясь в окно, — а вот туча эта никуда не денется еще сколько-то. Неважно. Чего не увижу, то услышу.

— Сегодня вечером опять пойдешь?

— Пойду, но погодя, — говорит Март, — сегодня я не дежурю. Может, разузнаю, не желает ли Пи-Джей покараулить раз-два, если не возражаешь. Нельзя же красоту свою мне портить вечным недосыпом. — Вообще-то вид у Марта поразительно ясноглазый. Единственный признак того, что он просидел всю ночь под деревом, — дополнительные заминки в движениях, будто суставы беспокоят его сильнее обыкновенного, однако Март об этом помалкивает.

— Пусть Пи-Джей тусуется в моем лесу сколько влезет, — говорит Кел. С Пи-Джеем он немного знаком: долговязый мужик со впалыми щеками, кивает Келу через ограду, бесед не затевает, на своих вечерних обходах иногда напевает меланхолические старые баллады — на диво проникновенным тенором. — Сколько на это уйдет времени, как считаешь?

— Вот я сам хотел бы знать-то, — отзывается Март, доливая себе чаю. — Чем бы ни была та тварь, рано или поздно проголодается. Или, может, заскучает.

— Тут прорва овец кругом, — замечает Кел. — У тебя есть внятная причина думать, что оно явится к Пи-Джею?

— Дык уж всяко, — говорит Март, отрывая взгляд от сахара и морщась в ухмылке. — Я ж не могу за всеми овцами в Арднакелти присматривать. А за Пи-Джеевыми удобно.

— Ясно, — говорит Кел. У него отчетливое впечатление, что Март о чем-то умалчивает.

— Кроме того, — добавляет Март, — мы разве не заметили, что твари нравится это место? Да и на многих других фермах скотина крупная, так она, может, не годится. А ну как зверюга эта мелковата, чтоб корову завалить? Будь я этой хренотенью, я б как раз к Пи-Джею дальше двинул. — Постукивает себе по виску. — Енто психология, — поясняет он.

— Лишним не будет, — соглашается Кел. — Пока две овцы — твоя и Бобби Фини? Или оно раньше началось?

— Еще раз было, в начале лета. У Франси Ганнона, за деревней. — Март лыбится и вскидывает кружку. — Хорош тут мне Коломбо* изображать, с вопросами-то. Все схвачено.

Стало быть, убийство овец началось вскоре после того, как исчез Брендан. Келу вновь приходит на ум заброшенная хижина или пещера в горном склоне. У деда в округе водились дикари — ну или о них ходили слухи. Кел и его приятели никогда дикарей этих не встречали, зато видали кострища, проволочные ловушки, погреба, скрытые в подлеске, звериные шкуры, натянутые на колышки для просушки, — в самой чаще леса, где никому не стоит задерживаться. Как-то раз Келов друган Билли чуть не упал в ловко скрытую волчью яму. Кто б ни вырыл ее, возможно, тоже начинал неугомонным подростком, бродившим по загончику своей жизни в поисках лазейки для побега.

— Так, — произносит Март, скрежеща стулом, — знаю я, что тебе дать, чтоб заполировать. — С тяжким стоном нагибается, шарит в буфете и выпрямляется с упаковкой печенья в руке. — Вот, — говорит, торжествующе кладя печенье на стол, — пора тебе попробовать, из-за чего тут вообще сыр-бор.

Он так вдохновлен этой затеей, что отказываться выйдет некрасиво. Печенье на вкус в точности такое же, как на вид: сахар и пенорезина разнообразных консистенций.

— Ну, — выдает Кел, — у нас таких дома не было.

— Бери еще одно, давай.

— Оставлю тебе. Не очень мое.

— Заявляешься сюда и оскорбляешь "Микадо"**. — Март уязвлен. — Любой ирландский ребенок на них воспитан.

— Никакого неуважения в мыслях не имел, — ухмыляясь, говорит Кел. — Я просто не сластена.

— Знаешь, почему так? — спрашивает Март, озаренный догадкой. — Всё эти ваши американские гормоны. Они вам вкусовые

* Лейтенант Фрэнк Коломбо, детектив Управления полиции Лос-Анджелеса, главный герой американского детективного телесериала *Columbo* (1968—2003).

** *Micado* — старинная торговая марка ирландского (позднее — и британского) печенья, исходно производимого вестфордской компанией "Джейкобз" (осн. 1851).

сосочки разрушают. Как у женщин у беременных — те пирог фруктовый с сардинами едят. Приходи сюда через годик, попробуй еще раз, когда мы тебя по-нормальному откалибруем, посмотрим, что скажешь тогда.

— Так и сделаем, — говорит Кел, все еще улыбаясь. — Зуб даю.

— Ну-ка ты, Коломбо, раз уж ты здесь, — говорит Март, макая печенье в свою кружку. — Доложи, уж не подозреваешь ли ты, что этот говнючонок Юджин Мойнихан мою овцу порезал?

— А? — переспрашивает Кел.

Март бросает на Кела задорный взгляд.

— Слыхал я, ты, енто, здорово поболтал с ним нынче утром. Допрашивал? Я б сказал, он за минуту раскололся бы, парнишка этот. Одного строгого взгляда твоего хватило б, чтоб он по мамке заплакал. Так и было?

— Я как-то не заметил, — отвечает Кел. — Но поводов для плача я ему не давал.

— Юджин мою овцу не трогал, — говорит Март. — И Фергал О'Коннор тоже.

— Да я так и не думал, — по-честному отвечает Кел.

— Так а чего ты к ним тогда?

— Я одного хочу, — говорит Кел с нарастающим раздражением, — чтоб кто-нибудь переложил мне проводку в кухне. Мне стиралку надо запустить и трусы себе стирать дома, а не таскать их в город раз в неделю. А меня отфутболивают, хоть тресни. Кто-то говорит, что мне нужен вот этот мужик, я ищу этого мужика, так не, его нету, другой мужик нужен. Отыскиваю другого, а он провод от жопы своей не отличит, третьего мужика искать надо. Вылавливаю третьего... — Март начинает хихикать. — ...тот ведет себя так, будто я его попросил сортир мне прочистить голыми руками. Я тут стараюсь местным работы подбросить, чисто из приличия, но того и гляди плюну на эту херню и найму профессионала, лишь бы стиралка уже наконец заработала, пока я не настолько старый, чтоб с ней не справиться.

Март сипит от смеха.

— Божечки, — говорит он, утирая глаза, — остужай стволы, ковбой, а не то инфаркт себе схлопочешь. Найду я тебе местного, чтоб машинку тебе наладил. И машинку по хорошей цене спроворю.

— Вот да, — говорит Кел, успокаиваясь, но все еще слегка на взводе. — Было б ценно. Спасибо.

— И уж всяко что за прок тебе от Юджина Мойнихана? Да он не снизойдет пачкать руки ни о какую проводку, — замечает Март с громадным презрением. — Кто тебе сказал про него?

— Ну, — тянет Кел, задумчиво чеша бороду, — не очень-то уверен. Какой-то мужик в пабе. Подсказал мне людей, кто б мог меня выручить, но как того мужика звали, не упомню, я тогда уже не одно пиво выпил, когда мы разговаривали, это правда, потому мог и напутать. Какой-то в годах мужик, кажется. Коротко стриженный. На пару дюймов выше тебя вроде, но это я мог неправильно запомнить. В кепке.

— Балбес Макхью? Десси Муллен?

Кел качает головой.

— Одно точно знаю: говорил он так, будто понимает, о чем толкует.

— Значит, не Десси, — отрезает Март.

Кел лыбится.

— В общем, не на ту дорожку он меня отправил в конечном счете. Мож, и Десси все-таки.

— Спрошу его. Чего он пришлых шлет искать ветра в поле. Портит нам репутацию. — Март извлекает кисет, протягивает Келу.

— Ценю щедрость, но мне пора, — говорит Кел, отодвигая стул и забирая со стола тарелку. — Премного благодарен за еду.

Март вскидывает бровь.

— Что за спешка? На важную свиданку собрался?

— На свиданку с Ютьюбом, — говорит Кел, ставя тарелку в мойку. — Раз никто тут не собирается мне помогать проводку в кухне перекладывать.

— Не лезь ты в Ютуп этот — спалишь дом дотла. Сказал же, что стиралку тебе соображу. — Март показывает цигаркой на Кела. — И слушай сюда: если не свиданка у тебя, приходи сегодня вечером в “Шон Ог”.

— А что такое? — спрашивает Кел. — У тебя день рождения?

Март хохочет.

— Батюшки светы, нет. Эту херню я забросил много лет назад. Просто приходи — и все сам увидишь. — Выдувает тоненькую струйку дыма между зубов и театрально подмигивает Келу.

Кел предоставляет хозяину качаться на стуле и подпевать Дасти Спрингфилд*, а сам выбирается на улицу. Коджак метет хвостом и провожает его одним глазом. Кел бредет домой, размышляя о Пи-Джее, его овцах, их убийствах, а также о том, что́ Март решил ему не сообщать.

Трей в итоге не объявляется до раннего вечера.

— Надо было срастить кой-чего домой, — поясняет он, счищая с ботинок грязь о ступеньку.

— Ну и молодец, — говорит Кел. — Маме надо помогать в огороде. — После краткого замешательства выясняется, что "срастить" тут означает "сходить за покупками". Ирландию Кел выбирал в том числе и потому, что не придется учить новый язык, но иногда кажется, что с этим он в пролете.

Трей сегодня на взводе, Келу это заметно — по выдвинутому подбородку, по тому, как пацан топчется на крыльце. Прежде чем войти в дом и закрыть за собой дверь, малой быстро оглядывается, будто кто-то может за ним следить.

— Я тут приводил заросли в порядок, — говорит Кел, сметая остриженную бороду со стола в картонную коробку, которая у него вместо мусорного ведра. Борода что-то совсем одичала, и Кел сообразил, что шляться по округе и приставать с назойливыми вопросами лучше в респектабельном виде. — Чё скажешь?

Трей жмет плечами. Выуживает из кармана парки пакет, вручает его Келу. Кел опознает вощеную бумагу — полдюжины со-

* Дасти Спрингфилд (наст. имя Мэри Изобел Кэтрин Бернадетт О'Брайен, 1939—1999) — британская поп- и соул-певица.

сисок из холодильника Норин. До него вдруг доходит, почему Трей таскает ему всякое. Это плата.

— Малой, — говорит он, — ты не обязан мне приносить ничего.

Трей не обращает внимания.

— Фергал и Юджин, — говорит. — Что сказали?

— Ты за мной следил? — требует ответа Кел.

— Не.

— Откуда тогда знаешь, что я уже поговорил с ними?

— Мать Юджина рассказывала Норин, пока вот это сращивалось.

— Иисусе, — произносит Кел, отправляясь к холодильнику, чтобы убрать сосиски. — У вас тут в носу не успеешь поковырять, как вся округа уже велит тебе идти руки мыть. — Интересно, долго ль удастся заметать это под ковер и что в округе подумают, когда оно вылезет. Кел смекает, что вообще не представляет себе ни ответа на этот вопрос, ни факторов, на него влияющих. — И что мать Юджина сказала?

Трей идет за ним.

— Что вы искали кого-то, кто умеет электрику. Лицо у нее было, как бульдожка ссаки с крапивы слизывает. И что они сказали?

— Чего это? Я ей не нравлюсь?

— Птушта не с руки Юджину таким заниматься. И птушта вы решили, будто Юджину налички не хватает.

— Ну я ж просто бестолковый чужак тут, не соображаю, что к чему, — говорит Кел. — А Норин что?

— Сказала, что ничего нет зазорного в честном труде и что работа пошла б Юджину на пользу. Ей миссис Мойнихан не нравится. Что они *сказали*?

Малой стоит посреди кухни, расставив ноги, загораживает Келу проход. Кел чувствует, что Трей едва не дребезжит от напряжения.

— Не слыхали они о твоем брате с тех пор, как он уехал, — ни тот ни другой. Но оба считают, что он жив. — Кел улавливает, как спина у Трея слегка расслабляется облегчением. Какими бы уверенными ни были заявления малого о состоянии ума Брендана, сюда Трей пришел, боясь, что приятели его брата считают иначе. — И вот еще что, малой. Им не кажется, что его похитили. Думают, что он сам слинял.

— Мож, врут.

— Я двадцать пять лет служил легавым. Мне врали лучшие умельцы в этом ремесле. Думаешь, балбес Фергал О'Коннор способен мне лапшу на уши вешать?

Трей соглашается.

— Фергал-то тупой, ну. Просто если он что-то там думает, это не значит, что он прав.

— Я б не взял его строить себе ракету, но твоего брата он знает. Если считает, что Брендан слинял...

Трей спрашивает, глядя Келу прямо в глаза:

— Думаете, жив?

Келу хватает ума не держать тут ни малейшей паузы. К счастью, знает, и что сказать, — за годы он произнес это не одну сотню раз.

— Я ничего не думаю, малой. Сейчас я пока что собираю сведения. Думать буду позже, когда их наберется гораздо больше. Сказать могу тебе вот что: у меня нет ни единого свидетельства в пользу того, что он погиб.

Все это правда, и лицо Шилы Редди, когда она глядела на горы, — не свидетельство. И все же слова оставляют у Кела во рту гадкий привкус. Крепче прежнего понимает он, что влез в такие места, в каких не смыслит, что к чему.

Трей не спускает с него глаз еще миг, выискивает трещины, затем кивает, приняв что есть, и выдыхает. Уходит к бюро, всматривается, не надо ль чего доделать.

Кел опирается о кухонную стойку, наблюдает за пацаном.

— Какая у вас тут наркота бывает? — спрашивает он.

Трей засвечивает ему через плечо быструю неожиданную ухмылку.

— Вам надо?

— Юморист, — отбривает Кел. — Я пас, спасибо. Но допустим, надо. Что дают?

— Гаша дофига, дофига бензы, — стремительно выдает Трей. — “Е” — то есть, то нету. Кетиш. Снег — иногда. Кислая — иногда. Грибы.

— Хм. — Кел не ожидал полного меню, хотя, возможно, стоило бы. Господь свидетель, на родине у Кела в мельчайших городишках, где ребятне заняться больше нечем, можно добыть чуть ли не любой наркотик, о каком ты слыхал, и еще несколько, о каких не слыхивал. — Крэк?

— Не. Мне не попадалось.

— Мет?

— Немного. Пару раз болтали, было дело.

— Героин?

— Не. Любой, кто на это садится, уезжает. В Голуэй, в Атлон. Тут не знаешь, когда что будет. Наркушам надо, чтоб добывалось в любой момент.

— Толкачи здешние, — продолжает Кел, — знаешь, где берут? Есть кто местный, занятый распространением?

— Не. Парни из Дублина возят.

— А Брендан тех парней знал? Которые из Дублина?

— Брен не толкач, — молниеносно и резко выдает Трей.

— Я и не говорю. Но ты считаешь, что какие-то злодеи его похитили. Мне надо знать, на каких злодеев он тут мог напороться.

Трей осматривает бюро, проводит ногтем вдоль трещин.

— Дублинские эти мужики, они те еще, верняк, — говорит он наконец. — Их слышно иногда, они на здоровенных “хаммерах” приезжают, гоняются по полям впотьмах, особенно когда луна. Или днем даже. Знают, что Гарда вовремя не приедет и их не поймает.

— Слыхал их, да, — говорит Кел. Вспоминает стайку парней в недрах паба — они появляются время от времени, слишком молодые для “Шона Ога” и несообразно одетые; всякий раз зенки пялят на Кела на секунду дольше необходимого.

— Грохнули пару овец вот так, было дело. И навешали парню из-под Бойла, потому что он им не заплатил. Типа навешали крепко. Без глаза остался.

— Знаю я таких, — говорит Кел. — Поначалу опасные, но становятся куда хуже, если их кто-то бесит.

Трей вскидывает голову.

— Брен не мог их вывести. Он их даже не знает.

— Ты в этом уверен, малой? Железно уверен?

— Они напрямую не продают таким, как Брен, которые иногда и по чуть-чуть. Брен покупал у местных, когда хотел чего-нибудь. Он с такими не стал бы связываться.

Кел спрашивает:

— Так кто ж тогда его забрал? Кроме этих, ни о каких злодеях больше никто не заикается. Сам скажи мне, малой: если не они, то кто?

— Они, может, неправильно что-то поняли. Перепутали его с кем-нибудь. — Трей отскребает остаток краски ногтем большого пальца и наблюдает за Келом — как тот отнесется к его теории.

— Кто знает, — говорит Кел. Вообразить возможные расклады, в каких такое могло б случиться, у него не получается, но если Трею надо, пусть будет — хотя бы пока что. — Эта порода не из гениев, не поспоришь. Если Брендан с ними не тусовался, кто с ними тусуется? Кто-то из его приятелей?

Трей пренебрежительно фыркает.

— Не. Вы ж видали Фергала и Юджина. Думаете, такие при делах?

— Не-а, — отзывается Кел. — Забей. — Есть у него в мыслях один человек, который изрядно осведомлен о дублинских ребятках. Дони Макграт почти всегда болтается рядом с той шоблой в пабе.

Трей косится на него, на лице у него вновь проступает тень ухмылки.

— Вы-то наркотики не? До того, типа, как в легавые пошли?

На миг Кел теряется, как тут ответить. Когда Алисса задала ему этот же вопрос, от мысли о ней на наркотиках ему так вломило под дых, что он смог лишь поведать ей байки о том, что самому доводилось видеть, и умолять ее ни за что и никогда не пробовать ничего крепче травы. Она и не пробовала, насколько ему известно, — однако она бы, наверное, и не стала в любом случае. А тут правильный ответ мог оказаться значим.

Наконец он решает сказать правду.

— Пробовал то-сё, в свои буйные деньки. Ничего не понравилось нисколечко, я и бросил пробовать.

— А что пробовали?

— Неважно, — говорит Кел. — Все остальное мне б тоже не понравилось.

Все, что он пробовал, отталкивало его с такой силой, что он обомлевал и не хотел признаваться в этом даже Донне — та-то по случаю что-нибудь принимала или снюхивала, бывало, с веселой легкостью. Келу ненавистно было, как наркотик по-своему лишал мир плотности, делал его зыбучим, растрескавшимся и волнистым по краям. То же творила наркота и с другими людьми: люди под кайфом переставали быть теми, кого ты знаешь. Смотрели тебе прямо в лицо и видели там то, что с тобой не имеет ничего общего. Один из побочных эффектов рождения Алиссы и окончания буйных деньков в том, что больше не надо тусоваться с употребляющими людьми.

Он спрашивает небрежно, рассматривая бюро:

— А сам? Пробовал что-то?

— Не, — отвечает Трей без выражения.

— Уверен?

— Да ни за что. Тупишь после этого. Кто хочешь тебя словит.

— И то правда, — отзывается Кел. Его аж пошатывает от облегчения. — Ты, кажись, не из тех, кто доверяет, и наркотики, наверное, не для тебя.

— Не из тех.

— Ага, это я уже усек. Я тоже.

Трей смотрит на него. За эту неделю он словно спал с лица, побледнел, будто все это у него что-то забирает. Говорит:

— А дальше что будете делать?

Кел все еще крутит это в уме — не что дальше делать, а, скорее, как это обставить. Сейчас ему ясно одно: малому надо, чтобы сегодня случилось что-нибудь хорошее. Говорит:

— Собираюсь учить тебя пользоваться вон тем ружьем.

Малой распахивает рот и весь загорается, будто Кел только что вручил ему тот самый велик на день рождения.

— Спокуха, лягуха, — говорит Кел. — Это тебе не то что взял его в руки и сразу стал снайпером. Сегодня будешь учиться в основном тому, как себе ногу не отстрелить, да по паре пивных банок промажешь. Если времени хватит, может, промажешь мимо кролика-другого.

Трей пытается закатить глаза, но смахнуть с лица улыбку ему не удается. Кел поневоле улыбается в ответ.

— Только вот, — внезапно говорит Трей, — оно не доделано. — Показывает на бюро.

— Значит, доделается в другой день, — решает Кел, выпрямляясь у кухонной стойки. — Пошли.

На голых половицах спальни оружейный сейф смотрится чужеродно. В комнате есть еще матрас и спальный мешок, чемодан, в котором Кел хранит чистую одежду, и мешок для мусора, где лежит грязная; стены в комнате цвета индиго, рябые от сырости; посреди всего этого высокий темный металлический ящик излучает лощеную иноземную угрозу.

— Это оружейный сейф, — говорит Кел, хлопнув ящик по торцу. — Мое ружье находится здесь все время, когда я не собираюсь из него стрелять, потому что это не игрушка и все это не игра; эта штука создана для убийства, и если я хоть раз поймаю тебя на неуважении к этому, ты к ружью больше не прикоснешься даже пальцем. Ясно?

Трей кивает, словно боится, что если заговорит, то Кел передумает.

— Это, — продолжает Кел, вынимая ружье, — рычажная винтовка "хенри" двадцать второго калибра. Одно из самых замечательных ружей на свете.

— Ух ты, — почтительно выдыхает Трей. — У отца ружье не такое было.

— Наверное, — говорит Кел. По сравнению с "хенри" почти все остальные ружья кажутся ему либо мелкими, либо взбалмошными. — Эти ружья были в ходу на Диком Западе, на фронтире. Если старые ковбойские фильмы смотрел, там вот с такими ружьями ребятки рассекают.

Трей втягивает запах оружейной смазки, проводит пальцем по богатому ореховому дереву приклада.

— Красотища, — произносит он.

— Перво-наперво, прежде чем делать с ним что бы то ни было, — говорит Кел, — убедись, что оно не заряжено. Магазин вынимается вот так, рычаг вниз идет вот так, проверь, нет ли заряда в патроннике. — Загоняет трубчатый магазин на место и вручает ружье Трею: — Давай теперь ты.

Лицо у малого, когда он принимает в руки ружье, такое, что Кел радуется этой своей затее. По его опыту общения со множеством малолетних хулиганов и уголовников, какие попадались ему по службе, им на самом деле недостает именно этого, пусть сами они того и не сознают: ружья, лошади и стада скотины, какую можно гонять по опасной территории. Дай им это все, и если не все, то очень многие вели бы себя нормально. Иначе они к этому рвутся уж как умеют, а результаты — от скверных до катастрофических.

Трей проверяет ружье с тем же ловким на руку, сосредоточенным вниманием, с каким он работает над бюро.

— Хорошо, — говорит Кел. — Смотри — вот это видишь? Это курок. Оттягиваешь его назад до упора, теперь он взведен, готов к выстрелу. Но ты его чуть-чуть возвращаешь, вот так, слышишь щелчок? Это значит, что ружье на предохранителе. Можно дергать за спуск сколько влезет, ничего не случится. Чтобы перейти из режима "на взводе" в режим "на предохранителе", крючок чуть отпускаешь, самую малость, а затем подаешь курок вперед. Вот так.

Трей пробует. Его руки на ружье с виду маленькие и слабые, но Кел знает, что сил для обращения с ним Трею хватит за глаза.

— Готово, — говорит Кел. — Теперь на предохранителе. Но помни: на предохранителе или нет, заряжено или нет — не наставляй его ни на какое живое существо, если не готов его убить. Понял?

— Ну, — говорит Трей. Келу нравится, как он это произносит: не сводя ровного, немигающего взгляда с ружья в руках. Малой ощущает этот вес, и ему это необходимо.

— Лады, — говорит Кел. — Давай пробовать.

Подхватывает пластиковый мешок, в который собирает пустые пивные банки, вручает его Трею. Вскидывает ружье на плечо, и они вдвоем выходят наружу, воздух мягок и тяжел от тумана, насыщен запахами влажной земли. Только-только начинает сочиться вечер; далеко на западе, где облака там и сям тонки, кромки их золотятся.

— Надо выбрать хорошее место, — говорит Кел. — Где не собьем ничего лишнего.

— Их стрелять будем? — спрашивает Трей, дергая подбородком на грачей, спорящих о чем-то в траве.

— Не.

— А чего?

— Мне с ними нравится, — отвечает Кел. — Ушлые они. Да и не знаю я, годятся ли они в пищу, а развлекухи ради я живое не убиваю. Если добываем что-то, мы его свежуем, потрошим, готовим и едим. Лады?

Трей кивает.

— Хорошо, — говорит Кел. — Вот тут давай?

В поле на задах Keловых владений, у низкой каменной ограды с сухой кладкой, открытое травянистое пространство, просматривается во все стороны, никто не забредет на линию огня неожиданно. К тому же эта сторона поля видна безмолвному нелюбопытному Пи-Джею, а не Марту, хотя сейчас и Пи-Джея не видать. Кел с Треем устанавливают пивные банки на грубые камни, сложенные здесь невесть как давно предками Марта, Пи-Джея и Трея, и отходят вдаль по полю. Ноги шуршат в сырой траве.

Кел показывает Трею, как вытягивать магазин, загонять в него патроны и возвращать магазин на место. День они выбрали славный: тучи гасят стелящийся свет, он не слепит и не дает глубоких теней, а ветерок — легкое касание по щеке, не более. Пивные банки четко выделяются, оттененные зеленым полем, словно крохотные менгиры. Еще дальше тянутся ввысь бурые горы.

— Так, — говорит Кел. — Стрелять можно стоя, с колена или лежа на животе, но начнем мы с колена. Одна нога под тобой, одно колено вверх. Вот так. — Трей старательно повторяет движения. — Приклад упираешь в ямку плеча, сюда. Прижимай крепко, чтоб отдача не слишком жестко пошла. — Ружье безупречно уравновешено; Кел мог бы держать его у плеча, стоя на одном колене, хоть весь день, и ни одна мышца б не устала. — Видишь вот эту штучку на конце ствола? Это мушка. А вот этот полумесяц — это прицел. Выстраиваешь мушку и прицел в одну линию со своей мишенью. Я целюсь в третью банку слева, отстраиваю всё в одну линию. Сейчас вдохну, а затем выдохну тихо-спокойно, а когда выдох кончится, нажму на спуск. Несильно — это ружье понукать не надо. Оно трудится вместе с тобой. Просто выдыхаешь через рот, а затем — через ружье. Усек?

Трей кивает.

— Хорошо, — говорит Кел. — Давай-ка проверим, не растерял ли я навык.

Столько лет прошло, а Кел по-прежнему пристрелян к ружьям, вот поди ж ты. Банку сшибает со стены чисто, с победным звоном металла о металл, что разлетается отзвуком по полям вслед за резким грохотом выстрела.

— Вот это *да*! — благоговейно произносит Трей.

— Ты глянь, — говорит Кел. Вдыхает запах пороха и чувствует, как расплывается в улыбке. — Твоя очередь.

Малой держит ружье крепко, к плечу его прикладывает как родное.

— Локти подбери. Щеку положи на приклад, тихо-спокойно, — говорит Кел. — Не спеши.

Трей прищуривается вдоль ствола, тщательно выбирает себе банку и прицеливается.

— Громыхнет, — говорит Кел, — и чуток толканет в плечо. Не пугайся.

Трей слишком сосредоточен, закатывать глаза некогда. Кел слышит его долгий вдох и выдох. Не егозит в ожидании отдачи, а от толчка не морщится. Промахивается, но не слишком.

— Неплохо, — оценивает Кел. — Потренироваться надо, и все. Подбери гильзу — все должно остаться таким же, каким было, когда ты сюда явился.

Стреляют по очереди, пока не опорожняют магазин. У Кела на счету пять банок. У малого одна, и он от этого сияет так ярко, что Кел улыбается во все лицо и топает через поле, чтобы подобрать пацану его стреляную мишень.

— На, — говорит, протягивая ее малому, — можешь сохранить. Твоя первая добыча.

Трей лыбится в ответ, но потом качает головой.

— Мамка спросит откуда.

— Она роется в твоих вещах?

— Раньше нет. А как Брендан исчез, так да.

— Она волнуется, малой, — говорит Кел. — Просто хочет удостовериться, что ты никуда не собираешься.

Трей пожимает плечами, забрасывает банку в мешок к остальным. Свет у него в лице гаснет.

— Лады, — говорит Кел. — Ты теперь понял, что к чему, пошли добудем себе ужин.

Это малого взбадривает; он вскидывает голову.

— Где?

— Вон в том лесочке, — отвечает Кел, кивая на деревья. — На краю там кролики накопали себе нор. Вижу почти каждый вечер, как они там кормятся, примерно в это время. Идем.

Они собирают банки и устраиваются поодаль от леска, чтобы не спугнуть кроликов, но достаточно близко, чтобы малому все же могло повезти. Ждут. Золото на западе стало розовым, свет начинает гаснуть, поля делаются серо-зелеными и неосязаемыми. У Кела в саду грачи камлают перед сном, расстояние смягчает их гомон до уютного бормотания, плывущего ниже разрозненной болтовни птиц помельче.

Ружье покоится у Трея на колене, он готов к охоте. Говорит:

— Вы сказали, вас дедушка учил стрелять.

— Верно.

— А чего не отец?

— Я ж рассказывал. Он редко бывал рядом.

— Вы говорили, непостоянный он.

— Верно.

Трей осмысляет.

— А мамка чего не учила? Она тоже непостоянная была?

— Нет, — отвечает Кел, — мама была постоянная как мало кто. Работала на двух работах, чтоб нам денег хватало. А потому дома бывала редко, чтоб за мной приглядывать. Ну и отправляла меня к дедушке с бабушкой почти на все время, пока я не подрос и не начал сам за собой приглядывать. Вот почему дед и учил меня стрелять.

Трей впитывает сказанное, всматривается в кромку леса.

— А что за работы?

— Помощницей в доме для престарелых. И официанткой в кафетерии, в свободное время.

— У нас мамка работала на заправке на главной дороге, — говорит Трей. — Когда Эмер уехала тока, некому было за малышней смотреть, пока мы в школе. Деды и бабки все померли.

— Ну, — говорит Кел, — вот так-то. Все стараются как могут.

— А ваши братья и сестры? Они с вами ездили?

— Нет, у них другие мамы, — поясняет Кел. — Кто его знает, как и что они там.

— Папа у вас, значит, шмарогон, — замечает Трей, просияв.

Кел тратит секунду на то, чтоб сообразить, что это слово значит, у него вырывается громкий смешок, который он поспешно придавливает.

— Ага, — отзывается Кел, все еще посмеиваясь. — Ну примерно.

— Ш-ш-ш, — внезапно выдает Трей, кивая на лесок. — Кролик.

И впрямь в высокой траве на кромке леса шевеление. Полдесятка кроликов выбираются на вечернюю кормежку. Гуляют непринужденно, подпрыгивают и скачут, просто чтоб размяться, то и дело замирают, чтоб сжевать что-то вкусное.

Кел смотрит сверху на Трея, тот пристраивает ружье к плечу, всем телом настороже, рьян. Стриженные под машинку волосы похожи на шерстку Лениного щенка. Кел ощущает порыв положить малому ладонь на макушку.

— Так, — говорит. — Поглядим, удастся ли тебе добыть нам ужин.

Пуля пролетает у кроликов над головами, зверьки дают деру в подлесок и были таковы. Трей расстроенно вскидывает взгляд на Кела.

— Не беда, — говорит Кел, — вернутся. Однако почти попал, их придется подождать, а нам пора домой.

Сумерки сгущаются, скоро Март или Пи-Джей подадутся к Келу в лесок с дозором.

— А-ай! Еще пять минуточек. Почти удалось.

Вид у малого сокрушенный.

— В следующий раз, значит, попадешь, — говорит Кел. — Спеху нет, они никуда не денутся. Дай покажу, как разряжать.

Они разряжают ружье и шагают через поле к дому. Трей насвистывает, чего Кел прежде за ним не замечал, — беспечный мотивчик, возможно, из репертуара вистла в "Шоне Оге"; такая песенка могла б быть о том, как отправляются весенним утром на свиданье к пригожей девушке. Грачи умолкают, появляется первая ночная живность: над линией деревьев проносится летучая мышь, с приближением Кела и Трея что-то мелкое удирает по траве.

— Здо́рово, — говорит Трей, поглядывая сбоку на Кела. — Спасибо.

— Я рад, — говорит Кел. — Знатный у тебя глазомер. Хорошо усваиваешь.

Трей кивает, сказать ему больше нечего, и он сворачивает в укрытие живой изгороди. Кел пытается проследить за ним взглядом, но еще задолго до того, как малой подбирается к дороге, его уж не видать, исчезает во мраке.

Келу любопытно, что ж там такое сегодня в "Шоне Оге". Сооружает себе на ужин жареный сэндвич с сыром и принимает ванну, чтоб освежиться перед тем, что его ждет. Суббота, он звонит Алиссе, но та не снимает трубку.

II

Когда Кел отправляется в паб, тьма уже иззубрена от холода. Из трубы у Лопуха Ганнона вьется дым, насыщенный духом земли: торф; местные режут его на болотах в горах, сушат и жгут. Поля и изгороди, кажется, полнятся бойкой неугомонной возней: зверье чует обратный отсчет зимы.

Дверь "Шона Ога" открывается в яркий свет и теплый чад, выпускает на волю громкие голоса, музыку и кудель дыма. За столом в их нише Март, окруженный приятелями, завидев Кела, разражается приветственным ревом.

— Сам пожаловал! Иди сюда, Миляга Джим*, садись. У меня тут для тебя кое-что.

В нише у Марта людно, здесь и Сенан, и Бобби, и еще какие-то мужики, чьи имена Кел помнит смутно. Вид у всех полнокровный, глаза блестят, вроде как народ намного пьянее, чем Кел ожидал к этому часу.

— Добрый вечер, — говорит он, кивая всем.

Март пододвигается на банкетке, освобождает Келу место.

— Барти! — кричит он за стойку. — Пинту "Смитика". Ты ж эту шоблу забубенных знаешь, пральна?

* Отсылка к одноименным, но разным персонажам рекламных кампаний не связанных друг с другом американских торговых марок: кукурузных хлопьев *Force* (с 1902) и сиэтлского арахисового масла *Sunny Jim* (с 1921); здесь речь, скорее всего, о первом, поскольку компанию "Форс" много раз сливали с другими компаниями и перепродавали и она успела обрести популярность в Великобритании, где хлопья с Милягой Джимом на упаковке можно было приобрести вплоть до 2013 года.

— Боле-мене знакомы, — отвечает Кел, снимая куртку и усаживаясь. Март никогда прежде не приглашал его к себе в угол — кроме тех случаев, когда им требовался четвертый в карты. Сегодня в музыкальном углу вдобавок к вистлу еще скрипка и гитара, и все поют какую-то песню, в которой положено орать "Нет! Нет! Напрочь!"* и лупить по столу. Дейрдре подпевает, отставая на полтакта, почти улыбается и такая оживленная, какой Кел ее прежде ни разу не видел. — Что тут у вас происходит?

— Есть тут один джентльмен, с которым я желаю тебя познакомить, — говорит Март, преувеличенным жестом показывая на щуплого узколицего мужичка, притаившегося в углу. — Это мистер Малахи Дуайер. Малахи, это мой новый сосед, мистер Келвин Хупер.

— Рад, — говорит Кел, пожимая руку через Марта и постепенно смекая, что́ тут сегодня затеялось. У Малахи косматая бурая шевелюра и мечтательный чуткий взгляд, что никак не вяжется у Кела с образом необузданного ренегата, каким он его себе представлял. — Наслышан о вас.

— Мал — Кел, — подхихикивая, встревает Бобби. — Кел — Мал.

— Ну ты набрался, — с отвращением выдает Сенан.

— Да я шик, — возмущенно отбивается Бобби.

— Мистер Дуайер, — сообщает Март Келу, — превосходнейший самогонщик на все три графства. Мастер своего дела, как есть. — Малахи скромно улыбается. — Время от времени, когда у Малахи оказывается на руках особенно изысканный продукт, он любезно соглашается привезти сюда немного и поделиться с нами. В порядке служения обществу, как ты б выразился. По-моему, ты заслужил возможность опробовать этот товар.

* Речь о "Гуляке" (*Wild Rover*), одной из самых распространенных англоязычных застольных песен неизвестного авторства. Она фигурирует в ирландском фольклоре с конца XVI века, но, скорее всего, известна была и раньше; существует в бесчисленном количестве вариантов, исполнена десятками известных музыкантов. Песня повествует о буйном молодом выпивохе, возможно разбойнике, возвращающемся к добропорядочной жизни.

— Почту за честь, — говорит Кел. — Хотя, сдается, имей я здравый смысл, стоило б и убояться.

— Ой нет, — утешительно произносит Малахи. — Это приятнейшая партия. — Он извлекает из-под стола стопку и двухлитровую бутылку "Люкозэйда"*, до половины полную прозрачной жидкостью. Наливает Келу стопку, стараясь не пролить ни капли, вручает.

— Вот, — говорит.

Остальные мужики наблюдают, скалятся, и улыбки их не кажутся Келу поддерживающими. Выпивка пахнет подозрительно невинно.

— Есусе, хорош клятый букет-то оценивать, — приказывает Март. — Закидывайся.

Кел закидывается. Ожидает, что пойдет как керосин, но вкуса почти никакого, да и не жжется оно так, чтоб рожи корчить.

— Хорошая штука, — говорит.

— О чем и толкую! — говорит Март. — Гладко, как сливки. Этот малый — художник.

И вот тут потин догоняет Кела, банкетка под ним делается неосязаемой, а комната, медленно подергиваясь, начинает вращаться.

— Ух! — говорит он, тряся головой. Ниша ревет от хохота, он долетает до Кела пульсирующей мешаниной звуков откуда-то издалека. — Серьезная у тебя там огневая мощь, — добавляет.

— Уж всяко, но это тебе только чтоб вкус словить, — поясняет Малахи. — Погоди, дальше — пуще.

— В прошлом году, — говорит Сенан Келу, показывая большим пальцем на Бобби, — этот вот малый, приложившись несколько раз к такому...

— Ну хватит, — протестует Бобби, все ухмыляются.

— ...встал с места и давай орать на нас на всех, чтоб мы его к священнику отвели. Желал исповедоваться. В два часа ночи.

* *Lukozade* (с 1927) — энергетический напиток производства японской транснациональной корпорации "Сантори"; популярен в Великобритании и Ирландии.

— А что ты натворил? — спрашивает Кел у Бобби.

Кел не уверен, что Бобби его расслышит, поскольку ему трудно вычислить, насколько далеко они друг от друга, но все удается.

— Порнуха, — говорит Бобби со вздохом, уперев подбородок в кулак. Выпивка придала ему вид мечтательно-меланхолический. — По интернету. Ничего шокирующего, типа просто люди зажигают чуток. Оно даже и загрузилось-то криво. Но что уж там было у Малахи в партии, у меня от него разыгралось сердцебиение, и я забрал себе в голову, что у меня инфаркт. Решил, надо покаяться во грехах — на случай, типа, если помру.

Все хохочут.

— Не от моего товара у тебя сердцебиения эти, — говорит Малахи. — Это совесть твоя нечистая поперла.

Бобби склоняет голову, допускает такую возможность.

— Вы его отвели к священнику? — уточняет Кел.

— Не отвели, — отвечает Сенан. — Положили в подсобке проспаться. А когда проснулся, сказали ему, что прочли над ним розарий.

— Не было такого, — досадливо говорит Бобби. — Они вообще забыли про меня. Проснулся наутро и решил, что помер.

В ответ вскипает еще одна волна смеха, утаскивает Кела за собой, он беспомощно раскачивается вместе с ней.

— Он еще не просох толком, — говорит Сенан, — а сам звонит мне спросить, помер он, что ли, и как ему быть дальше.

— По крайней мере, — с достоинством говорит Бобби, возвышая голос, чтобы все услышали, — я нос не ломал, пытаясь перепрыгнуть через стенку, через какую не прыгал с восемнадцати...

— Да мне, так его, почти удалось, — говорит Март, поднимая пинту и подмигивая всем остальным.

— И в окно к миссис Сканлан не стучал “на слабо” голяком, и холодной водой меня за это не окатывали.

Какой-то мужик на обочине компании огребает одобрительное коллективное улюлюканье и пару хлопков по спине, качает головой, улыбается. Келу нравится видеть их всех вот такими — в солидных фермерах просвечивает буйная пацанва. На миг он задумывается, кто из них был в свое время Бренданом, неустанным охотником за приключениями да лазейками к бегству, и во что превратился.

— Давай еще, — говорит Март, глаза горят озорством, тянется к бутылке. — Тебе наверстывать надо.

Кел поверхностно пьян, но не пьян глубоко и смекает, что лучше б ему таким и остаться. Выпивка его никогда не смущала так, как наркота, — в отличие от наркоты, выпивка не опорожняет действительность и людей, — но комната стремительно кружится, и в подходящих обстоятельствах все может полететь кувырком со скоростью свободного падения, а сами вот эти обстоятельства смахивают на обряд инициации. И если все сложится, обстоятельства эти могут оказаться самыми подходящими.

— По-моему, мне лучше не загоняться, — говорит он. — Чтоб не оказаться потом голяком у окна миссис Сканлан.

— Ничего нет в этом плохого, — уверяет его Март. — И на старуху бывает проруха.

— Вы, мужики, на этом вскормлены, — замечает Кел. — Попробуй я за вами угнаться, тут и ослепнуть недолго.

— На моем не ослепнешь, — возражает Малахи, его профессиональная гордость уязвлена.

— Ай, да брось уже егозить и мельтешить, братан, — велит Март Келу. — Ты ж не турист какой, что заехал на пинту "Гиннесса" к живописным аборигенам и сразу в гостиницу. Ты теперь местный, так и веди себя, как мы. Не надо мне рассказывать, что ты ничего буйного не вытворял под балдой.

— В основном заявлялся на вечеринки, куда не звали, — говорит Кел. — Братался с прохожими, орал песни. Тырил дорожные знаки. Ничего изысканного, не то что у вас тут.

— Ну, — говорит Март, суя Келу стакан в руку, — у нас тут дорожных знаков нету, и прохожие не под рукой, а сам ты уже на единственной вечеринке во всей округе, так что петь будешь у нас.

— Ты его домой понесешь? — спрашивает Барти из-за стойки бара. — Здоровенного такого.

— Конечно, я ж к тому и веду, — говорит Март. — Мужика таких размеров в одиночку не упрешь. Да и вдвоем тоже, но начнем как есть и поглядим.

Решается Кел не потому, что, выйдя сейчас из игры, он раз и навсегда заработает себе непоправимую репутацию слабака и туриста, — ну или не в первую очередь поэтому. Все дело в привольном ритме болтовни за этим столом. Кел соскучился по компании давно ему знакомых мужиков. Отчасти из-за своих четверых друзей он и уехал из Чикаго — то, как глубоко и подробно они друг друга изучили, начало казаться небезопасным, от этого хотелось оторваться как можно дальше. Дружба их зашла так далеко, что Кел уже не понимал толком, что́ они в нем успевают заметить, прежде чем он заметит это сам. И все равно где-то на задворках сознания у Кела накопилась потребность провести с ними вечер в баре, и он постепенно начинал замечать масштабы своего голода. Этих мужиков он, может, не знает, зато они знают друг друга, и соприкасаться с этим уютно.

Кел смиряется с возможностью проснуться в канаве без штанов и с привязанной к ноге козой.

— Ну, вздрогнули, — произносит он и закидывает стопку, она чувствительно больше первой. Всплеск полунасмешливого одобрительного гиканья.

Эта стопка все сглаживает. Комната вновь начинает кружиться, банкетка делается еще расплывчатей, но ощущается оно и естественно, и правильно. Кел рад, что решился. Едва ли не смеется от того, что чуть было не струхнул.

В другом углу песня разгоняется в крещендо, завершается воплем и рассыпается аплодисментами.

— Вот же как по времени-то подгадало, — говорит Март. — Какую песню будете, вьюноша?

Келова песня на всех таких вечеринках — “Панчо и Левша”*. Он открывает рот и запевает. Кел не оперный певец, но мимо нот не мажет, и голос у него глубокий и раскатистый, на паб хва-

* *Pancho and Lefty* (1972) — песня американского кантри-музыканта, певца и композитора Таунза ван Зандта (1944—1997) о судьбе некоего идеалиста по имени Панчо, о его попытке вольной жизни на большой дороге и гибели от пули федералов, а также о жизни Левши, сперва вдохновленного, а затем разочарованного примером Панчо.

тает, и как раз подходит, чтоб петь о просторах. Последние хлопки стихают, публика откидывается на спинки стульев и прислушивается. Человек с гитарой улавливает мелодию и запускает вдоль нее привольную задумчивую реку нот.

Кел допевает, повисает миг тишины, а следом гром аплодисментов. Кела хлопают по спине, а кто-то кричит Барти, чтоб певцу налили еще пинту. Кел улыбается, довольный собой и внезапно немножко ошарашенный.

— Молодчина, — говорит Март ему на ухо. — Эк хороша дыхалка у тебя.

— Спасибо, — говорит Кел и тянется за пивом. Ощущает в себе некую робость — не из-за самого пения, а от неподдельного одобрения за столом и от глубины удовольствия, которое это одобрение ему доставляет. — Мне понравилось.

— Да всем нам. Классно, когда есть кому разнообразить песнопения енти. Мы друг дружку слушаем всю жизнь, нужна свежая кровь.

Мужик, заявившийся к окну миссис Сканлан голяком, запевает чистым тенором: “Лежал я прошлой ночью, о днях былых мечтал...”* Музыканты подхватывают мелодию, кто-то из публики подтягивает тихо, вторым голосом. Март склоняет голову, слушает, глаза прикрыты.

— Когда молод был, — произносит он чуть погодя, — ни одного вечера не проходило, чтоб не попеть. Молодежь-то вообще поет теперь — за вычетом того, когда на телик рвется?

— Да кто ж ее знает, — отвечает Кел. Интересно, поют ли Алисса и ее друзья на своих вечеринках. Чтоб завестись, надо кого-то с гитарой, да и все. Бен из тех, кто наверняка считает, что осваивать инструмент — это легкомысленно. — Давно я был молодым.

— Слышь-ка, Миляга Джим, — говорит Март, — тебе точно надо, чтоб кто-то проводку тебе в кухне перекладывал, да?

* Речь об ирландской балладе “Холм Спансил” (*Spancil Hill*), сочиненной Майклом Консидайном (1850–1873), эмигрировавшим в Штаты. Баллада повествует о тоске по родине и друзьям ирландских эмигрантов в Америке.

— А? — переспрашивает Кел, смаргивая.

— Не собираюсь я рисковать своей репутацией, — поясняет Март, — и устраивать так, чтоб кто-то из этих ребят выделил время в своем плотном графике, а ты потом передумаешь. Тебе надо дело сделать?

— Ну еще б, — отвечает Кел. — Каэшн, надо.

— Тогда, считай, готово, — говорит Март, хлопая его по плечу и расплываясь в ухмылке. — Локи! Мистеру Хуперу надо проводку в кухне переложить, да и стиралка прыличная ему нужна, чтоб не по цене как полмира. Займешься?

— Это можно, конечно, — отвечает коренастый мужик с маленькими глазками и носом выпивохи. С виду Локи совсем не кажется Келу надежным, но он понимает, что сейчас не к месту выражать сомнения, даже будь он достаточно трезвым, чтобы преподнести их деликатно, а Кел трезв недостаточно. — Дай пару дней, и я у тебя.

— Вот и славно, — счастливо подытоживает Март и берется за бутылку "Люкозэйда", уже обошедшую паб и вернувшуюся на стол. — Так, мистер, больше незачем тебе будет гоняться за чванными юношами по всей округе, заводиться да расстраиваться. Локи все тебе устроит в лучшем виде недельки за две.

— Ну спасибо, — говорит Кел. — Ценю.

Март наливает Келу в стопку и поднимает свою.

— Пустяки. Нам тут надо присматривать друг за дружкой. Кто ж еще-то присмотрит, я прав?

Чокаются, пьют. Кел вновь срывается с якорей и плавает по комнате, но на сей раз уже готов к этому и такое ему даже нравится. Дядя, который голый у окна, допевает свою песню и торжественно кивает в ответ на аплодисменты, дальний угол заводит что-то задорное и дерзкое, начинающееся со слов "Что б ни сказал, не скажи-ка"*.

* *Whatever You Say, Say Nothing* (1981) — шуточная песня ирландского фолк-музыканта и исполнителя Колума Сандза (р. 1951), вдохновлена всеобщей подозрительностью и паранойей в Ирландии во времена так называемой Смуты (конфликта в Северной Ирландии).

— Так, раз ты у нас теперь расслабленный, — говорит Март громче, показывая стаканом на Кела, — как там у тебя с любезной Леной?

От этой реплики по компании пробегает волна улюлюканья и смеха.

— Она славная дама, — отвечает Кел.

— Это да. А поскольку мы крепко дружили с ее папкой, упокой его господи, думаю, надо мне у тебя спросить: какие твои намерения?

— Ну, — неспешно и осмотрительно отвечает Кел, — я, возможно, соберусь взять у нее щенка. Но пока не решил.

Март энергично качает головой и грозит Келу пальцем.

— Ай не-не-не. Так совсем не пойдет. Нельзя морочить голову такой славной женщине, как Лена Дунн, а потом ее подвести.

— Я с ней виделся всего два раза, — ставит ему на вид Кел.

— У нас тут сводник деревенский объявился, — замечает кто-то.

— Да хоть бы и так, — отбривает Март, — для таких, как ты, я поделать не могу ничего. Ну нравится мне, если люди устроены и счастливы, вот и все. Этому парню женщина требуется.

— Что толку ему ходить за Леной, — раздается голос из глубины ниши, — если он в свой Янкистан уберется, зима не успеет кончиться.

Заноза молчания. С другого конца паба долетает пронзительный визг вистла.

— Никуда он не собирается, — заявляет Март чуть громче и оглядывает стол — убедиться, что все его слышат. — Этот мужик — отличный сосед, и я его не отпущу. — И добавляет, лыбясь Келу: — Никто ж из этой шоблы не заморачивается мне печенье носить.

— Если Лена его не примет, — говорит кто-то еще, — мы его с Белиндой сведем.

Хохот. Оттенок его Кел не улавливает. Есть в нем насмешка, но насмешка тут как дождь, она почти всегда либо уже есть, либо ожидается, и ее дюжина вариантов, не меньше, — от нежной до лютой, и между собой они различаются так неуловимо, что нужны годы, чтобы в них разобраться.

— Белинда — это кто? — спрашивает Кел.

— Принесло ее, как и тебя, — говорит Сенан, ухмыляясь. — Рыженькие тебе по вкусу?

— Навряд ли у ней коврик в тон занавескам, — вставляет кто-то.

— А ты-то откуда знаешь? Ты рядом с женщиной не стоял и не лежал с тех пор, как Элвис был первым номером.

— Сестра твоя другое скажет.

— Не свисти. Сестра моя таких, как ты, в рулончик скатывает да полы у себя драит.

— Белинда — англичанка, — сжалившись, сообщает Келу Март. — У нее малюсенький домик у Нокфаррани, лет двадцать уже. Без кукухи совсем, это да. Вся в пурпурных шалях и побрякушках с кельтскими хренями. Приехала сюда, потому что тут-де вероятней всего Маленький народец найти.

— И как? — подает голос Кел. — Нашла? — Комната по-прежнему смещается всякий раз, стоит ему сморгнуть, но уже не так резко.

— Говорит, примечает их, когда луна полная, — отвечает Март с улыбкой. — В полях, типа, или в лесу. Рисует их и продает картинки в туристических лавках в Голуэе.

— Видал я ее картины, — говорит кто-то. — Славные титьки у них, у Маленького народца. Надо мне самому почаще в полях бывать ночами.

— Давай. Может, повезет, Белинду встретишь.

— Как она там танцует нагишом в хороводе фейском.

— Скажешь ей, что ты король феек.

— Белинда мировецкая, — говорит Март. — Может, и сасанах*, может, и с головой не дружит, но вреда с нее никакого. Не то что этот ваш Лорд Дрян.

Все хохочут. Насмешка лобовая, громкая и свирепая, нахрапистая.

— Кто такой Лорд Дрян? — спрашивает Кел.

* Искаж. ирл. от *sasanach* — англичанин, англичанка.

— Не бери в голову, — говорит Сенан, протягивая руку за своей пинтой и улыбаясь. — Нет его.

— Этого тоже принесло, — поясняет Март. — Англичанин. Покоя себе тут искал, чтоб написать великий роман. О гении, который дерет молоденьких, потому что жена евойная не ценит его стихов.

— Я б такую книжку почитал, — вставляет кто-то.

— Да ты за всю жизнь ни одной книжки не прочел, — отзывается кто-то еще.

— А ты откуда знаешь?

— Ну вот что ты читал? Шекспира чуток, что ль?

— Эту прочел бы.

— Если б она с картинками оказалась.

Март на все это не обращает внимания.

— Лет восемь назад дело было, точно, когда Лорд Дрян сюда приехал.

— Весь изготовился нас, дикарей, окультуривать, — говорит Сенан.

— Ай, да нет, — рассудительно говорит Март. — Начал-то мировецки. Манеры при нем такие приятные, вечно "простите, мистер Лавин" да "позвольте вас побеспокоить, мистер Лавин". — Сенан фыркает. — Хватит зубоскалить, ты. Манеры-то тебе б не повредили.

— Хочешь, чтоб я тебя мистером Лавином звал, а?

— Чего ж нет-то? Добавим местам ентим чуток изыска. Можешь кланяться мне со своего трактора, когда мимо катишься.

— Хрен там.

— Все пошло под откос, — продолжает Март, возвращаясь к повествованию, — когда Лорд Дрян узнал о травле барсуков. Знаешь про такое?

— Не уверен, — отвечает Кел. Первый лютый накат потина сходит, но обходиться короткими фразами по-прежнему кажется разумным.

— Это незаконно, — говорит Март, — но скотоводы барсуков этих не любят. Они скотину тубиком заражают, понимаешь? Власти их отстреливают, но некоторые мужики предпочитают разбираться самостоятельно. Загоняют пару терьеров в нору к барсукам, и мужики ее потом раскапывают. Бывает стреляют барсука или дают собакам его прикончить — зависит от того, что за мужик.

— Ребятки строили планы как-то раз вечером, прямо здесь, — говорит Сенан, — ну и Лорд Дрян услышал.

— Он эту катавасию не одобрил ни в какую, — вставляет еще кто-то. — Возмутительно это.

— Травить беззащитных зверюшек.

— Отвратительно.

— Варварство.

Мужики ржут. Теперь в этом слышен тихий рокот, сумрачный низовой слой.

— Англичане психи как есть, — говорит Марту Кел. — У них к зверям состраданья больше, чем к человеку. У этого мужика в стране ребятня голодная ходит, армия ихняя бомбит в гамно гражданских по всему Ближнему Востоку, ему при этом трын-трава, зато по барсукам он чуть не слезы льет. И это на второй-то пинте.

— Блядский нюня, — добавляет Сенан.

— Я сам барсучью травлю не люблю, — говорит Март. — Разок устраивал, смолоду, а потом нет. Но у меня крупной скотины нету. Если человек опасается, что барсук ему источник дохода испортит, я тому человеку не указ, чтоб тот не рыпался и надеялся, что пронесет. А коли я не указ, то и пришлый тоже какой-то, кто на ферме ни разу в жизни не был, только стишки про нее пишет.

— Жалко, что Лорд Дрян на это смотрел иначе, — говорит Сенан.

— Верно, иначе, — говорит Март. — Лорд Дрян явился к норе в ту ночь — здоровенный фонарь в одной руке и видеокамера в другой.

— Орал и вопил как сам не свой, — говорит кто-то, — насчет того, что запись сделает для Гарды и для телевидения.

— Вся округа у него сядет. Всю эту *клятую гнусную махинацию* пресечет.

— Запись ту ни в Гарду, ни в СМИ он не донес, — говорит Малахи, — бедолага. Как-то так вышло, что камера ту ночь не пережила.

— Ай, да он сам ее разбил, — говорит кто-то. — Метался ж туда-сюда как полоумный, ну.

— Пытался отогнать людей от норы фонарем своим.

— Сам себе нос разбил в кровь.

— И фингалов понаставил под оба глаза, и вообще.

— Собака на него бросилась, так муденыш этот пнул ее по ребрам. Любитель животных, а?

— Джона Джо в руку подстрелил, — воодушевленно добавляет Бобби.

— Что ты несешь? — спрашивает Сенан. — Из чего, клятьмолотить, он Джона Джо мог подстрелить?

— Из ружья. Из чего еще, нахрен, люди обычно...

— Как он его удержать-то мог? В одной руке фонарь, в другой видеокамера...

— А я откуда знаю, как он его держал?

— Он же, бля, не осьминог.

— Может, он фонарь в зубах зажал.

— А как он орал тогда на всех?

Бобби упрямится:

— Я одно знаю: Джон Джо показывал мне пулевое ранение.

— Тот парняга Джону Джо по сусалам фонарем съездил, и больше ничего. Если Джон Джо тебе рану от пули показывал, так это он сам себе ее засадил — один конец винтаря от другого не отличит...

Всеобщий пылкий спор продолжается, Кел смотрит на Марта, тот улыбается.

— Не слушай этих идиётов, — говорит Март, — насчет Белинды. У тебя от нее мозги потекут. Хороводы с феечками тебя водить заставит при полной луне, а ты под это не заточен. Держись Лены.

Пространство Кел по-прежнему ощущает чудно́ — кажется, будто лицо Марта располагается совсем близко и слегка водянистое по краям.

— Так, значит, — говорит Кел, — Лорд Дрян тут больше не живет.

— Я б решил, что он вернулся в Англию, — отзывается Март, прикинув вероятности. — Ему там больше радости. Интересно, дописал он там роман свой или нет.

— Что вы там творите с барсуками, ребята, меня не касается.

— Я с ними ничего не творю, — напоминает ему Март. — Вот как есть, я ж сказал уже. Ничему живому вреда не причиню, если нужды в том нету.

Келу хотелось бы, чтобы голова у него была гораздо яснее. Отхлебывает пива — в надежде, что оно разбавит потин у него в крови.

— Знаешь, что ты сделал замечательного? — спрашивает Март, нацеливая на Кела узловатый палец. — Когда только-только въехал? Совета попросил. То и дело спрашивал меня, у кого лучше всего стройматериалы закупать да как отстойник обустраивать. Ты у меня за это на хорошем счету. Мудр тот человек, кто просекает необходимость в совете местного, знающего, что тут куда. “Этот парняга не кончит, как Лорд Дрян, — подумал я, — у этого парняги все будет шик”. — Март укоризненно вперяется в Кела сквозь завесу густеющего дыма. — А потом совсем перестал. Что стряслось, вьюноша? Я тебя сбил с пути истинного, а ты мне не сообщил?

— Я не в курсе, — отвечает Кел. — А ты меня сбил?

— Нет, не сбивал. Так чего ж ты больше не спрашиваешь у меня совета? Думаешь, тебе больше не надо, а? Ты это место просек и мировецки сам разбираешься?

— Лады, — говорит Кел. — Дай какой-нибудь совет.

— Вот, — одобрительно отзывается Март. — Другое дело. Усаживается поглубже на банкетку и устремляет взгляд в потолок, испятнанный сыростью. Музыка замедлилась до чего-то стародавнего и тоскливого, дудка вьет мелодию, Келу неведомую, под нею протяжно и тихо гудит скрипка.

— Как брат помер, — говорит Март, — я вроде неприкаянный стал немножко. Одинехонек вечерами-то зимними, и поболтать не с кем. Типа сам не свой был, покоя не находил. Оно нездоровое. Так я тебе скажу, чем я занялся. Поехал в книжный магазин в Голуэй и назаказал там кучу книжек по геологии ентой. И читал я те книжки от доски до доски. Могу рассказать тебе все, что можно знать о здешней геологии.

Показывает в окошко, плотно укрытое тьмой.

— Вон те горы, — говорит он, — куда ты на свой променадец отправился давеча. То красный песчаник. Четыреста миллионов лет назад они возникли, когда суша тянулась аж до самого экватора. Зелено тут не было, сплошная красная пустыня, едва ль какая на ней жизнь. Но потом и дождей хватило — как из ведра. Если подняться туда и копнуть, увидишь слои гальки, песка и ила, поймешь, что были потопы в той пустыне. Несколько миллионов лет спустя два континента столкнулись друг с дружкой и сморщили те горы, как бумагу, вот почему там кое-какие скалы стоят вертикально. Вулкан швырял камни вверх и гнал лаву по склонам.

Март тянется к пинте, улыбается Келу.

— Когда ты подался чуточку полазить, — продолжает он, — вот куда ты влез. Мне неимоверно утешительно это понимать. Чтó мы там творим в тех горах, прогулка твоя, самогонево Малахи и все такое прочее — оно нисколечко ничего не меняет. Чисто мошки.

Он чествует Кела пинтой и долго отхлебывает из нее.

— Вот чем я занялся, — говорит он, утирая пену с губы, — когда на уме у меня неспокойно стало.

Кел говорит:

— Не знаю, по мне ли геология.

— Необязательно геология, — уверяет его Март, — что тебе самому по нраву. Может, астрономия, а то у тебя ж целое небо в собственном распоряжении, вдали от городских огней-то? Заведи себе телескоп ентот да карты — и вперед. Или чуток латыни тебе мог бы прийтись. Ты мне кажешься человеком, которому досталось совсем не все образование, какое ему по силам. У нас тут крепкая традиция добывать образование самостоятельно, если никто на тарелочке не подносит. И раз уж ты тут с нами, очень даже по делу будет, если присоединишься.

— Это из той же оперы, что Бобби гармонику приобрести? — спрашивает Кел. — Занять меня, чтоб я тут не начал херь дурную вытворять?

— Я о тебе пекусь, вот и все, — отвечает Март. В кои-то веки нет у него в голосе насмешливого выверта. — Ты прыличный мужик, и я б хотел, чтоб ты тут был счастлив. Ты этого заслуживаешь. — Хлопает Кела по плечу, на лице возникает ухмылка. — А коли свихнешься на пришельцах, как Бобби, выслушивать тебя придется мне. Заведи себе телескоп. И давай-ка сходи возьми мне пинту — в уплату за добрый совет.

Когда Кел возвращается, шагая очень осторожно с Мартовой и своей пинтами, их разговор явно окончен, Март глубоко погрузился в спор с двумя другими мужиками насчет сравнительных достоинств двух телевикторин, о которых Кел не слыхивал, и прерывается он, только чтоб подмигнуть Келу, забирая у него стакан.

Вечер продолжается. Дискуссия о телевикторинах оказывается такой жаркой, что Кел придавливает ладонью стол — на случай, если кто-то попытается его перевернуть, — но затем все как-то само растворяется во всплеске оскорблений и хохота. Дейрдре поет “Брежу”* скорбным контральто, голова запрокинута, веки сомкнуты. Бутылка из-под “Люкозэйда” пустеет, и Малахи извлекает из-под стола вторую. Музыкальный угол заряжает дикий рил, и публика притоптывает да прихлопывает по столам в такт.

— Знаешь, что мы думали, когда ты только-только приехал? — вопит Бобби Келу, перекрикивая музыку. Волосы у Бобби выбиваются из опрятного зачеса, взгляд с трудом сосредоточивается на лице Кела. — Мы думали, ты из американских этих проповедников и будешь орать у дороги про Судный день.

— Я не думал, — говорит Сенан. — Я думал, ты из этих гамнюков-хипстеров и будешь у Норин авокадо требовать.

* Речь о балладе *Crazy* (1961) американского музыканта Уилли Нелсона, наиболее известной в исполнении американской кантри-, рокабилли-, госпел- и поп-певицы Пэтси Клайн.

— Все из-за бороды, — поясняет Март. — У нас тут таких немного. Надо было ее как-то объяснить.

— Этот вот парень считал, ты в бегах, — добавляет еще кто-то, пихая соседа локтем.

— Да лень мне просто, — говорит Кел. — Бросил бриться, а потом раз — и уже вот так.

— Мы тебе с этим подсобим, — подает густой голос мужик из угла.

— Я привык, — говорит Кел. — Думаю, поживу с ней еще чуток.

— Лена имеет право глянуть, что там под бородой, прежде чем ввязываться.

— Красавец будешь.

— У Норин есть бритвы.

— Барти! Дай-ка сюда ключи от лавки!

Все скалятся на Кела, подаются вперед, возносят стаканы. Рил колотится, словно сердце.

Кел примеривается к ним весь вечер — на всякий случай. Мужик с низким голосом в углу — в приоритете. С ним и с Сенаном может быть канитель — и еще, пожалуй, с Малахи, но если с ними управиться, остальные, скорее всего, сдадут назад. Кел изготавливается — уж как может.

— Вы это бросьте, — говорит им Март, обнимая Кела за плечи. — Сказал я вам сразу, этот парень — молодец-огурец. И разве ж не прав я? Раз хочется ему Чубакку себе на голове отрастить, пусть.

На миг ниша затихает, всё держится на грани и готово свалиться туда или сюда. Затем Сенан взвывает от хохота, остальные следом, будто всю дорогу разыгрывали Кела.

— Во лицо-то у него стало, — говорит кто-то, — решил, видать, что его, бля, обкорнают, как овцу.

Кто-то еще кричит:

— Вы гляньте на него, всех нас завалить готов! Брось, паря, ну!

Все откидываются на сиденьях, смеясь, взглядов с Кела пока не сводят, и кто-то кричит Барти, чтоб тащил еще одну пинту этому психу. Кел глаз не отводит и ржет так же громко и долго, как и все вокруг. Размышляет, кто из них вероятнее всего проводит ночи в полях с овцой и острым ножиком.

Сенан поет что-то ирландское, судя по всему, длинными меланхолическими фразами с трелями в конце, закинув голову и закрыв глаза. Мужик с глубоким голосом, которого, оказывается, зовут Франси, подсаживается, чтоб познакомиться с Келом, и это почему-то приводит к полному изложению того, как настоящая любовь Франси покинула его, потому что тому пришлось ухаживать за матерью, пока мать двенадцать лет угасала, — история получается до того душераздирающая, что Кел бросается купить Франси пинту, и им обоим необходимо тяпнуть еще по стопке потина. В какой-то миг исчезает Дейрдре, а с нею мужик голяком-в-витрине. Кто-то, пока Барти не смотрит, запускает над баром резиновую рыбу, и все, надсаживая легкие, подпевают ей "Переживу".

Когда народ начинает расходиться, Кел достаточно пьян, чтобы принять от Марта предложение подбросить его до дома, — в основном из смятенного ощущения, что отказаться будет некрасиво, раз уж он обязан Марту бородой. Март распевает всю дорогу надтреснутым тенором поразительной громкости удалые песенки про девиц, что краше всех в городе, время от времени пропуская слова. Холодный воздух струится в открытые окна, облака драные, и по лобовому стеклу головокружительно проскакивают звезды и тьма. Автомобиль взлетает на каждой рытвине. Кел прикидывает, что домой они либо доберутся, либо нет, и подтягивает на припевах.

— Ну вот, — говорит Март, ударяя по тормозам у ворот Кела. — Как желудок-то ентот твой?

— Неплохо, — отвечает Кел, возясь с замком ремня безопасности. В кармане зудит телефон. Чтобы понять, что это вообще такое, требуется некоторое время. А затем до Кела доходит, что это наверняка Алисса пишет в Вотсапп: "Извини, пропустила, до скорого!" Оставляет телефон где он есть.

— Конечно же. Лучше некуда. — Пушистая шевелюра Марта скособочена на сторону. Вид у него блаженно счастливый.

— Барти, кажется, был рад от нас отделаться, — замечает Кел. Когда последний раз смотрел на часы, было три пополуночи.

— Барти, — произносит Март с царственной укоризной. — Еще б, да сам паб не его даже. Он его подгреб только потому, что сыну Шона Ога больше понравилось в конторе сидеть, баба он эдакая. Ничего, потерпит, иногда случается у нас веселушка.

— Может, надо было мне выдать Малахи пару дубов? — спрашивает Кел. — За... — правильное слово нейдет в голову, — смгонку?

— А то, я все уладил, — уведомляет его Март. — Со мной сочтешься в другой раз. У тебя будет масса вможозн... взожмон... — Он машет рукой на Кела и сдается.

— Ой, — говорит Кел, вываливаясь из машины. Ловит равновесие. — Спасибо за подвоз. И за приглашение.

— Вот это вечерок, братишка, — говорит Март, наклоняясь над пассажирским сиденьем ниже необходимого. — Запомнишь его, а?

— Не уверен, что вообще хоть что-то вспомню, — произносит Кел, Март смеется.

— Едрить, да шик все будет. Проспишься хорошенько, и больше ничего не надо.

— Так и собираюсь, — говорит Кел. — И ты тоже.

— Да, и я тоже, — соглашается Март. Лицо сморщивается в ухмылке. — Я собирался принять смену у Пи-Джея с полночи, помнишь? Зря я. Никак такого расклада не могло быть. Но я ж оптимист по жизни. — Машет Келу и с ревом уносится по дороге, виляя задними габаритами.

Кел решает до самого дома прямо сразу не тащиться. Укладывается в траву и смотрит на звезды — они густы и буйны, как одуванчики по всему небу. Кел думает о телескопе, как предложил Март, и решает, что телескоп — это не по нему. Лучше разбираться в звездах его не тянет, они ему нравятся как есть. Такая у него черта, к добру ли, к худу ли: он всегда предпочитал занимать ум тем, на что способен как-то повлиять.

Чуть погодя трезвеет достаточно, чтоб ощущать, как впиваются в спину камешки и просачивается в нутро холод. А еще постепенно понимает, что, возможно, не стоит тут валяться, пока по округе шляется тот, кто режет овцам глотки.

Кел потихоньку встает, голова кружится, и нужно ненадолго пригнуться, уперев руки в ляжки, чтобы унять кружение. Затем бредет к дому через лужайку, та кажется ему обширной и голой. В полях ни движения, в изгородях и среди ветвей ни звука; ночь подобралась к самой глубокой своей точке, к пустынной предрассветной границе. Лесок во владениях Кела — густой мазок среди звезд, безмолвный, недвижимый. Дом Марта темен.

12

Кел просыпается поздно, в окно спальни вовсю струится солнечный свет. Голова немного чувствительная и словно набита липучим ковровым ворсом, но в остальном Келу на диво хорошо. Суется под холодную воду, от этого голова проясняется, после чего он жарит себе яичницу с сосисками, закидывается парочкой обезболивающих и щедрым объемом кофе. Затем бросает в багажник мешок с грязной одеждой и отправляется в город.

День обманчиво яркий, с резким холодом в тенях и легким ветром, что играючи подбирается поближе — и сечет до нутра. “Паджеро”, неспешно катясь, ритмично подскакивает на ухабах. Следом скользит по бурым горам тень тучки.

Келу ясно, что прошлой ночью его предостерегли. Предостережение, впрочем, сделали так тонко — умышленно ли, нет ли, — что Кел не до конца понимает, от чего именно его предостерегали. Понятия не имеет, вычислила ли Арднакелти, что он разбирается с исчезновением Брендана Редди, и хочет, чтобы Кел в этом говне не копался, или же он просто слишком деятельно для приезжего сует во все нос и пришла пора втолковать ему местные обычаи.

Интересно и то, где и как это предостережение сделали. Март мог выдать ему парочку кратких рекомендаций прямо у ворот в любой день, но отложил это до вечеринки с потином. То ли хотел, чтобы Кел принял этот намек сразу от целой компании, чтоб уж дошло наверняка, то ли желал все обставить так, чтобы все остальные знали: Кела предупредили. И Кел отчего-то убежден, что тут скорее второе и что оно ради его же блага.

Кел не вполне понимает, в каких обстоятельствах может пригодиться такая защита. В начале расследования Кел привык действовать ощупью, а значит, не сразу осознаёт, что тут все совсем иначе. Он понятия не имеет не только о том, что́ окружающие знают и в чем убеждены, но и что об этом могут думать, чего хотят, почему они этого хотят — или как способны поступить, чтобы добиться желаемого. Десятилетия знакомства друг с другом, придававшие началу вчерашнего вечера уют, сгущаются в непроницаемую чащу, любое действие и любые мотивы скрываются в ней, едва ль постижимые для человека пришлого. Кел понимает, что это по меньшей мере отчасти делается сознательно и умело. Мужикам нравится, если Кел двигается вслепую. Ничего личного, с их стороны это простейшая и естественная предосторожность.

Кел отдает себе отчет, что производит впечатление покладистого, сговорчивого парня, который это предостережение учтет. Такой образ неоднократно играл Келу на руку. Он бы с большой радостью использовал его и здесь, пусть деревня расслабится, веря в то, что он вернулся к своим делам и красит себе дом. Беда в том, что у него нет такого выхода. Будь он на службе, он бы держался подобающе далеко от приятелей Брендана и занялся на некоторое время всяким закулисным: подтянул бы технарей, чтобы влезли к Брендану в телефон, отследили его перемещения, прошерстили его переписку, проверили по банку, использовалась ли карточка Брендана, прогнали бы всех Брендановых приятелей через систему, потолковали с отделом дури насчет дублинских купцов. Кел обсудил бы варианты со своим напарником О'Лири, мелким пузатым циником, с виду обманчиво ленивым и с острым чутьем на несуразное, и впряг бы того же О'Лири побегать вместо себя.

А тут никакой тяжелой артиллерии, никаких союзников. Никакого закулисья, где можно укрыться. У Кела пустые руки, он один и у всех на виду.

Исходный план на сегодня был выловить Дони Макграта, но план этот изменился. Расспрашивать Дони наверняка окажется изнурительно, а голова у Кела к такому не готова. Но важнее другое: Кел недостаточно хорошо врубается, что вообще происходит. Даже если местные предостерегают его насчет Брендана, им известно лишь одно: Кел пытается выяснить, куда сбежал пацан, чтобы успокоить его встревоженную мамашу — или из чистого любопытства. Но Кел знает, что пригляд за ним будет. Если потолкует с Дони или с кем угодно еще, кто связан с дублинскими пацанами-торговцами, местные поймут, чтó у Кела на уме. Делать этот шаг, пока не подготовится хорошенько, Кел не склонен.

Однако есть у него один пункт в списке, и что за карты у Кела на руках, по этому пункту не вычислить, но для его исполнения требуется выходной день. В городе он сдает вещи в прачечную, а сам отправляется в сувенирную лавку.

Каролайн Хоран по-прежнему дружит с Бренданом в Фейсбуке, из чего Кел делает вывод, что расстались они не совсем уж паршиво. Фотоснимок на ее страничке: она сама и две другие девушки, на пляже, обдуваемые ветром, в обнимку, смеются. У Каролайн буйные каштановые кудри и круглое веснушчатое лицо с очаровательной улыбкой. В профиле у нее также значится "Учится в Атлонском технологическом институте", а тогда, если она и работает еще в сувенирной лавке, скорее всего, берет себе смены в выходные.

И действительно — толкнув под звон колокольчика дверь лавки, он видит ее: девушка приводит в порядок стойку с именными табличками, украшенными лепреконами. Каролайн ниже ростом, чем Кел предполагал, у нее ладная, округлая фигура. Кудри стянуты в хвост, макияжа немного — столько, чтобы выглядеть ухоженной, но вместе с тем добродетельной.

— Добрый день, — приветствует ее Кел, озираясь по сторонам, слегка ошарашенный изобилием. Магазинчик мал и битком набит зелеными предметами, предметами из шерсти и предметами из мрамора. Почти все украшены либо клевером, либо кельтскими завитушками. Фоном чей-то мужской голос распевает слащавую балладу, которая даже на слух Кела не имеет ничего общего с музыкой в "Шоне Оге".

— Здрасьте, — отзывается Каролайн, оборачиваясь и улыбаясь. — Чем могу помочь?

— Да я вот собираюсь купить подарок своей племяннице в Чикаго, — отвечает Кел. — Ей скоро шесть. Может, посоветуете что-нибудь?

— Запросто, — любезно отвечает Каролайн. Направляется к прилавку, попутно снимая то-сё с полок и стоек: зеленую куклу-феечку из тюля, футболку с клевером, серебряное колье в зеленой коробочке, косматую чернолицую игрушечную овцу. — Если ей нравятся феечки, от этой она будет в восторге. Или она более боевая? Тогда, может, майку и бейсболку?

Кел опирается на прилавок, блюдя почтительное расстояние, поддакивает и попутно оглядывает Каролайн. Выговор свой она ради колледжа не глушит, как Юджин, он почти такой же сильный, как у Трея. Кел это одобряет — сам без малого тридцать лет прожил в Чикаго, а по-прежнему разговаривает как пацан из Северной Каролины. Ее отзывчивость и точность движений ему тоже нравятся. Брендан выбирал уверенных и знающих. И если этой барышне Брендан был желанен, значит, он тоже не балбес.

— Или вот колье с кладдахским кулоном, тут точно не ошибетесь. Это традиционный ирландский знак любви, дружбы и верности*.

— Вот эта хорошенькая, — говорит Кел, беря овцу. Алисса обожала мелких мягких зверушек. У нее в комнате они были на всех поверхностях, дружными компаниями, обустроенными заботливо, чтобы смотрелось так, будто они разговаривают или во что-то играют. Кел выбирал парочку таких игрушек и разговаривал ими, а Алисса хихикала до одури. Водился там и енот — он то и дело подкрадывался к остальным, щекотал их и отскакивал.

— Эти местные дальше некуда, — поясняет Каролайн. — Их валяет одна дама в Каррикморе из шерсти с овец ее брата.

Кел поглядывает на нее, сведя брови.

* Кладдахский символ появился в виде традиционного ирландского кольца, впервые изготовленного, как гласит предание, в деревне Кладдах под Голуэем на рубеже XVII—XVIII веков; две руки (символ дружбы) держат сердце (символ любви), увенчанное короной (символ верности).

— У меня такое ощущение, что вы где-то рядом со мной, — говорит он. — Не вас ли видел у Норин, вы ей помогали разок в магазине в Арднакелти?

Каролайн улыбается.

— Наверное, меня, ага. Норин трудно отказать.

— Не то слово, — соглашается Кел, улыбаясь и протягивая руку. — Кел Хупер. Тот американец, кто купил участок О'Шэев.

Его имя никакого отклика у Каролайн не вызывает, что бы это ни значило. Рукопожатие у нее старше ее самой, профессиональное.

— Каролайн Хоран.

— Лады. — говорит Кел. — Поглядим, научила ли меня Норин хоть чему-то. Если вы Каролайн, значит, это вы сломали запястье, когда свалились у Норин с лестницы, пытаясь дотянуться до обсыпки для торта. Правильно?

Каролайн хохочет.

— Господи, да мне *шесть лет* было. Вечно припоминать будут. И обсыпку я в итоге так и не добыла.

— Не беспокойтесь, — лыбясь в ответ, говорит Кел. — Это худшее, что мне доложили. Еще я знаю, что вы встречались с Бренданом Редди — парнем, которого не удается привлечь, чтоб переложил мне электрику, потому что он куда-то смылся, — и что вы учитесь в колледже. Что изучаете?

При упоминании Брендана Каролайн смаргивает.

— Гостиничное дело, — отвечает она довольно непринужденно, отворачиваясь, чтобы достать с полки еще овец. — С такой профессией куда хочешь можно ехать, верно?

— Собираетесь путешествовать?

Каролайн улыбается через плечо.

— Господи, ну да. Чем больше, тем лучше. А в таком деле за тебя еще и платят.

Кел считает, что это большая ошибка Брендана — или, в любом случае, одна из них: отчудить, что уж он там отчудил, чтоб Каролайн его бросила. В этой девушке есть искра женщины, которая далеко пойдет. С ней их пара могла б оказаться в таких местах, о каких Брендан мог только мечтать, а то и не мечтать даже.

— Итак, — говорит она, выстроив на прилавке полдюжины овец разных оттенков, — выбирайте. Мне вот у этой выражение лица нравится.

— По-моему, вид у нее вроде как с приветом, — говорит Кел, присматриваясь к вытаращенным глазкам с белой каймой. — Будто выжидает подходящего момента, чтоб напасть.

Каролайн смеется.

— Она просто с характером.

— Если у племянницы приключатся страшные сны, сестра заявится сюда и меня прибьет.

— Может, тогда вот эту? — Каролайн берет экземпляр кремового окраса с черной головой. — Посмотрите на ее мордочку. Такая мухи не обидит.

— Эта боится вон той чокнутой. Смотрите. — Кел прячет робкую овцу за остальными и ставит ту, которая с приветом, так, чтоб таращилась на них. — Трясется от холки до копыт.

Каролайн смеется.

— Значит, вы просто обязаны ее отсюда забрать. Приютите ее в новом безопасном доме, и все у нее будет шик.

— Лады, — соглашается Кел. — Так и сделаю. Пусть будет мое доброе дело на сегодня.

— Племяннице скажете, что это спасенная овца, — советует Каролайн. Принимается расставлять оставшихся на полке.

— Знаете, — говорит Кел, крутя в руках зеленую бейсболку, — не хочется мне влезать, но я тут давеча беседовал с мамой Брендана Редди, и она о нем не на шутку тревожится. Если он как-то выходил с вами на связь, может, вы потратите минутку и скажете маме, что с ним все хорошо?

Каролайн взглядывает на него, но всего на секунду.

— Он не выходил.

— Мне можете ничего не рассказывать. Главное — скажите его маме.

— Я понимаю. Но он не выходил.

— Даже если просто заикнулся о том, куда направляется. Ей нелегко. Что угодно было б на пользу.

Каролайн качает головой.

— Он мне про это ничего не говорил, — произносит она. — Да и причин у него не было. Мы не очень-то общались после того, как разошлись.

Обида в ее голосе все еще слышна. Что б ни пошло наперекосяк в этой паре, Брендан девушке очень нравился.

— Тяжело ему было расставаться? — спрашивает Кел.

— Вроде. Угу.

— Вы тоже о нем беспокоились?

Каролайн возвращается к прилавку. Гладит овцу по носу.

— Я б хотела знать, — отвечает она.

— Есть догадки?

Каролайн снимает завиток серого пуха с овечьей спины.

— С Бренданом дело такое, — говорит она. — У него много чего на уме, и его заносит. Забывает других людей учитывать.

— Как так?

— Ну, — отвечает Каролайн, — типа, нам обоим нравится этот музыкант Хозиер*, так? И он играл в Дублине в прошлом году в декабре. Брендан брался за любую работу, какая подвернется, чтоб скопить денег на билеты, автобус и ночлег. Мне в подарок на Рождество. И получилось бы изумительно, если б эти билеты он не взял на вечер перед моим последним экзаменом.

— Ох ты ж, — поморщившись, отзывается Кел.

— Ага. Типа, не специально; он просто забыл у меня спросить. А когда я сказала, что поехать не смогу, он всерьез обалдел. И разозлился. Типа: "Тебя ничего, кроме твоего колледжа, не волнует, считаешь, ради меня незачем напрягаться, потому что я ничего не добьюсь..." Я вообще так не думала, но... ну да.

— Но это не втолкуешь парню, если он уязвим, — договаривает Кел.

— Ну да. Из-за этого мы и расстались, по сути.

Кел обдумывает.

— Вы, значит, считаете, что он погнался куда-то за великой затеей и забыл, что мама волнуется?

* Эндрю Джон Хозиер-Бирн (р. 1990) — ирландский блюз-, соул-, инди-поп-певец, музыкант и автор песен.

Каролайн бросает на него взгляд, затем вновь отводит его.

— Может, — говорит.

Кел уточняет:

— Или?..

Каролайн спрашивает:

— Вам ее завернуть подарочно?

— Было бы здорово. С упаковкой у меня руки-крюки.

— Запросто, — говорит Каролайн, ловко выдергивая из-под прилавка тонкую зеленую бумагу. — Ясное дело, если девочке шесть, упаковка ей без разницы, а вот вашей сестре, возможно, нет. Давайте всё чин чином.

Кел пытается раскрутить бейсболку на одном пальце, слушает, как певец ноет про тоску по дому, и разглядывает Каролайн, пока та раскладывает несколько листов зеленой бумаги разных оттенков. С Юджином он изображал балбеса, поскольку Юджину хотелось бы, чтоб люди вокруг были такими. Каролайн, очевидно, желает, чтобы люди вокруг были смышлеными и доводили начатое до конца.

— Мисс Каролайн, — произносит он, — я собираюсь задать вам пару вопросов, поскольку с вами, кажется, вероятность получить внятные ответы выше всего.

Каролайн прекращает упаковывать, поднимает голову, смотрит на Кела.

— О чем?

— О Брендане Редди.

— Зачем?

Они с Келом смотрят друг на дружку. Кел понимает: очень повезло, что этот вопрос ему до сих пор ни разу не задали.

— Можно решить, что я просто везде сую нос, — отвечает он, — или неугомонный, или и то и другое. Одно могу обещать: никакого вреда Брендану я не причиню. Просто выясняю, куда он делся, вот и все.

Каролайн кивает, будто верит ему. Говорит:

— Мне вам сказать нечего.

— Вы хотите знать, куда он уехал. Собираетесь поспрашивать сами? — Каролайн качает головой. Резкость этого движения дает Келу понять, что девушка боится. — Значит, я ваша последняя надежда.

— И если выясните, вы мне сообщите.

— Обещать не могу, — говорит Кел. Минуту назад, вероятно, пообещал бы, но это движение его насторожило. Каролайн не кажется человеком, которого легко напугать. — Но если я его найду, я ему скажу, чтобы позвонил вам. Всяко лучше, чем ничего.

Миг спустя она говорит, без всякого выражения:

— Ладно. Валяйте.

— Как у Брендана было с головой?

— В смысле?

— Депрессии?

— Вряд ли, — отвечает Каролайн. Отвечает довольно быстро, из чего Кел делает вывод, что она это уже обдумывала. — Счастлив он не был, но тут другое. Его это не тянуло ко дну, понимаете? Скорее... доставало. Раздражало. Он вообще-то оптимист. Всегда прикидывает, что как-то сложится в конце концов.

— Приношу извинения за жесткую формулировку, — говорит Кел, — но как по-вашему, есть ли вероятность, что он лишил себя жизни?

— По-моему, никакой, — отвечает Каролайн. Этот ответ тоже молниеносен. — Я понимаю, нельзя сказать, что кто-то не суицидальный тип и что людям бывает гораздо хуже, чем они показывают, но... Брендан думает так: "Точно найду выход, все будет шик так или иначе..." Такое вряд ли совместимо с самоубийством.

— Я б тоже решил, что нет, — говорит Кел. Он склонен соглашаться с Каролайн, хотя разделяет и ее осторожность. — Никогда не казалось, что он оторван от действительности? Говорит что-то, лишенное смысла?

— В смысле шизофрении или биполярного расстройства?

— Или чего угодно в этом духе.

Каролайн задумывается ненадолго, руки на оберточной бумаге неподвижны. Затем качает головой.

— Нет, — говорит решительно. — Он иногда нереальное предлагает, бывает такое — вот как с билетами и моим экзаменом:

“Все будет шик, поучись заранее просто, а утром уедем ранним автобусом...” Но это не то же самое, что оторваться от действительности.

— Это верно, — говорит Кел. “Думает”, “предлагает”. Каролайн, как и Фергал с Юджином, считает, что Брендан жив. Кел не слишком на это полагается. Для них мысль о том, что их ровесник может быть мертв, невозможна. Кел надеется, что так оно и будет еще сколько-то. — Из-за этой своей склонности к нереальному он врагов себе не нажил?

Глаза у Каролайн распахиваются, но всего на миг, а голос остается ровным.

— Ну не так уж, как вы об этом говорите. Людей он иногда раздражает. Но... само собой, мы же все знаем друг друга целую жизнь. Всем известно, какой он. Никто никогда особо не заморачивался.

— Да, понятно, как это бывает, — говорит Кел. — Он надежный? Скажем, если говорит вам, что собирается что-то для вас сделать или достать что-то, вы б рассчитывали, что сделает, или решили, что выбросит из головы?

— Сдержит слово, — тут же говорит Каролайн. — Для него это вроде как вопрос гордости. Отец у него был ужасный человек в этом смысле — пообещать и забыть. Брендан такого на дух не выносил. Не хотел быть, как тот.

— Вот вам пожалуйста. Люди готовы простить человеку некоторую оторванность, лишь бы надежный был. — Кел кладет бейсболку на прилавок, оглаживает, возвращая ей форму. — Надо полагать, это значит, что не подорвался б и не улизнул, узнай, что вы беременны.

Делает ставку на то, что Каролайн хватит здравомыслия на такое не разобидеться. Так и выходит — она отвечает буднично:

— Ни за что. Он бы сделал все, чтоб стать идеальным папочкой. Но причин так думать у него все равно не возникало. Страха никакого у меня не было, ничего.

— Вы сказали, у Брендана было туго с деньгами и его беспокоило, что он ничего не добьется. Водились ли у него планы както попробовать изменить это?

Каролайн выдыхает, ехидно улыбаясь.

— Да наверняка были, ага. Он сказал — когда мы расставались, типа, — сказал, еще докажет мне, что далеко пойдет.

— Не заикался как?

Она качает головой.

— Может, влезая куда не надо?

— Типа чего? — Тон у Каролайн делается острее.

— Ну, типа чего-то противозаконного, — миролюбиво поясняет Кел. — Воровство, может, или переброска наркотиками.

— Он никогда ничем таким не занимался. Когда мы встречались с ним, точно нет.

— Как он раздобыл денег на те билеты на концерт?

— Дядя одного нашего друга вывозит старую мебель, Брендан устроился на несколько дней к нему. Ну и натаскивал еще. — В ответ на непонимающий взгляд Кела: — Ребят из нашей школы подтягивал по химии и электротехнике, он в этих предметах лучше всего разбирается. Такое вот.

На службе Кел все это проверил бы. А сейчас ему остается полагаться на чутье, и оно подсказывает, что Каролайн хочется думать о Брендане хорошее, но вместе с тем она не дура.

— Находчиво, — говорит Кел. — Однако на этом не обогатишься.

— Нет, но вы понимаете, что я имею в виду. Ничего левого он не делал.

— Вы при этом не говорите, что и никогда не стал бы, — обращает ее внимание Кел.

Каролайн вновь принимается возиться с упаковкой, обертывает овцу ловкими быстрыми пальцами. Кел ждет.

— Ходили слухи, — наконец произносит Каролайн, — после того, как Брендан уехал. — Руки торопятся, голос напрягается. Говорить об этом ей не нравится. — Люди болтали, будто он меня изнасиловал и сбежал, потому что я собиралась насчет этого в Гарду.

— И это неправда?

— Неправда. Брендан пальцем меня не трогал против моей воли. Этот слух я быстренько пресекла, как узнала о нем. Но возникла прорва других, с которыми я уже ничего поделать не могла. Что он сбежал, потому что избил свою мать. Или что его застукали за тем, как он подглядывает к женщинам в окна. Наверное, худшие мне даже и не пересказывали.

Резким движением отрывает кусок клейкой ленты от бобины.

— Вот как Брендану было в Арднакелти всю его жизнь. Раз он из такой семьи, люди всегда думали о нем худшее, есть на то причина или нет. Даже мои родители — а они не такие, — даже они были в ужасе, когда я начала с ним встречаться, правда, сказали, что голова на плечах у меня имеется, а значит, если я в нем что-то нахожу, оно там, наверное, есть. Но им не нравилось. Даже когда видели, как хорошо он со мной обходится, все равно возражали. — Поглядывает на Кела. Мотает головой, и в этом жесте виден гнев. — Я просто хочу сказать: не верьте всему, что люди несут вам о Брендане. В основном это фуфло сплошное.

— Тогда вы мне скажите, — говорит Кел, — пошел бы он на что-то криминальное или нет?

— Я вам объясню, кто такой Брендан, — отвечает Каролайн. Руки ее замерли, игрушечная овца напрочь забыта. — У него орава мелких братьев и сестер, так? Обычно, когда люди с кем-то встречаются, на остальных внимания не обращают. А вот Брендан другой — даже когда мы только-только начали, когда с ума сходили друг по дружке, он такой: “Сегодня не могу встретиться, Трей в футбол играет” или “Мэв поссорилась с любимой подружкой, надо побыть дома, подбодрить ее”. Родители у них вообще не такие, с детьми возился Брендан. Не в смысле, что ему это геморрой был. Ему типа нравилось.

— Вроде хороший человек, — говорит Кел. — Но хорошие люди нарушают закон — иногда. Вы не ответили мне, нарушил бы Брендан или нет.

Каролайн вновь берется за оберточную бумагу. Помолчав, говорит:

— Надеюсь, нет. — Лицо у нее устало грустнеет. Кел ждет. Она вроде начинает фразу, но осекается. Произносит другое: — Я просто хочу знать, что с ним все нормально.

Кел произносит бережно:

— Я не слыхал, что плохо.

— Ну да. — Каролайн быстро переводит дух. На Кела больше не смотрит. — Ага. Я б сказала, у него все шик.

— Знаете что, — говорит Кел, — попрошу миз Редди, если от Брендана будут вести, чтоб она вам сообщила.

— Спасибо, — учтиво отзывается Каролайн, отматывая от катушки зеленую ленточку. Разговор окончен. — Было б здорово.

Овцу она обвязывает нарядно — зеленые завитки и кудри ленточек. Кел, благодаря ее за помощь, оставляет секунду на тот случай, если она решит сказать еще что-то, но Каролайн одаряет его лучезарной безличной улыбкой и просит передать его племяннице поздравления с днем рождения.

На свежем воздухе, вдали от захламленной тесноты и слащавых баллад, кажется просторно и свободно, покойно. На главной площади семьи при полном параде и старушки в платках выходят из церкви, высится ее шпиль, ветер гонит по синему небу ошметки облаков.

Кел надеялся, что Брендан, может, выложил Каролайн свои грандиозные планы по добыче денег. У пацанов рот не закрывается, когда они пытаются произвести впечатление на девушек. Каролайн не из тех, кого можно впечатлить противозаконными затеями, но Брендан слишком юн, слишком поспешен и слишком отчаян, а потому, наверное, этого не замечал. Но Кел доверяет Каролайн. Что б там ни назревало, Брендан держал это при себе.

Однако ж не с пустыми руками Кел вышел из лавки. Самоубийство вычеркиваем — ну или будем так считать. Не потому что Каролайн уверена, будто Брендан не из таких, а потому что Каролайн — Кел видит в ней покамест лучшего свидетеля из всех, с кем успел потолковать, — утверждает, что Брендану очень важно держать слово. Брендан сказал, что к дню рождения раздобудет Трею велосипед, а Фергалу вернет сто дубов — деньги, которые ему были б ни к чему, если б он собирался влезть на горку и там повеситься. Если Брендан намеревался куда-то уехать, намеревался он и вернуться.

И Каролайн полагает, что ничего плохого с головой у Брендана не происходило. Кел этому рад. Если Брендана спугнули, если он сбежал, если прячется в горах, получается, у него имелись причины, существовавшие вне ума. А значит, попутно он должен оставить осязаемый след.

Может, у Каролайн есть догадки, чем Брендан занимался, и она не хочет это обсуждать — во всяком случае, не с пришлым и не с бывшим легавым. Вместе с тем Кел, возможно, не единственный, кого предостерегли.

Больших надежд на то, что полицейский участок окажется открыт в воскресенье, Кел не питает, но гарда О'Малли за своим столом, читает газету и ест здоровенный кусок шоколадного торта, зажав его в руке.

— Ох батюшки, офицер Хупер, — говорит он, сияя и пытаясь сообразить, вставать ли. — Руку подать не могу, видите... — показывает липкие пальцы. — Моему пацаненку сегодня восемь, и уж такой торт моя хозяйка забабахала, мы до девятилетия его доедать будем.

— Не беда, — улыбаясь, говорит Кел. — Отличный торт, судя по виду.

— Ой, роскошный. Она у меня все кондитерские телепрограммы смотрит. Знай я, что вы зайдете, принес бы и вам кусок.

— На будущий год заскочу, — заверяет его Кел. — Зашел сообщить, что ружье-то я получил. Спасибо вам большущее за помощь.

— Никаких хлопот вообще, — говорит О'Малли, расслабляясь в кресле и облизывая глазурь с большого пальца. — Уже опробовали?

— Стрелял по жестянкам пока, глазомер восстанавливаю. Хорошее ружье. У меня на земле кролики водятся, собираюсь настрелять себе чуток.

— Коварная они мелюзга, — сообщает О'Малли с меланхолической многозначительностью. — Удачи вам.

— Ну, — говорит Кел, — на выбор еще есть целое дерево грачей, они у меня на лужайке хулиганят. Может, подскажете — как они в пищу?

Вид у О'Малли изумленный, но гарда из вежливости осмысляет вопрос.

— Сам я грачей не йил ни разу, — отвечает. — Но отец говаривал, что его мать готовила грачиное рагу, когда больше есть нечего было, он тогда сам был мальчонкой. С картошкой типа и с чуточкой лука. Думаю, в интернете рецепт найдется уж всяко, там же вообще все есть.

— Стоит попробовать, — говорит Кел. Не собирается он стрелять по своим грачам. У него подозрение, что выжившие станут ему заклятыми врагами.

— Вряд ли оно вкусно, — замечает О'Малли, еще раз подумав. — Жуть какой резкий вкус, наверное.

— Сберегу вам пайку, — ухмыляясь, обещает Кел.

— Ой нет, всё шик, — говорит О'Малли, немного напрягшись. — Уж всяко я буду все еще с тортом с этим занят.

Кел смеется, хлопает по стойке ладонью и уже направляется к двери, как вдруг его осеняет:

— Чуть не забыл. Кто-то мне тут говорил, что пару служивых из Гарды вызывали в этом году в марте в Арднакелти. Не вас ли?

О'Малли задумывается.

— Не, не меня. Я там всего раз бывал в этом году — в горках, когда пытался ребятню эту, Редди, загнать на учебу. Арднакелти не очень-то нуждается в наших услугах.

— Ну, так я и думал, — говорит Кел, слегка нахмурившись. — А вы не в курсе, что там такое в марте приключилось?

— Да ничего серьезного не могло быть, — заверяет его О'Малли. — Уж всяко если б иначе, я б о том узнал.

— Мне б хотелось понимать все равно, — настаивает Кел, хмурясь все больше. — Нет мне покоя, пока не разберусь, с чем рядом живу. Побочка от службы — ну, в смысле, кому я объясняю, да?

По лицу О'Малли не скажешь, что он хоть раз смотрел на это под таким углом, но кивает рьяно.

— Сделаем вот как, — говорит он, сообразив. — Погодите тут минутку, я гляну по базе.

— Ой, как любезно с вашей стороны, — говорит Кел, приятно удивившись. — Ценю. Грачиное рагу теперь уж точно за мной.

О'Малли смеется, с громким скрипом выбирается из кресла и скрывается в недрах участка. Кел ждет и смотрит в окно на небо, где тучи густеют, темнеют и делаются все более зловещими. Вряд ли он когда-нибудь освоится с непринужденными крутыми поворотами здешней погоды. Привык к тому, что жаркий летний день — это жаркий летний день, холодный дождливый день — холодный дождливый день и так далее. Здесь же бывают дни, когда погода крутит людям мозги чисто из принципа.

— Так, — говорит О'Малли, возвращаясь, довольный результатами. — Я ж сказал, вообще ничегошеньки серьезного. Шестнадцатое марта, фермер сообщил о признаках вторжения на его землю и возможную кражу сельхозинвентаря, но когда ребята приехали, заявил им, что это недоразумение. — О'Малли усаживается в кресло и закидывает кусок торта в рот. — Видать, выяснил, что это какая-нибудь местная молодая шелупонь безобразит. Скучно им, это да. Иногда самый борзый спрячет что-нибудь чисто ради ржаки — поглядеть, как фермер бесится, пока ищет. А может, все же украли что-то, но фермер выяснил, кто это, и вернул себе свое да и решил на том закончить. Они тут такие, в этих краях. Им сподручнее держать нас от себя подальше, пока совсем не припрет.

— Ну, так или иначе, — говорит Кел, — у меня от души отлегло. Никакого сельхозинвентаря у меня нету, воровать нечего. Старая тачка есть, досталась мне вместе с землей, но если кому-то она уж так нужна, пусть забирают.

— Да они скорее ее вам на крышу втащат, — снисходительно говорит О'Малли.

— Это может украсить мне дом, — отзывается Кел. — Эти ребята дизайнеры берут с яппи тысячи дубов за такие идеи. Кто был тот фермер?

— Мужик по имени Патрик Фаллон. Я его не знаю. Не из постоянных он, значит, никакой у него вражды нету ни с кем, ничего такого.

Патрик Фаллон — судя по всему, Пи-Джей.

— Хм. Это сосед мой, — замечает Кел. — Не заикался он при мне ни о чем таком, пока я тут. Видать, что-то разовое тогда приключилось.

— Пацанва дурит, — убежденно заключает О'Малли, отламывая очередной здоровенный кусок торта.

От вида торта у Кела пробуждается голод. Отыскивает кафе, берет себе кусок яблочного пирога и кофе, коротает время до окончания стирки. Достает из кармана куртки блокнот и открывает чистую страничку.

Обмозговывает вероятность того, что Брендан оборудовал себе точку приема ворованного сельхозинвентаря, стырил что-то у Пи-Джея, его спугнули, он вернул, когда выяснилось, что вызвали легавых, и удрал из города, чтоб не нарываться, или его выгнали, как того парня Манниона, угробившего кота. Не клеится оно: кто угодно хоть с каким-то мозгом учитывал бы полицию, а Брендан не дурак, ну или не был им; однако, возможно, не рассчитывал, что пропажу так быстро обнаружат. Каролайн сказала, что реакции других людей Брендан в расчет не принимал.

Записывает: "Сельхозинвентарь 16/03. Что украдено? Вернули?"

И вот еще какая мысль болтается у него на краю сознания: те убитые овцы. Март не наудачу сидит в лесочке. У него есть основания думать, что следующей будет овца Пи-Джея.

Кел зарисовывает план окрестностей Арднакелти, подглядывая в интернет-карты. Отмечает землю Марта, Пи-Джея и Бобби Фини; где именно расположен участок Франси Ганнона, он не знает, но "рядом с деревней" — это приблизительно понятно. Затем обозначает все остальные известные ему овцеводческие хозяйства.

Географически эти четыре участка никак не выделяются среди остальных. Не ближайшие к горам или к какому-нибудь лесу, где может прятаться какой-нибудь зверь, и не рядом друг с другом, да и не примыкают к основной дороге, чтобы можно было быстро скрыться. Нет причин — или, во всяком случае, нет причин, очевидных Келу, — с чего б этим хозяйствам стать мишенями хоть для человека, хоть для зверя.

Пишет: "Франси/Бобби/Март/Пи-Джей. Связи? Родство? Терки с Бренданом? С кем-то еще?"

В голову приходит всего один человек, у которого могли быть терки с Мартом, и, похоже, незадолго до того, как убили Мартову овцу. Пишет: "С Дони Макг?"

Остаток кофе остыл. Кел закупается всякой всячиной, включая Мартово печенье и упаковку из трех носков, забирает стирку и уезжает из города.

Дорога в горы на машине ощущается иначе — каменистее и недружелюбнее, словно ждет своего часа, чтоб пробить Келу покрышку или сбросить его на болотистом участке. Он останавливается у ворот дома Редди. Обочины тут нет, но потенциальная необходимость другой машине проехать волнует Кела не слишком.

На этот раз двор Редди пуст. Холод покусывает Кела за шею. Веревки, свисающие с игровой конструкции, болтаются на ветру. Окна, смотрящие на дорогу, пусты и темны, но, пересекая двор, Кел чует, что за ним наблюдают. Шагает медленнее, позволяет себя рассмотреть.

К двери Шила не подходит долго. Открывает ее на ширину ступни и смотрит на Кела в щель. Узнает его или нет, непонятно. Откуда-то изнутри едва доносится веселый мультяшный смех.

— Добрый день, миз Редди, — говорит он, держась на приличном расстоянии. — Кел Хупер, вы на днях выручили меня сухими носками, помните?

Она все смотрит на него. Настороженность не растворяется.

— Я вам привез вот, — говорит он, протягивая носки. — С признательностью.

От этого у Шилы в глазах вспыхивает огонек.

— Не надо мне. Не такая уж я нищая, что не могу пару старых носков отдать.

Кел, опешив, вжимает голову и переминается на ступеньке.

— Миз Редди, — говорит, — я не хотел никак обидеть. Спасибо вам, не пришлось мне долго топать домой с мокрыми ногами, а меня учили не быть неблагодарным. Бабуля моя села бы в могиле и наорала б на меня, если б я вам не вернул, что взял.

Через миг враждебность тает, Шила отводит взгляд.

— Все шикарно, — говорит. — Просто...

Кел ждет, по-прежнему смущенный.

— У меня дети. Нельзя, чтоб посторонние мужчины толклись тут.

Когда Кел вскидывает голову, изумленный и оскорбленный, она продолжает едва ли не сердито:

— Дело не в вас. Люди, они сплетники лютые в этих краях. Нельзя давать им повод болтать обо мне всякое хуже того, что и без того уже болтают.

— Что ж, — говорит все еще слегка обиженный Кел, — приношу извинения. Не хочу создавать вам никаких хлопот. Больше не буду под ногами путаться.

Вновь протягивает носки, но Шила не берет их. На мгновение ему кажется, что она скажет еще что-то, но Шила кивает и пытается закрыть дверь.

Кел спрашивает:

— Слыхали что-нибудь о сынке вашем Брендане?

Вспышка страха в глазах у Шилы сообщает ему то, что он хотел узнать. Шилу тоже предостерегли.

— С Бренданом все шик, — говорит она.

— Если услышите что-нибудь, — говорит Кел, — может, дадите знать Каролайн Хоран... — Но не успевает договорить, как Шила захлопывает дверь у него перед носом.

По дороге домой Кел завозит печенье Марту — в благодарность за прошлую ночь и в знак того, что весь день ведет себя прилично.

Март сидит у себя на крыльце, глазеет на мир и вычесывает Коджака.

— Как голова? — спрашивает он, отводя нос Коджака от печенья. Вид у Марта бодрый, как обычно, хотя побриться ему б не помешало.

— Не так плохо, как я рассчитывал, — отвечает Кел. — Как сам?

Март подмигивает и наставляет на Кела палец.

— Вот ты понимаешь теперь, за что мы любим Малахи. Пойло у него чистое, как святая вода. Человека губят примеси.

— А я-то думал, что алкоголь, — говорит Кел, чеша Коджака за ушами.

— И близко нет. Я б мог бутылку лучшего у Малахи выхлебать, встать поутру и весь день отработать. Но вот у меня двоюродный за горками живет, к его пойлу я не притронусь и шестом десятифутовым. Бодунища в нем до Рождества хватит. Он то и дело зовет меня заглянуть да принять по капельке, так я каждый раз ищу отговорку. Чисто минное поле, это общение с ним, как есть.

— Пи-Джей прошлой ночью ничего не видел? — спрашивает Кел.

— Ни синь-пороха, — отвечает Март. Выщипывает с репейника пух, бросает его в траву.

Кел произносит:

— Тот парень, Дони Макграт, тебя сейчас недолюбливает.

Март смотрит на Кела секунду, а затем разражается визгливым хихиканьем.

— Господи ты боже мой, — произносит он, — умереть не встать с тобой. Ты про ту заварушку в пабе? Если б Дони Макграт убивал овец у всякого, кто его на место ставит, он бы спать вообще не укладывался. У него для такого трудовой этики не хватит.

— Пи-Джей его на место ставил последнее время? — уточняет Кел. — Или Бобби Фини?

— Не одно с тобой, Миляга Джим, так другое, — качая головой, говорит Март. — Какой там телескоп, тебе надо играть в "Клюдо"*. Я тебе куплю такую, можешь приносить ее с собой в паб, все вместе сыграем. — Досмеивается, щелкает пальцами Коджаку, чтоб вернулся причесываться. — Вечером придешь на опохмел?

— Не, — отвечает Кел. — Надо оклематься сперва. — Никакого желания ехать в "Шон Ог" у него нет — ни сегодня вечером, ни в целом. Блеск и прыть тамошних мужиков, их болтовни и переменчивых лиц ему нравились, но теперь, задним числом, все это видится Келу иначе — как свет, что блестит на реке, и кто его знает, что там в глубине.

— И это славный крепкий мужик вроде тебя, — говорит Март, скорее печалясь, чем осуждая. — Что сталось с юным поколением, а?

Кел смеется и направляется к машине, гравий на дорожке у Марта похрустывает под ногами.

Оказавшись дома, он извлекает блокнот и усаживается на крыльцо перечитать все, что у него накопилось. Нужно привести мысли в порядок. Эта стадия расследования ему никогда не нравилась: все в беспорядке и слоится, разветвляется во все стороны, а многое и не происходило вовсе. Кел возится с этим ради того, чтоб, если повезет, удалось прояснить всякие туманные теории и выловить среди них что-то осязаемое.

В теперешнем деле есть личный оттенок, к которому Кел непривычен. Страх в глазах у Шилы и Каролайн подсказал ему, что предостережение прошлой ночью — не нечто общее, адресованное назойливому куму. Оно касается Брендана.

Кел хотел бы понимать, чего или кого именно ему следует опасаться. Брендан вроде бы боялся Гарды, и Шила, вполне возможно, тоже боится полиции — либо из-за Брендана, либо машинально. Но Келу никак не удается отыскать причину, почему

* *Cluedo* (от англ. *clue*, "улика", и лат. *ludo*, "играю") — настольная игра для трех-шести человек, в ходе которой имитируется расследование убийства; разработана в 1943 году англичанином Энтони Праттом и запущена в производство в 1946-м.

Каролайн, или Март, или сам он должны бояться гарды Денниса, разве что вся округа замешана по уши в неведомой обширной криминальной афере, какая способна рвануть до неба, если Кел задаст слишком много вопросов, но такое представляется маловероятным.

Очевидная альтернатива в том смысле, что они вроде бы единственные, от кого тут может исходить угроза, — дублинские пацаны-купцы. Кел прикидывает, что, как и любые сбытчики где угодно, эти не задумываясь избавляются от любого, кто доставляет им хлопоты. Если Брендан так или иначе стал неудобен и они его прибрали, вряд ли им понравится, что какой-то любознательный янки тут вынюхивает. Вопрос в том, откуда они об этом могут узнать.

Кел чует, что приходит время ему потолковать с Дони Макгратом. Теперь, как ни крути, у него на то есть безукоризненная причина. Март знает, что Келу та стычка в пабе все еще кажется подозрительной. Вполне естественно в таком случае чуток тряхануть Дони насчет той овцы. Это никак не пойдет вразрез со вчерашним предостережением — если только Март не считает, что овца как-то связана с Бренданом. Келу интересно поглядеть, что случится после того, как он пообщается с Дони.

Сидит некоторое время с блокнотом, глядя на карту и размышляя, куда и почему, по ошибочному или правильному мнению Арднакелти, слинял Брендан.

За окном тучи свой дождь все еще удерживают, но зелень полей блекнет с угасающим светом. Вечер здесь пахнет по-особенному, плотно и прохладно, с головокружительным ароматом трав и цветов, какого совсем не слышно днем. Кел встает, чтобы включить свет и разложить покупки.

Он собирался послать шерстяную овцу Алиссе, но теперь не уверен, не дурацкая ли это затея. Может, дочь решит, что он обращается с ней как с малым дитем, и обидится. В конце концов он высвобождает овцу из зеленой бумаги и ставит ее на каминную полку в гостиной, где овца устало клонится набок и вперяет в Кела печальный укоризненный взгляд.

13

Первым делом поутру Кел пишет эсэмэску Лене. “Привет, это Кел Хупер. Подумал, нельзя ли сегодня среди дня прийти глянуть, как там тот щенок. Если неудобно, ничего страшного. Спасибо”.

Тучи ночью разверзлись. Даже во сне Кел слышал тяжелый неумолчный грохот капель по крыше, этот шум пробрался сквозь Келовы сны, казавшиеся важными, пока виделись, а сейчас он не в силах их вспомнить. Завтракает, наблюдая, как катятся струи по стеклам — да так плотно, что смазывают весь вид на поля.

Моет посуду, когда прилетает ответ от Лены. “Я все утро дома до полпервого. Щенок удвоился в размерах”.

При такой погоде Кел к Лене едет. Лобовое стекло заливает так споро, что дворники не справляются, из-под колес на ухабах разлетается веером жидкая грязь. Дух полей пробирается в приоткрытое окно, свежий от мокрой травы и насыщенный от коровьего навоза. Горы незримы; за полями все серо, тучи мешаются с туманом. Стадная скотина стоит неподвижно, сбившись в кучу, понурившись.

— Вы опять нашли дорогу, — говорит Лена, открывая дверь. — Ну вы даете.

— Я начинаю ориентироваться на этой местности, — отзывается Кел. Склоняется погладить Нелли, та, радуясь встрече, виляет всей кормой. — Мало-помалу.

Ждет, что Лена набросит куртку и выйдет на улицу, но она открывает дверь пошире. Кел чистит ботинки о коврик и идет за хозяйкой по коридору.

Кухня у Лены большая и теплая, в ней все предметы очень пожившие, но крепкие, выдержали долгую жизнь. Серые каменные плиты пола местами вытерты до гладкости, деревянные шкафы выкрашены в неровный сливочно-желтый, длинному деревенскому столу, может, не один десяток лет — или веков. День сумрачен, и здесь горит свет. Чисто, но не прибрано: по столу разбросаны книги и газеты, в двух креслах дожидаются утюга груды неглаженого. По всему здесь сразу видно: тот, кто живет в этом доме, старается ради себя одного.

В здоровенной картонной коробке в углу поскуливают и возятся.

— Вот они, — говорит Лена.

— Все-таки переехали в дом, а? — спрашивает Кел. Собака-мать поднимает голову и басовито, утробно рычит. Кел переключается на Нелли — та принесла ему пожеванный тапок.

— Ее заморозки давеча пригнали, — отвечает Лена. Опускается на колени, берет в ладонь пасть собаки-матери, чтобы успокоить ее. — В полночь пришла с щенком в зубах скрестись под дверь — собралась их всех перетаскать в тепло. Придется их выселить по новой, когда начнут носиться, полы за ними мыть я не намерена. Но еще несколько дней им тут будет шик.

Кел садится на корточки рядом с Леной. Собака-мать не возражает, хотя настороженного взгляда с Кела не сводит. В коробке толстым слоем мягкие полотенца и газеты. Щенки громоздятся друг на друга и повякивают, как стая чаек. Даже за эти несколько дней они успели подрасти.

— Вон ваш парень, — говорит Лена. Кел уже заметил драный черный флажок. Лена лезет в коробку, выхватывает щенка и подает Келу.

— Здоров, парнишка, — говорит Кел, держа щенка, а тот извивается и лягается всеми лапами. В нем видны перемены — и по весу, и по мускулатуре. — Крепчает.

— Это да. По-прежнему самый мелкий, но ему это совсем не мешает. Вон тот черно-рыжий громила всех расталкивает, но с вашим парнем шутки плохи, так сдачи даст, что мало не покажется.

— Ай маладца, — с нежностью говорит Кел щенку. Тот уже уверенно держит голову. Один глаз начинает открываться, в щелочку видно мутную серо-голубую капельку.

— Чаю выпьете? — спрашивает Лена. — Вы вроде как собираетесь побыть тут.

— Еще б, — отвечает Кел. — Спасибо.

Лена встает и отправляется к кухонной стойке.

Щенок начинает вырываться. Кел устраивается на полу, прижимает щенка к груди. В тепле и под стук сердца тот расслабляется, делается мягким и тяжелым, слегка тычется носом. Кел оглаживает собачье ухо между пальцами. Лена хлопочет у стойки, наполняет электрический чайник, вынимает из буфета кружки. Пахнет тостами, глажкой и мокрой псиной.

Кел прикидывает, что у Норин найдется какая хочешь коробка. Можно взять одну подходящего размера, обложить ее старыми рубашками, чтоб его запах утешал щенка. Можно поставить коробку рядом с матрасом и класть ночью на щенка руку, пока тот не освоится и не привыкнет без мамы. Эта мысль воздействует на Кела мощно. Даже в воображении это меняет его ощущение от дома.

— Я-то думала, ко мне детвора гурьбой повалит, полно будет желающих повозиться с ними, — говорит Лена поверх нарастающего шипения чайника. — Помню, когда были маленькие, мы бежали к каждому, у кого щенки или котята. А в итоге мало кто пришел.

— Остальные с головой в гаджетах?

Лена качает головой.

— Нет никаких остальных. Мы про это говорили уже. Дело не только в том, что это поколение двинуло в города. С тех пор как девчонкам стала доставаться приличная работа, они тоже уезжают. Парни задерживаются, если им землю оставляют, но большинство местных девчонкам землю не передает. Вот они и уезжают.

— И не упрекнешь их, — говорит Кел, вспоминая Каролайн. У щенка режутся зубы. Он хватает Кела обеими передними лапками за палец, ухитряется запихнуть его сбоку в пасть и теперь старательно пытается загрызть деснами насмерть.

— Я и не упрекаю. Я б и сама уехала, если б не влюбилась в Шона. Но, значит, парням не на ком жениться. И нет теперь детишек, некому посмотреть на щенков, и уйма бобылей по фермам.

— Сурово для здешних мест, — замечает Кел.

Чайник бурлит и выключается, Лена наливает чай.

— Как ни кинь, да, — говорит она. — Мужики без детей когда стареют — не чувствуют себя в безопасности. Мир меняется, а у них нет молодежи, чтоб показала, что все шик, вот старикам и кажется, будто на них нападают. Типа надо все время быть готовыми к обороне.

— Когда дети есть, все бывает так же, — говорит Кел. — Чувствуешь, будто надо с чем-то бороться.

Выбрасывая чайные пакетики в мусорное ведро, Лена вскидывает на Кела взгляд, но не переспрашивает.

— Тут другое дело. Если дети есть, смотришь в мир, чтобы проверить, не надо ли с кем воевать, потому что детям там жить; не баррикадируешься дома и не прислушиваешься, не нападают ли индейцы. Нехорошо для жизни здесь, когда слишком много бобылей сидят по своим владениям и не с кем им поговорить, зато кажется, что надо защищать свою территорию, пусть даже и непонятно от чего. Молоко надо?

— Не-а. Пью прям так.

Она достает молоко из холодильника для себя. Келу нравится, как она двигается по кухне, — деловито, но без спешки, непринужденно. Размышляет о том, каково это — жить в таком месте, где твои личные решения жениться, заводить детей или уезжать влияют на целую округу. За окнами дождь продолжает лить все так же густо.

— А что будет, когда перемрут все холостяки? — спрашивает он. — Кто займется фермами?

— Племянники или двоюродные, кто-то из таких. Остальное одному Богу известно.

Она приносит чашку с чаем Келу на пол и садится сама, опершись спиной о стену и подтянув колени. Какой-то щенок скребется в стенку коробки. Лена выгребает его, берет на руки.

— Нравятся они мне в этом возрасте, — говорит она. — Можно возиться с ними сколько влезет, а потом класть на место, когда потетешкаешь вдоволь. Еще неделя-другая — и вот так спокойно они уже не полежат, начнут путаться под ногами.

— Такие они мне нравятся, — говорит Кел, — но и когда чуть-чуть подрастут — тоже. Когда с ними уже можно играть.

— Им тогда все время что-то надо. Даже просто смотреть, чтоб не наступить. — Отводит чашку подальше от щенка — тот пытается вскарабкаться по Лениным ногам. — Как вылезут из корзины, так я уже жду не дождусь, когда у них хоть чуток ума прибавится. Вот почему я себе брала собаку-подростка, а не щенка. А теперь вы только гляньте.

— Остальных пристроите?

— Двоих. Остальных возьмет Норин, если больше никто. Говорит, что не возьмет, но возьмет.

— Ваша сестра хорошая женщина, — говорит Кел.

— Это да. Иногда с ума меня сводит, но без таких, как она, далеко не уедешь. — Улыбается. — Я иногда ее подкалываю, что младшенькая ее, Клиона, вся в мать, но, если по правде, я этому рада. Не окажись кого-то, кто возьмет на себя Арднакелти, когда Норин состарится, деревня развалится.

— Клиона — это та, которой лет десять-одиннадцать? — уточняет Кел. — Рыженькая?

— Верно.

— Она мне помогала разок, когда я заходил в лавку. Сказала, что беру не то мыло для посуды, оно мне руки высушит и посуда от него не блестит, влезла по лестнице и достала мне то, которое сама рекомендует. А потом спросила, чего я переехал и почему не женат.

Лена смеется.

— Вот видите. Мы в надежных руках.

Кел устраивается так, чтобы одной рукой держать щенка, а другой — кружку с чаем; чай крепкий, славный.

— Я тут порасспрашивал о Брендане Редди.

— Я знаю, да, — говорит Лена. Ее щенок, устав от усилий, развалился у нее на коленях. Она щекочет ему крошечные подушечки на лапах. — Зачем?

— Познакомился с вашей старой подругой Шилой Редди. Она прямо-таки места себе не находит из-за того, что сынок ее пропал.

Лена бросает на него веселый взгляд.

— Рыцарь в сияющих доспехах?

— Просто наткнулся на вопрос, который ждет ответа, — отзывается Кел. — Сосед мой Март, он считает, что мне скучно и я ищу, чем бы занять мысли. Может, и прав.

Лена дует на чай и смотрит на Кела поверх кружки, в уголке рта по-прежнему ехидная ухмылка.

— И как дело движется?

— Да не очень, — признается Кел. — Я много чего услыхал о Брендане, но никто не желает разговаривать о том, куда он мог сбежать и почему.

— Может, им невдомек.

— Я потолковал с его мамой, двумя приятелями и девушкой. И каждому сказать нечего. Если не знают они, кто же знает?

— Может, никто.

— Что ж, — говорит Кел, — так я тоже прикидывал. Но тут давеча Март предостерег меня, чтоб я сдал назад. Считает, что я нарываюсь на неприятности. Сдается мне, кто-то что-то знает — или думает, что знает.

Лена все еще смотрит на него искоса, отхлебывает чай, держа кружку подальше от щенка.

— Вы из тех, кого не угомонить? Если нет у них в жизни бед, они их себе находят.

— Это не про меня, — отвечает Кел. — Я искал как раз тишины и покоя. Просто беру, что в руки идет. Как и вы.

— Со щенками этими просто хлопоты. Но не беда.

— Ну, никто ж не объяснил мне, с чего это Брендан Редди может быть бедой. Кого боится Март?

Лена отвечает:

— Не думаю, чтобы Март Лавин когда-нибудь кого-нибудь боялся.

— Может, и так. Зато он считает, что мне надо.

— Тогда, вероятно, вам и надо.

— Я по природе своей упрямый, — поясняет Кел. — Чем больше народу пытается меня отогнать от чего-то, тем сильнее я упираюсь. Всегда таким был, даже мальчонкой. — Щенок ослабил хватку на пальце, Кел смотрит вниз и видит, что малыш уснул, свернувшись в чашке ладони у него на груди. — Видать, — продолжает он, — во всей округе вы одна и способны дать мне прямой ответ о Брендане Редди.

Лена откидывается к стене и вглядывается в Кела, попивая чай и поглаживая щенка свободной рукой. Наконец произносит:

— Я не знаю, что приключилось с Бренданом Редди.

— Но могли бы предположить.

— Могла б. Но не стану.

— Вы же вроде не из тех, кого легко напугать, — говорит Кел. — Как и Март.

— Я не боюсь.

— Почему ж тогда?

— Я не ввязываюсь. — Она внезапно расплывается в улыбке. — Это всех добивает. Вечно кто-то пытается втянуть меня то в Ассоциацию деревенских женщин, то в “Чистые города”*. Народись у нас дети, я б, может, и влезла — в родительский комитет, спортклубы и все остальное. Но детей мы не завели, и мне поэтому незачем. Норин зато отдувается за нас обеих.

— И то верно, — соглашается Кел. — Некоторые под это заточены, а некоторые нет.

— Вы это Норин втолкуйте. Она такая с рождения и сатанеет от того, что я другая получилась. Вот почему и она сама, и все остальные без передыху меня сватают. Думают, вот найду я себе классного мужика, чтоб был по самую шею в местных делах, так

* Ирландская ассоциация деревенских женщин (ирл. *Bantracht na Tuaithe*, осн. 1910) — крупнейшая женская организация в Ирландии, одно из старейших аналогичных объединений в мире, занимается защитой прав женщин. “Чистые города” (ирл. *Bailte Slachtmhara*, с 1958) — ежегодное соревнование за чистоту и порядок на улицах, проводимое ирландским Департаментом охраны окружающей среды, наследия и местного самоуправления среди городов и деревень.

он и меня втянет. — Лена еще раз улыбается Келу, прямолинейно и хитро, без всякого стеснения. — А вы какого сорта?

— Мне нравится быть из тех, кто не ввязывается, — говорит Кел. — Это мне подходит лучше некуда.

Брови у Лены приподнимаются, но говорит она лишь:

— Это можно, никто вас доставать не будет. Люди тут чтят мужчин, желающих держаться особняком. Людей, как кошаков, нервируют только женщины.

— Ну, я ж не прошу вас ввязываться, — говорит Кел. — Я только о ваших соображениях спрашиваю.

— А я не собираюсь ими делиться. Вы вполне способны добыть себе свои. — Поглядывает на часы на стене. — Мне пора на работу. Скажите-ка, вы берете этого щенка или вам нужен был предлог, чтоб спросить меня про Брендана?

— И то и другое.

Лена опускает своего щенка в коробку и протягивает руки взять щенка у Кела.

— Значит, берете этого парня, — говорит.

Кел осторожно опускает ей в руки песика, стараясь его не разбудить, и напоследок гладит его по белому сполоху на носу. Щенок, все еще сонный, приподнимает мордочку и лижет Келу палец.

— Дайте еще неделю-другую. Чтоб наверняка.

Лена на миг останавливает на нем взгляд, не улыбается. Затем говорит:

— Годится. — Отворачивается и бережно укладывает щенка к остальным.

Трей объявляется ближе к вечеру. Дождь наконец утомился, и Кел сидит на заднем крыльце, потягивает пиво и наблюдает за грачами. Их день, похоже, клонится к концу. Двое делят между собой сучок, еще двое по очереди прихорашивают друг дружку, с ленцой, докладывая, кто что нашел. Еще один отлетел под сыплющую каплями изгородь, зарывает там что-то, поглядывая через плечо.

Кел оборачивается на шаги по мокрой траве. Трей выходит из-за дома и кидает Келу на крыльцо упаковку кексиков в сахарной глазури.

— Кончай этим заниматься, — говорит Кел. — Норин на тебя легавых натравит.

— Эти не от Норин, — говорит Трей. Вид у него опять напряженный и худосочный. Келу, прищурившемуся с крыльца, он кажется еще и чуточку выше, словно у малого начался этап бурного юношеского роста. — Вы на стук не ответили.

— Не слышал, — говорит Кел. — Задумался.

— Я и раньше. И вчера. Вас не было дома.

— Не-а.

— Чем занимались? Нашли что-нибудь?

Кел допивает пиво и встает.

— Давай по порядку, — говорит он, отряхивая зад, напитавшийся влагой от ступенек. — Возьму ружье, попробуем еще разок с кроликами.

Трей идет за ним по пятам.

— Хочу знать.

— И я расскажу. Но если хотим попытать счастья с кроликами, устроиться надо до того, как они вылезут ужинать.

Миг спустя Трей кивает, принимая уговор. Кел забирает ружье из сейфа, набивает карманы тем, что может понадобиться, — патроны, охотничий нож, бутылка с водой, пластиковый пакет, — и они отправляются к выбранному месту с видом на кромку леса. Небо — сплошная неподвижная мазня насупленной серой тучи с полосами блеклого желтого под западным краем. Трава тяжела от дождя, земля проседает под ногами.

— Промокнем, — предупреждает Кел. — И изгваздаемся.

Трей пожимает плечами.

— Лады, — говорит Кел, опускаясь одним коленом на траву. — Все помнишь, что я тебе на днях показывал?

Трей бросает на него взгляд "во недоумок-то" и протягивает руку к ружью.

— Лады, — повторяет Кел, вручая пацану "хенри". — Поглядим.

Трей проверяет ружье, щелкает предохранителем и заряжает — неспешно, аккуратно и последовательно, без ошибок. Поднимает взгляд на Кела.

— Годится, — говорит Кел.

Трей продолжает смотреть на него, не мигая.

— Кролики еще не вылезли.

— Хорошо, — говорит Кел. Усаживается в мокрую траву, забирает у Трея ружье, кладет его себе на колени. О том, что у Брендана имелся некий замысел, хотелось сообщить малому, когда станет ясно, в чем замысел состоял, но, похоже, этими сведениями никто с Келом делиться не намерен, а как-то добыть их необходимо. — Вот тебе новости. Я потолковал с несколькими людьми. Проясняется вот что: Брендана порядком достала нищета, и он продумал некий план, который мог бы, как он считал, все исправить. Это совпадает с тем, что он обещал тебе велик на день рождения. Когда у тебя день рождения?

— Третьего мая. — Малой не сводит с Кела напряженного взгляда, словно Кел проповедник и сейчас провозгласит Слово. Келу от этого не по себе. Добавляет в голос еще немножко непринужденности.

— Значит, он думал, что наличка появится довольно скоро. Есть у тебя соображения, какой у Брендана мог быть план?

— Он, бывало, натаскивал. Мож, побольше решил. Там экзамены близко.

— Сомневаюсь. Он о каникулах на Ибице заикался и о том, чтоб показать, что он далеко пойдет. Репетиторством со школьниками столько не выручишь. Он мыслил масштабнее.

Трей вскидывает плечи, растерян.

— Ничего в голову не приходит?

Малой качает головой.

— А еще я слыхал, — продолжает Кел, — что твой брат нервничал насчет полиции — в ту неделю, когда исчез.

— Брен не жулик, — мгновенно и пылко, горя глазами, откликается Трей. — Только потому, что он Редди, все считают...

— Я не говорю, что он жулик, малой. Просто пересказываю, что услышал, причем от людей, которым на него не наплевать.

Тебе не идет в голову никакая причина, с чего Брендану бояться полиции?

— Может, чуток гаша при нем было. Или еще какой хрени.

— Он боялся сильнее, чем за такое. Это не фиготень мелкая, с какой он возился. Я ж говорю, твой брат мыслил масштабно. А если план у него был беленький-чистенький, чего ж тогда мне никто не может сказать, в чем он заключался?

— Мож, удивить всех хотел, — помедлив, говорит Трей. — Типа, вы все думали, что я паразит, а хер там.

— А ты сам считал его паразитом?

— Нет!

— Тогда зачем ему тебя удивлять?

Трей жмет плечами.

— Так захотелось, мож.

— Спрошу-ка я у тебя вот что, — говорит Кел. — Когда Брендан планировал, чем собирается заниматься в колледже, он тебе выкладывал?

— Ну.

— А когда задумывал репетиторством заниматься?

— Ну.

— Затею с билетами для Каролайн на какого-то певца под Рождество?

— Ну. На Хозиера. Они перед этим разбежались, и он продал билеты Юджину. А что?

Кел говорит:

— То есть Брендан выкладывал тебе все свои затеи, когда не было никаких особых причин скрывать их.

— Ну. Всё так.

— Значит, каким бы ни был его грандиозный замысел, имелась причина, почему тебе о нем не рассказали.

Трей молчит. Кел тоже — пусть малой обмозгует и уложит все у себя в голове. На кромке леса ветки тяжелы от застрявшего в них дождя. Над ними рисуют дуги ласточки, крошечные и темные против облаков, доносится их высокий щебет.

Через миг-другой Трей произносит внезапно и истово:

— Я ж его не заложу!

— Понимаю, — говорит Кел. — И он это понимал наверняка.

— Тогда чего он...

— Хотел тебя поберечь, малой, — бережно объясняет Кел. — Во что уж он там ввязался — он знал, что могут возникнуть неприятности. Нехилые неприятности.

Трей вновь помалкивает. Выдергивает нитки из прорехи на коленке джинсов.

— Думаю, разумно предположить, — продолжает Кел, — что когда Брендан уходил в тот день из дома и вел себя при этом так, будто ему надо быть где-то по важному делу, оно так или иначе было связано с его замыслом. Нельзя утверждать, что точно так и было, но я собираюсь поработать с этим допущением. Либо Брендан смывался отсюда, потому что его спугнули, либо же собирался предпринять что-то на пользу этому своему плану.

Малой все еще ковыряет джинсы, но голову склоняет к Келу. Слушает.

— В тот вечер он обещал тебе велик, а за несколько дней до этого одолжил наличных у Фергала и сказал, что вернет. Не похоже, что он собирался сбежать насовсем. Возможно, планировал залечь на дно буквально на несколько дней, пока то, что его спугнуло, не затихнет, но тогда должен был прихватить зарядку для телефона, дезодорант, смену шмоток. Исходя из того, что взял он с собой только деньги, вероятнее всего, он отправился что-то купить или отдать кому-то деньги.

Трей произносит, тихо и напряженно:

— И они его забрали.

— Могли, — говорит Кел. — Но мы пока недостаточно глубоко продвинулись, чтобы принять этот вариант. Что-то могло пойти наперекосяк, возможно, и Брендану пришлось сбежать. Где он мог бы с кем-то встретиться? Есть у него какое-нибудь особое место, куда ему нравилось уходить?

Трей сводит брови.

— Типа в паб?

— Не. Где укромно. Ты говорил, что когда ему надо было побыть одному, он уходил в горы. Какое-нибудь конкретное место знаешь?

— Ага. Раз он сказал, что пойдет погулять, я — за ним, от скуки. Но он там просто сидел. Устроил мне взбучку и велел отвалить, птушта хочет побыть один. Типа такого?

— Вроде да, — говорит Кел. — Это где?

Трей дергает подбородком в сторону гор.

— Старый дом. Пустой, типа того.

— Давно дело было?

— Несколько лет как. Но туда он потом еще ходил. Птушта я еще пару раз... тоже скучно было.

На минуту Кел видит, как малой бредет по этим голым обветренным склонам вслед за единственным человеком в своей жизни, за кем считает достойным идти.

— Проверял там после того, как Брендан куда-то делся?

Трей отвечает:

— Везде.

— И ничего?

— Не-а. Чисто старый мусор. — Взгляд малого ускользает в сторону. Воспоминание тяжкое. Он ходил туда, надеясь, что найдет либо Брендана, либо что-то им оставленное — может, сообщение, — и опасался найти что-нибудь скверное.

Кел говорит:

— Есть причины, почему ты мне про то место не рассказывал?

Трей в очередной раз одаряет его взглядом “во недоумок-то”.

— С чего бы? Он же не туда ушел.

— Ясно, — говорит Кел. — Я б глянул на это место сам. Можешь объяснить, как туда добраться?

— Вверх мимо нашего дома где-то с милю. Потом сойти с дороги, вверх в горку чуток. Через деревья.

— Ага. Поисковую партию отправишь, если я не вернусь через несколько дней?

— Я знаю, как туда идти. Могу отвести. — Малой даже приподнимается с колена, в полуготовности, как бегун на старте, будто скажи Кел хоть слово и бросится стремглав.

— Лучше б никто не видел, как мы с тобой шастаем вдвоем, — говорит Кел. — Особенно в тех местах.

Лицо у Трея загорается.

— Я могу в одиночку. Меня никто не заметит. Дайте телефон, я поснимаю, принесу обратно.

— Нет, — говорит Кел резче, чем собирался. — Держись подальше от того дома. Слышишь?

— Почему?

— На всякий случай, вот почему. Ты меня понял?

— Не заберут меня. Я не тупица.

— Вот и молодец. Но все равно не лезь.

— Хочу *делать* чё-та.

— Ты меня для этого привлек. Чтоб делать. Вот и дай мне делать.

Малой открывает рот, чтобы продолжить спор. Кел говорит:

— Хочешь пользу принести — добудь нам ужин. — Кладет ружье в руки Трею и кивает на кромку леса. Кролики вышли кормиться.

Секунду помедлив, Трей оставляет спор. Вдумчиво выбирает позицию, пристраивает ружье к плечу и щурится в прицел.

— Не спеши, — приговаривает Кел. — Мы не торопимся.

Ждут, смотрят. Кролики ведут себя игриво: несколько молоденьких, высоко скача, гоняют друг дружку по траве в длинных косых лучах золотого света, выскальзывающего из-под облаков. Пи-Джей поет своим овцам, озирая их, — плывут над полями обрывки какой-то старой жалобной баллады, слишком дробно, не разобрать.

— Вон тот здоровяк, — тихонько говорит Кел. Кролик, повернувшись к ним широким боком, жует пучок травы с белыми цветочками. Трей самую малость сдвигает ружье, прицеливается. Кел слышит долгий шепот его дыхания, а затем грохот выстрела.

Кролики полошатся и улепетывают в укрытие, доносится высокий визг. Будто пытают ребенка.

Трей резко оборачивается к Келу, рот открыт, но слов не возникает.

— Попал, — говорит Кел, вставая и забирая ружье у Трея. — Придется его прикончить.

Шагая через поле, достает из кармана охотничий нож. Трей едва не бежит, чтобы не отставать. Глаза горят чистым животным страхом непоправимости того, чему он только что стал причиной. Говорит:

— Может, получится его вылечить.

— У него все плохо, — говорит Кел тихо. — Надо прекратить его страдания. Я сейчас.

— Нет, — говорит Трей. Весь белый. — Мой был выстрел.

Передняя лапа у кролика наполовину отстрелена, кровь выходит быстрыми ярко-красными толчками. Животное лежит на боку, подергивается, спина выгнута, в глазах белая кайма, рот открыт, губы задраны, видно сильные зубы в кровавой пене. Все заглушает крик кролика.

— Уверен? — спрашивает Кел.

— Ага, — напряженно отвечает Трей и протягивает руку за ножом.

— Сзади по шее, — говорит Кел. — Вот тут. Надо перерезать позвоночник.

Трей пристраивает нож. Губы сжаты так, словно малой крепится, чтоб его не стошнило. Вдыхает и выдыхает долго, будто собирается выстрелить. Дрожь в руке унимается. Малой с силой проводит ножом, налегает всем весом, и крик затихает. Кроличья голова повисает.

— Лады, — говорит Кел. Копается в кармане, извлекает пластиковый мешок, чтобы убрать кролика с глаз малого. — Готово. Ты молодец. — Берет кролика за уши и укладывает в пакет.

Трей вытирает нож о траву и возвращает его Келу. Дышит все еще тяжело, однако паники в глазах не осталось, на лице вновь появляется цвет. Невыносимым было именно страдание.

— Давай сюда руки, — командует Кел, берясь за бутылку с водой.

Трей смотрит на свои ладони. Они в узких красных полосках от капель крови — брызг из артерии.

— Иди сюда, — говорит Кел. Льет воду Трею на руки, тот оттирает кровь, розовая вода льется в траву. — Так сойдет. Хорошенечко отмоешь, когда со всей грязной работой разберемся.

Трей вытирает руки о джинсы. Смотрит на Кела, все еще слегка потрясенный, будто ждет указаний, что делать дальше.

— На. Твоя добыча, — говорит Кел, вручая малому пакет.

Трей смотрит на пакет, и до него наконец доходит.

— Ха! — выдает он нечто среднее между зычным выдохом и торжествующим смешком. — Получилось!

— Получилось, верно, — широко улыбаясь, подтверждает Кел. Ощущает порыв похлопать малого по плечу. — Пошли, — говорит он вместо этого и направляется к дому. Низкое солнце озаряет его бледным золотом, яркий сияющий прямоугольник против серого неба. — Отнесем домой.

Кролика они разделывают на кухонной стойке. Кел показывает Трею, как отрéзать лапы, рассечь кролику спину и подцепить пальцами так, чтобы снять шкурку, открутив вместе с ней и голову, как затем вскрыть брюхо и вынуть потроха наружу. Кел рад обнаружить, что навык этот восстанавливается так запросто, после стольких лет. Памяти об этом в голове не осталось почти никакой, зато руки по-прежнему знают, что делают.

Трей смотрит внимательно и следует указаниям Кела — с той же сосредоточенностью, с какой возился с бюро и с ружьем; Кел показывает, как аккуратно извлечь мочевой пузырь и проверить, нет ли в печени следов болезни. Они вместе убирают пленки и жилы, отделяют изувеченную переднюю лапу, затем срезают три остальные лапы, брюхо и филе.

— Вот это мясо годится в еду, — поясняет Кел. — В следующий раз из остального сварю бульон, но сегодня вернем часть добычи туда, откуда взяли. — Так они с дедушкой поступили с первой белкой Кела давным-давно — те части тушки, которые им были не нужны, вернули в природу. С первой добычей, похоже, так правильнее всего.

Потроха они выносят в сад и оставляют на пне грачам или лисам — кто доберется первым. Кел свистит грачам, но те обустраиваются у себя на дереве и не обращают на Кела внимания, если не считать пары вялых хамских реплик.

— Ну, мы предложили, — говорит он. И Трею: — Есть хочешь? Или все это притупило тебе аппетит?

— Жуть как хочу, — поспешно отвечает Трей.

— Хорошо, — говорит Кел и поглядывает на небо. Полоска бледно-желтого погасла до отчетливого зеленого. — Я собирался рагу делать, но на это нужно время. Просто обжарим тогда. — Надо, чтоб Трей оказался дома не чересчур поздно. — Чеснок любишь?

— Наверное.

Судя по отсутствию выражения у малого на лице, он, может, и не знает.

— Сейчас выясним. Готовишь?

Трей жмет плечами.

— Бывает. Типа.

— Лады. Сегодня будешь готовить.

Хорошенько моют руки. Кел ставит им в помощь что-то из Уэйлона Дженнингза*, Трей лыбится.

— Что?

— Стариковское музло.

— Лады, диджей Круть. Сам-то что слушаешь?

— Вы такое не знаете.

— Умник, — говорит Кел, добывая ингредиенты из маленького буфета со сломанной петлей. — Угадаю. Оперу. — Трей фыркает. — "Одно направление"**. — За это предположение Кел получает возмущенный взгляд, от которого расплывается в улыбке. — Ну и на том спасибо. Хорош ныть, лучше послушай. Может, научишься ценить годную музыку.

Трей закатывает глаза. Кел делает еще громче. Показывает Трею, как трясти куски мяса в пакете вместе с мукой, солью и перцем, а затем жарить в масле с полосками сладкого перца, лука и чеснока — это Кел закупил в городе.

— Будь у меня помидоры и грибы, — говорит, — можно было б и их добавить, но помидоры у Норин на неделе смотрелись не шибко бодро. Так тоже сойдет. С рисом.

* Уэйлон Дженнингз (1937—2002) — американский кантри-певец, автор песен, музыкант, актер.

** *One Direction* (с 2010) — англо-ирландский поп-коллектив, бой-бэнд.

Он варит в микроволновке фасованный рис, пока Трей, напряженно хмурясь, переворачивает мясо на сковородке. В кухне тепло, окна запотели от конденсата, попахивает вкусным. На миг Кел подумывает, что сумерки за окном густеют, вспоминает о страхе в глазах у Шилы и у Каролайн, но выбрасывает это из головы.

Кел ждет, что Трей опять заговорит о Брендане или о заброшенном доме, но нет. Некоторое время это его настораживает: похоже, малой строит планы, но делиться ими не намерен. Однако затем, проверяя, как там кролик, вскидывает взгляд и видит, что малой возится со сковородкой, кивает в такт "Я так долго не живу"*, подсвистывает, потешно сложив губы, щеки розовеют от жара плиты. Смотрится он на несколько лет младше своего возраста и чувствует себя совершенно непринужденно. До Кела доходит, что вот сейчас мысли у пацана не заняты беспокойством о Брендане. Он вознаграждает себя за кролика, позволяя себе не думать ни о чем — хоть недолго.

Когда они усаживаются за стол, Трей смотрит к себе в тарелку искоса, но после первого же съеденного куска все сомнения исчезают. Набрасывается на еду так, будто голодал не одну неделю. Едва ли не утыкается носом в тарелку.

— Похоже, чеснок тебе нравится, а? — замечает довольный Кел.

Малой кивает, держа на весу очередную вилку с горкой.

— Весь ужин целиком на твоем счету, — говорит Кел. — От начала и до конца. Никаких фермеров, никаких мясников, фабрик или Норин — всё сам. Как оно тебе?

Трей улыбается особо, сокровенно, и это, как Кел уже успел понять, означает, что малой необычайно счастлив.

— Неплохо, — говорит.

— Будь по-моему, — говорит Кел, — так было бы с каждым куском мяса, какой я ем. Оно труднее и хлопотнее, чем купить гамбургер, зато честнее. Поедание живого существа не должно даваться легко.

* *I Ain't Living Long Like This* (1977) — песня Родни Кроуэлла, впервые исполненная Гэри Стюартом, в 1979 году записана Уэйлоном Дженнингзом.

Трей кивает. Некоторое время едят молча. За окном крепнут сумерки, тучи потихоньку расседаются и показывают клочки неба светозарной лавандовой синевы, окаймленного кружевными черными силуэтами древесных крон. Где-то вдали резко взлаивает лиса.

— Могли б жить в горках, — говорит Трей. Он явно размышлял об этом. — Если у вас получается вот это. И никогда оттуда больше не спускаться.

— Джинсы на охоте не подстрелишь, — возражает Кел. — Или обувь. Если только не шить себе одежду из шкур, иногда спускаться все же придется.

— Раз в год. Запасаться.

— Можно, наверное, — соглашается Кел. — Но одиноко же станет. Мне надо иногда с кем-нибудь разговаривать.

Малой, зачищая тарелку, бросает на него взгляд, означающий, что в этом они расходятся радикально.

— Не, — говорит.

Кел встает, чтоб положить Трею добавки. От плиты говорит:

— Хочешь — приводи с собой друзей, когда в следующий раз охотиться пойдем.

Меньше всего ему надо, чтоб у него дома болтались какие-то непонятные дети, но он почти не сомневается в ответе, просто хочет подтвердить одно подозрение. И действительно, Трей вперяется в него так, словно Кел предложил позвать к ужину бизона, и качает головой.

— Сам решай, — говорит Кел. — У тебя же есть друзья, так?

— А?

— Друзья. Приятели. *Компаньерос*. Люди, с которыми ты тусуешься.

— Были. Иногда с ними болтаюсь.

Кел ставит перед ним тарелку и возвращается к своей.

— А что случилось?

— Им больше нельзя со мной дружить. Но вообще-то им плевать, они все равно. Мне просто... — Дергает плечом, отпиливает себе кусок крольчатины. — Не сейчас.

Некоторое напряжение вернулось. Кел говорит:

— Чего это им нельзя с тобой дружить?

— Мы кое-что вместе устроили, — объясняет Трей с набитым ртом, — типа украли пару бутылок сидра и напились. Типа такого. Нас там было четверо, и сидр не моя затея даже. Но их предки решили, что это все моя вина, потому что я паршивый ребенок.

— Ты мне паршивым ребенком не кажешься, — говорит Кел, хотя непохоже, что Трея это все как-то расстраивает. — Кто такое сказал?

Трей пожимает плечами.

— Да все.

— Ну кто?

— Норин. Учителя.

— А что ты такого сделал паршивого?

Трей дергает уголком рта, что подразумевает избыток примеров. Кел говорит:

— Ну например.

— Училка сегодня на меня гнала. За то, что отвлекаюсь. А мне насрать, говорю.

— Ну, это не *паршивое*, — замечает Кел. — Это невежливо, и так делать не надо. Но это не вопрос нравственности.

Малой опять делает лицо.

— Дело не в невежливе. Вежливо — это жевать с закрытым ртом.

— Не-а. Это просто этикет.

— А какая разница?

— Этикет — это как себя надо вести, потому что так себя все ведут. Типа вилку держать в левой руке или говорить "будь здоров", если кто чихает. Вежливо — это обращаться с людьми уважительно.

— Я не всегда, — говорит Трей.

— Ну и вот. Может, тебе вежливость стоит подтянуть. Да и рот закрытым держать, когда жуешь, тоже неплохо б.

Трей не обращает на это внимания.

— А что тогда вопрос нравственности, ну?

Келу от этого разговора неуютно. Вспоминается всякое, от чего во рту мерзкий привкус. За последние несколько лет он хорошенько усвоил, что границы между моралью, вежливостью и этикетом, которые раньше казались ему совершенно отчетливыми, окружающим могут видеться по-другому. Слыхал он разговоры о безнравственности нынешней молодежи, но ему кажется, что Алисса, Бен и их друзья уйму времени посвящают разбирательствам, что правильно, а что нет. Штука в том, что многие наиболее пылкие их убеждения, насколько Кел понимает, касаются того, какими словами допустимо или недопустимо называть разных людей в зависимости от того, какие у них трудности в жизни, какая у них раса или с кем они предпочитают спать. Кел согласен, что людей лучше называть так, как они сами хотят, чтобы их называли, но считает это вопросом вежливости, а не нравственности. Это как-то раз настолько вывело из себя Бена, что он демонстративно покинул дом Кела и Донны посреди десерта в День благодарения, Алисса в слезах выбежала за ним, и Бену понадобился целый час, чтобы остыть и вернуться к столу.

По мнению Кела, нравственность — нечто большее, чем терминология. Бен, к черту, чуть с катушек не слетел насчет важности применения подобающего определения к людям в инвалидных креслах и явно гордился собой в связи с этим, зато ни разу не заикнулся насчет пользы, которую принес хоть одному человеку в инвалидном кресле, и Кел поспорил бы на свою годовую пенсию, что этот паршивец, если бы такое случилось, уж не промолчал бы. А сверх того, правильные определения меняются раз в несколько лет, а потому всяк, кто думает, как Бен, должен вечно прислушиваться к другим людям и сообщать им, что нравственно, а что безнравственно. Келу кажется, что с правильным и неправильным в себе человеку нужно разбираться иначе.

Он попытался было списать все на то, что стареет и ворчит на нынешнюю молодежь, но тут и у него в участке стало так же. Ввели обязательный тренинг восприимчивости, и Кел не возражал — учитывая, как некоторые ребята обращались, скажем, со свидетелями из стремных районов и с жертвами насилия, — но занятия свелись в итоге к словам, которые можно и нельзя употреблять, а о том, чтó под всеми этими словами, о том, чтó люди делают и как делать это лучше, — ничего. Только и разговоров что о разговорах, и самым высоконравственным оказывался тот, кто орал на остальных за их неправильные разговоры.

Отвечать Трею он боится — а ну как направит малого не в ту сторону и втянет во всякие неприятности, — но кто ж еще ему ответит.

— Нравственность, — говорит Кел наконец, — это такая штука, которая не меняется. То, как ты поступаешь независимо от поступков других людей. Типа, если кто-то ведет себя с тобой как говнюк, ты с ним, может, вежливым и не будешь, возможно, нахер пошлешь, а то и в рожу заедешь. Но если увидишь, что он не может выбраться из горящего автомобиля, ты же все равно откроешь дверцу и вытащишь его оттуда. Каким бы говнюком он ни был. Вот в чем нравственность.

Трей жует и обдумывает.

— А если он маньяк-убийца?

— Тогда, может, не помогу ему, если он упадет и сломает ногу. Но в горящей машине все равно не оставлю.

Трей обдумывает и это.

— А я, может, и оставлю, — говорит. — Все зависит.

— Ну, у меня такой кодекс.

— И вы его никогда не нарушаете?

— Если у тебя нет своего кодекса, — говорит Кел, — тебя ничто не сдерживает. Плывешь, куда б ни понесло.

— А какой у вас кодекс?

— Малой, — с внезапно нахлынувшей усталостью отвечает Кел, — ни к чему тебе меня слушать на эту тему.

— Чего это?

— Никого не надо слушать на этот счет. Свой кодекс надо вырабатывать.

— Но ваш-то какой?

— Я просто стараюсь поступать с людьми порядочно, — отвечает Кел, — вот и все. — Трей молчит, но Кел чует, как зарождаются у малого в голове новые вопросы. — Жуй.

Трей пожимает плечами и подчиняется. Доев добавку, откладывает вилку и нож, откидывается на стуле, сложив руки на животе, и удовлетворенно вздыхает.

— До отвала, — говорит.

Келу жуть как не хочется возвращать мысли малого к Брендану, но если не объяснить следующий шаг, Трей, чего доброго, удумает свой. Убрав посуду со стола, Кел отыскивает ручку, открывает чистую страницу в блокноте и кладет все это перед Треем.

— Рисуй карту, — говорит. — Как добраться к домику, в котором Брендан тусовался.

Малой искренне пытается, но Кел уже через минуту понимает, что это безнадежно. Все ориентиры — чепуха типа "БОЛЬШОЙ КУСТ ДРОКА" или "СТЕНКА С ЗАГИБОМ ВЛЕВО".

— Не годится, — говорит он наконец. — Придется тебе меня отвести.

— Сейчас? — Малой едва сидит на стуле.

— Нет, не сейчас. Завтра пойдем. Вот досюда, — Кел тычет пальцем в карту у поворота горной дороги, — мне понятно, что ты имеешь в виду. Там и встретимся. В три тридцать.

— Раньше. Утром.

— Не-а, — говорит Кел, — у тебя школа. А значит, сейчас тебе надо домой, делать уроки. — Встает, прячет блокнот и не обращает внимания на гримасу малого, означающую, что ничем подобным заниматься тот не будет. — Возьми кекс с собой, на десерт.

По дороге к двери Трей неожиданно оборачивается и через плечо одаряет Кела улыбкой от уха до уха, полкекса уже во рту. Кел улыбается в ответ. Порывается сказать малому, чтоб был осторожен, но понимает, что прока в этом нет.

14

Ночью что-то происходит. До Кела оно добирается сквозь сон — сбой в мерных ночных ритмах, возмущение. Кел просыпается и слышит откуда-то с полей надсадный дикий вой боли, ярости или и того и другого. Подходит к окну, приоткрывает, выглядывает. Тучи вроде рассеялись, но месяц тощ, и видно очень мало что, не считая темноты, разнообразной по плотности и на ощупь. Ночь холодна и безветренна. Вой стихает, но остается движение, далекое и резкое, от него по самой кромке слышимости идет рябь.

Кел выжидает. Минута, еще минута, звук нарастает, заостряется, и вот глаза уже различают в траве на поле некую фигуру. Она скачет к дороге довольно прытко, но по-странному неуклюже, словно существо ранено. То ли крупное животное, то ли сгорбленный человек.

Когда это непонятное исчезает из виду, Кел натягивает джинсы, заряжает ружье и выходит в заднюю дверь. Попутно включает свет. У Марта дробовик, есть такой и у Пи-Джея, видимо, а у этого пришельца может быть что угодно. Застать кого бы то ни было врасплох Кел не стремится.

Обводит поле фонариком, но света хватает лишь на мелкую вмятину во тьме. Сгорбленной фигуры нигде не видно.

— Я при оружии! — кричит Кел. Голос разлетается далеко. — Выходи, руки держи на виду.

Мгновение длится пронзительная тишина. А затем откуда-то из владений Пи-Джея задорный голос кричит в ответ:

— Не стреляй! Сдаюсь!

Узкий луч мерцает и прыгает через поле, приближается. Кел не двигается с места, ружье наставлено, пока фигура не вваливается в бледный разлив света из окон и не взмахивает рукой. Это Март.

Кел идет ему навстречу по полю, обмахнув окрестности фонариком еще несколько раз.

— Божечки, Миляга Джим, убери это, — говорит Март, кивая на Келово ружье. Лицо взбудораженно сияет, глаза блестят, словно он пьян, но Кел видит, что Март трезв как стеклышко. В одной руке у него фонарик, в другой клюшка для хёрлинга. — Знаешь, как оно у тебя выходит? Как из программы "Легавые"*. Гарда из тебя получился бы что надо, ей-бо. Лечь на землю небось прикажешь сейчас?

— Что происходит? — спрашивает Кел. Ставит ружье на предохранитель, но палец не убирает. Кем бы та тварь ни была, она куда-то делась.

— Прав я был насчет того, что эта хрень за овцой к Пи-Джею явится, вот что происходит. А ты еще во мне сомневался. В другой раз умнее будешь, а?

— Что это было?

— Ой, с этим загвоздка, — горестно вздыхает Март. — Не успел я глянуть хорошенько. Занят был другим, как говорится.

— Ты его пришиб? — спрашивает Кел, вспоминая хромоту того существа.

— Пару раз вдарил как следует, это да, — отвечает Март со злорадством, постукивая клюшкой себе по ноге. — Сижу такой в твоем лесочке, затаился тихо-славно и размышляю о том, что мне опять не свезло. Честно скажу, я там чуть не закемарил. Но тут слышу — шебуршит кто-то среди Пи-Джеевых овец. Не видать впотьмах-то нихера, но овца точно полегла, и что-то там над ней нависло. И так оно там занято было, что не услышало, как я подобрался. Врезал мощно, а оно как взвоет — чисто банши. Слыхал?

* *Cops* (с 1989) — американская телевизионная документальная реалити-программа, стартовавшая на телеканале "Фокс".

— Это меня и разбудило, — говорит Кел.

— Я собирался его прибить, но, видать, промахнулся. Зато настиг внезапно, уж точно. Еще одну плюху успел влепить, пока оно соображало, что к чему. — Март взвешивает клюшку на руке, наслаждается ее тяжестью. — Боюсь, растерял уменье обращаться с клюшкой, за столько-то лет, но это ж как с велосипедом — ни в жисть не забудешь. Кабы разглядел ту тварь, башку снес бы ей начисто. Летела б она полдороги до твоей двери.

— Тебе оно ничего не сделало?

— Даже не пыталось, — с презрением отвечает Март. — Овец калечить — на большее оно не годно, а как только возник противник, хвост поджало — и дёру. Я рванул за ним, но против правды не попрешь: я не Ти-Джей Хукер*. Спину только потянул.

— Надо было клюшкой в него кинуть, — говорит Кел.

— Оно в твою сторону бежало, пока я его видел. — Март глядит на Кела, на лице наивный прищур. — Ты, часом, не разглядел его, а?

— Так близко не подбегало, — отвечает Кел. Что-то в том, как Март выглядит, не дает Келу покоя. — Крупное, это я разобрал. Может, собака.

— Знаешь, на кого оно, по-моему, было похоже? — говорит Март, наставляя клюшку на Кела. — Я б решил, что на кота. Не на домашнего котика, не. На пуму прям.

По тому, как оно двигалось, Келу оно кота не напомнило.

— Главное, что я заметил, — оно вроде как хромало. Ты, видать, приложил его крепко.

— Приложу еще лучше, если вернется, — мрачно заверяет Март. — Да только не вернется. Свою пайку получило.

— Чего ты решил вот это взять? — спрашивает Кел, кивая на клюшку. — Я-то сам бы ружье с собой взял.

Март хихикает.

— Барти насчет вас, янков, прав. Вы б ружье и на мессу с собой таскали, как пить дать. На что мне вообще ружье-то? Я спа-

* Томас Джефферсон (Ти-Джей) Хукер — герой одноименного американского полицейского телесериала (1982—1985) на телеканале Эй-би-си.

сти овец Пи-Джеевых пытаюсь, а не расстрелять их, бедных, — я ж не вижу дальше ярда в этих потемках. А вот эта хрень что надо для такого дела. — Удовлетворенно оглядывает клюшку. У конца ее темный мазок — то ли грязь, то ли кровь. Март плюет на него, вытирает клюшку о штаны.

— Видать, да, — соглашается Кел. — Что овца?

— Убита. Горло вырезано. — Март на пробу выгибает спину. — Пока меня совсем не заклинило, пойду-ка доложу новости Пи-Джею. А ты ступай спать давай. На сегодня с приключениями всё.

— Я рад, что ты не зря караулил, — говорит Кел. — Передай Пи-Джею мои соболезнования насчет овцы.

Март козыряет и уходит, Кел возвращается к дому. У калитки в сад выключает фонарик и заходит в густую темень под грачиным дубом.

Ночь такая тихая, что пятна звезд и туч в небе неподвижны, а у холода есть кромка, что насквозь режет толстовку, в которой Кел привык спать. Через несколько минут в доме Пи-Джея загорается свет. Еще через минуту лучи двух фонариков, прыгая и пересекаясь, движутся через поле, останавливаются и сходятся на чем-то на земле. Кел слышит — или ему кажется, что слышит, — беспокойную возню растревоженных овец. Затем два луча возвращаются к дому Пи-Джея, неспешнее. Март и Пи-Джей волокут мертвую овцу за ноги.

Кел не двигается с места, наблюдает за окрестностями. Немногие поздние мотыльки вьются в свете окон. В остальном теперь тишь да гладь, только привычная возня мелюзги в изгородях да случайный крик козодоя или совы на охоте, но Кел все равно выжидает, высматривает — на всякий случай. С чем бы там Март ни столкнулся, оно могло затаиться, когда появился Кел, и, вероятно, оно терпеливо.

Тревога, возникшая от невинной любознательности Марта, наконец приобрела очертания. Март знал, что из всех овец в Арднакелти это существо нападет именно на Пи-Джеевых.

Чем больше Кел об этом думает, тем меньше ему нравится клюшка для хёрлинга. Только дурак станет рисковать, приближаясь вплотную к чему-то, что вырывает у овец мягкие места, когда есть исправный дробовик, позволяющий оставаться на безопасном расстоянии. А Март не дурак. Ружье он мог оставить дома по одной простой причине: он ожидал появления того, в кого стрелять не будет. Март сидел в том лесочке, поджидая человека.

Кел понимает, что боится. Сперва ощущает страх, а сознает это лишь постепенно. Страх связан с Треем — с тем, что люди вокруг держат и самого пацана, и его семью за отбросы, с тем, как мальчишка бешено, отчаянно заметался из-за исчезновения брата. Связан с тем, с какой невозмутимой, хладнокровной аккуратностью — она казалась поначалу хорошим качеством — малой убил и разделал того кролика. Страдание причинять он явно не намеревался, но овца и не страдала, в общем, — ну, может, секунду или две.

Кел размышляет: “Малой хороший пацан. Он бы не стал”. Но понимает, что никто ни разу не втолковал Трею, что означает “хорошо” и “плохо” или почему важно знать границу между ними и оставаться по правильную сторону от нее.

Чуть погодя длинный луч фонарика проделывает путь из владений Пи-Джея к дому Марта. А затем свет у Пи-Джея гаснет, гаснет он наконец и у Марта. Округа темна.

Кел уходит в дом. По дороге через сад светит фонариком на пень. Кто-то забрал останки кролика — начисто, ничегошеньки не осталось.

Когда Кел оказывается у места встречи — к трем двадцати и долгим путаным маршрутом, — Трея еще нет. Склон до того пустынен, что Кел чувствует себя незваным гостем. Пока он шел сюда, овцы на пастбищах крутили головами ему вслед, попадались развалины испятнанных лишайниками стен между полями, но здесь единственные знаки человеческого присутствия — грунтовка, по которой он топает, с высоченной травой посередке, и редкие темные шрамы в вереске, где кто-то когда-то резал торф.

Тревога прошедшей ночи крепнет. Не явиться на эту встречу малой может, только если ранен слишком сильно и не способен ходить.

Кел поворачивается на месте, осматривает гору. С тихим неумолчным шорохом ветер прочесывает вереск и дрок. Есть у запаха ветра сладость — такая холодная, что едва уловима. Небо мелкозернисто-серое, где-то в его вышине чисто и неприрученно насвистывает какая-то птица.

Когда взгляд Кела возвращается на дорогу, малой уже стоит на ней повыше, словно был там все это время.

— Опаздываешь, — замечает Кел.

— Домашку задали, — отзывается Трей с тенью нахальной ухмылки.

— Ну еще бы, — говорит Кел. Ни ушибов, ни порезов. — Домой вчера нормально добрался?

Трей смотрит на него с подозрением, будто вопрос этот кажется ему странным.

— Ну.

— Я слышал шум, позже. Как будто, может, ранили какое-то животное.

Малой пожимает плечами, подразумевая, что такое и вероятно, и не беда, и устремляется вверх по дороге. Кел всматривается в его походку. Длинные пружинистые шаги такие же, как всегда, малой не хромает, не бережется, как если бы что-то болело.

Беспокойство частично отпускает Кела, но что-то остается. Он более-менее доволен, что овец портит не малой, но это уже не кажется главным — вернее, не единственным. До него основательно дошло, что доподлинно ему не известно — да вообще никак не известно, — на что Трей способен, а на что нет.

За поворотом Трей сходит с тропы в вереск.

— Под ноги смотрите, — бросает он через плечо. — Заболочено.

Кел следит за тем, куда Трей ставит ноги, и старается ступать в след, чувствуя, как то и дело проседает под ним земля. Малой знает эту местность лучше — и лучше, чем Кел, к ней приспособлен.

— Бля, — бормочет Кел, когда болото присасывается к его ботинку.

— Быстрей надо шагать, — вновь через плечо говорит ему Трей. — Не давайте ему себя ухватить.

— Я быстрее не могу. Не у всех телосложение как у зайца.

— Скорее, как у лося.

— Ты забыл, что тебе насчет вежливости говорено? — сурово спрашивает Кел; Трей фыркает и идет дальше.

Они минуют кусты дрока, обходя старые торфорезные шрамы, под голой скалой, где из трещин между валунами торчат пучки травы. Кел начеку, высматривает соглядатаев, но на склоне все неподвижно, лишь ветер ерошит вереск. Нечаянно сюда не забредешь. Что бы Брендан тут ни делал, он хотел заниматься этим уединенно.

Трей ведет их вверх по склону до того крутому, что у Кела перехватывает дух, а затем спускается в густой ельник. Деревья высокие, посажены упорядоченно, земля усыпана многолетними слоями хвои. Ветер сюда не забирается, но макушки теребит с непрестанным беспокойным бормотаньем. Келу не нравятся яркие контрасты этого места. Ощущение от них такое же, как от погоды, — ощущение непредсказуемости, рассчитанной на то, чтобы всегда на шаг опережать тебя.

— Вон. — Трей показывает, когда они выходят из ельника.

Схрон Брендана прямо под ними, укрыт от злых ветров в неглубокой ложбине, задней стеной к горе. Не такого Кел ожидал. Представлял себе каменные руины здания, ну, может, с остатками крыши, не одно поколение назад брошенного на волю неспешной природы. А тут приземистый белый домик не старше того, какой у него самого, и примерно в том же состоянии, в каком был дом Кела, когда он в него въехал. На двери и оконных рамах даже красная краска почти вся уцелела.

От увиденного Келу беспокойнее, чем от той картинки, которую он себе рисовал. Заброшенный домик в ладу с природой, ему лет двести: у всего свой срок, а потом все распадается. Когда бросают относительно новый и пригодный для жизни домик, это подразумевает некое противоестественное событие, необратимое и острое, как гильотина. Вид этого места Келу не нравится.

— Погоди, — говорит он, вскидывая руку, чтобы не дать Трею двинуться ближе.

— Чего?

— Подожди минуту. Давай убедимся, что ни у кого не возникла та же мысль, что и у твоего брата.

— Брен поэтому сюда и ходил. Потому что никто вообще...

— Подожди, и все, — говорит Кел. Тихо и осторожно отступает обратно в ельник. Трей закатывает глаза, но тоже отходит.

Из домика никто и ничто не возникает — ни движения, ни звука. В высокой траве под стенами дома вытоптана тропа к входной двери. Окна без стекол, черепицы много где не хватает, но кто-то пытался подлатать дыры, причем совсем недавно. Один участок крыши заделан рубероидом, в выбитых окнах фанера.

— Ты говорил, что бывал здесь после того, как Брендан исчез, — говорит Кел. — Так?

— Ага. Через пару дней после.

Это значит, что на труп Брендана они вряд ли наткнутся. Пара стрижей вылетает из-под ската крыши и ныряет обратно, неспешно — акробатика в студеном воздухе.

— Вроде нормально, — говорит наконец Кел. — Пойдем глянем.

Внизу, в ложбине, после открытого простора наверху звук поражает своей густотой. Шаги по камешкам резки и громки. Стрижи разражаются сердитым чириканьем и устремляются в укрытие.

В двери, почти внизу, здоровенная занозистая брешь: кто-то пнул ее, удачно сочетая прицельность и преднамеренность. Не так давно — дерево на сломе едва начало выгорать. Стальной засов с висящим на нем замком болтается на одной петле; там, где его оторвали, в двери виднеются дыры. Кел натягивает рукав куртки на руку и толкает дверь.

— Когда ты сюда приходил последний раз, вот так же было?

— Как?

— Выбито. Замок выломан.

— Ага. Просто зайти можно было. — Трей идет за Келом по пятам, дрожа от нетерпения, как едва выученная охотничья собака.

Внутри ничто не шелохнется. Где-то в дальней комнате пробивается блеклый свет, но забитый фанерой остальной дом слишком темен, ничего не видно. Кел извлекает карманный фонарик, осматривается.

Передняя половина дома — одна средних размеров комната, и в ней никого. Кел тут же замечает, что здесь чисто. Когда он впервые вошел в свой дом, там все было в паутине, пыли, плесени, дохлых насекомых, дохлых мышах и прочей дряни, какую Кел затруднился даже определить. А тут голые половицы, лишь слегка припорошенные пылью. Обои в вертикальных полосах из причудливых розовых и золотых цветов испятнаны сыростью, но все обвисшие куски оборваны.

В углу — пропановый походный примус, новехонький, рядом несколько запасных баллонов. Под забитым фанерой окном — термоящик, тоже новый. У задней стены притулился паршивенький кухонный белый шкаф из ДСП, не новый, тут же веник, совок, швабра, ведро и ряд больших пластиковых бутылей для воды. На половицах царапины, где что-то втаскивали или, возможно, вытаскивали.

Они проходят в дом; по-прежнему ни звука.

— Жди здесь, — говорит Кел и быстро пробирается вглубь.

Там, где прежде были кухня и спальня, порядок наводить не стали. Полы завалены отвалившейся штукатуркой и кое-какой ветхой мебелью, с потолка тяжкими кружевными завесами свисает обросшая густой пылью паутина. Задние окна не забиты, за ними колышутся травы в желтых цветочках, но горный склон совсем рядом, и свет сюда почти не пробивается.

— Видите? — говорит Трей у него за плечом. — Никого.

— Значит, потеряли две минуты, — говорит Кел. — Всяко лучше, чем нарываться.

Возвращается в переднюю комнату, присаживается у термоящика — малой не отстает ни на шаг — и открывает, по-прежнему не высовывая пальцы из рукава. Пусто. Осматривает примус, готовый к использованию, но, кажется, его так ни разу и не разжигали. Покачивает запасные баллоны с пропаном: один полон, два пусты. Переходит к шкафу, открывает двери за уголки, направляет внутрь луч фонарика.

В шкафу три упаковки резиновых перчаток, три бутылки домашних чистящих средств, горка грязных посудных мочалок и ветоши, несколько пластиковых пищевых контейнеров, большой пакет кофейных фильтров, свернутый резиновый шланг, две пары лабораторных очков, пачка лабораторных масок и закатившаяся в угол батарейка.

Сердце у Кела заходится. Секунду он не шевелится. Сам же хотел, чтобы что-то выжгло все смутные вероятности и показало ему, чтó есть среди них осязаемого. И вот оно у него в руках, но теперь Кел понимает, что нисколько такого не желает.

Он ошибался в Брендане. Представлял себе шебутного пацана, помчавшегося за первой попавшейся простейшей затеей, что возникла у него в уме, накрученном обидой и перспективой показать всем, как сильно они его недооценивали. Но Брендан взялся за дело последовательно, систематично, не торопясь, все расставляя по местам. Недалекий юнец от обиды способен увязнуть в дерьме глубоко. Юнец, действующий последовательно, в дерьме увязнет с меньшей вероятностью, но уж если увязнет, дерьмо будет гораздо гуще.

Кел чувствует, что Трей, присевший рядом и наблюдающий за любой малостью, какая отражается у Кела на лице, улавливает этот миг неподвижности.

— Хм. Ну-ка, подержи, — выпрямляясь, непринужденно говорит Кел. Вручает малому фонарик.

— Зачем? — спрашивает Трей. Он скручен туго, как пружина, едва сдерживает свое электричество.

Кел достает телефон, включает камеру.

— Когда расследуешь — документируй. Кто его знает.

Трей не двигается. Взгляд вперен Келу в лицо.

— Вот здесь начни, — говорит Кел, кивая на входную дверь. — И двигай вокруг комнаты, спокойно, не торопясь.

Миг спустя Трей беззвучно повинуется. Ровно смещает фонарик, пока Кел снимает комнату на видео, затем держит неподвижно, пока Кел фотографирует термоящик, шкаф, примус, баллоны с пропаном, бутыли с водой. Затем Кел снимает задние комнаты, уже без фонарика. Не забитые задние окна — правильное решение. Если собираешься заниматься тем, чем собрался заниматься Брендан Редди, лучше оставить хорошую вентиляцию.

Пахнет здесь исключительно сыростью, дождем и елками. Брендан так и не приступил. У него почти все было, а может, и вообще все, и тут что-то пошло не так.

Дофотографировав, Кел забирает у Трея фонарик и возвращается в переднюю комнату, упирая луч в пол.

— Что ищете? — спрашивает Трей, не отставая ни на шаг.

— Все, что подвернется, — говорит Кел. — Но тут ничего. — Он высматривает пятна крови. Не видит, но это не значит, что их здесь нет. Похоже, пол мыли недавно, хотя никак не узнать, мыли до того, как Брендан исчез, или после. Люминол кровь показал бы, но люминола нету. — Осмотрись кругом хорошенько. Отличается ли тут что-нибудь от того, как здесь всё было, когда ты сюда приходил последний раз?

Трей пристально разглядывает все вокруг, не торопится. Наконец качает головой.

— Лады, — говорит Кел. Убирает телефон. — Пошли осмотримся снаружи.

Трей кивает и направляется к двери. Кел понятия не имеет, что́ малой из всего этого понял. Не разберешь, потому ли это, что малой такой, какой есть, или потому что он сознательно держит мысли при себе.

Они обходят заросший участок — бывший двор, но здесь ни удобной нычки, ни признаков раскопок. Обнаруживается лишь мусорная куча тех времен, когда дом был обитаем, — небольшая горка битой посуды и стеклянных бутылок, полупогребенная под многолетними наносами почвы и травы.

Трей подбирает палку и лупит ею по крапиве.

— Перестань, — говорит Кел.

— Чего это?

— Лучше не сообщать всему белу свету, что здесь кто-то был.

Трей глядит на него, но помалкивает. Бросает палку на мусорную кучу.

Здешняя тишина отличает это место от равнин. Внизу всегда есть богатая смесь птичьей возни и игр, овечьих и коровьих разговоров, криков фермеров, а здесь воздух пуст; ничего нет, лишь ветер и одинокий холодный клич, словно вновь и вновь стукаются друг о друга камешки.

Они прочесывают склоны ложбины, проверяют заросли травы, прилежно снуют туда-сюда, чтобы уж точно ничего не упустить. Им попадается заржавленная садовая тяпка с половиной ручки и клубок колючей проволоки, тоже ржавой. Выбравшись наверх, они хрустят по ельнику, пиная горки опавшей хвои и прищуриваясь на ветки — не попадется ли заначка. К паре старых гнезд приглядываются особо.

Кел с самого начала понимал, что все это без толку. Слишком много тут места, чтоб один взрослый и один ребенок смогли его обшарить. Тут нужно, чтобы следственная бригада облазила весь дом, а кинологический расчет прочесал склон. Кел чувствует себя дураком мирового уровня — в чужой стране играть в легавого без бляхи и без оружия, с тринадцатилетним пацаном и сотрудником Гарды Деннисом в поддержку. Пытается вообразить, что сказала бы Донна, но, если по-честному, Донна не сказала бы ничего — уставила б на него взгляд, в котором незамутненное изумление борется за первенство много с чем еще, а затем всплеснула бы руками и ушла. Даже Донниного несусветного запаса слов и звуков не хватило бы, чтобы выразить все это.

— Ну, похоже, все, что тут можно было увидеть, мы увидели, — говорит он наконец. Пора уходить. Свет начинает смещаться, тени от елей тянутся вниз по склону к домику.

Трей смотрит на него остро, вопросительно. Кел не снисходит и углубляется в ельник. Рад убраться отсюда.

Через минуту или две видит, что разогнался, и малому, чтобы не отставать, приходится трусить.

— Ну что, — говорит Кел, сбавляя прыть. — Что думаешь?

Трей пожимает плечами. В прыжке отламывает ветку ели.

Кел ощущает могучую потребность хотя бы приблизительно понимать, что происходит у малого в голове.

— Ты знаешь Брендана, а я нет, — добавляет Кел. — Этот дом подсказал тебе, что Брендан мог затевать?

Трей хлещет веткой по стволу. Свист и стук глохнут в столпившихся вокруг деревьях. Ничто не хлопает крыльями и не удирает.

— Когда Брен исчез, — говорит малой, — казалось, что он, может, живет там. Птушта он же налаживал там все, крышу и прочее, и плитку, и термоящик. Их там раньше не было. Может, мы его достали и он сюда решил перебраться. Только он всю ночь не возвращался. А хотелось с ним попроситься. — Хлещет веткой по другому стволу, сильнее, но звук все равно гаснет неприметно. — До меня только утром дошло: ну и тупица же я. Тут ни матраса, ни спальника. Он здесь не жил.

Ничего протяженнее пацан при Келе до того не произносил. Немудрено, что Трей ни разу прежде об этом домике не заикался — после той долгой ночи и лютой оплеухи разочарования.

— Непохоже на то, — соглашается Кел.

Коротко помолчав, Трей говорит, глядя на Кела искоса:

— Вся та фигня в шкафу.

Кел выжидает.

— Для мытья. Брендан, может, собирался привести в порядок все остальное. Сдавать его типа через "Он зе кью-ти"*. Походникам, туристам-дикарям. Но хозяева дома-то этого, они узнали, и их это напрягло. Вот с ними Брен и собирался повидаться. Чтоб разобраться. Денег им дать.

— Может, и так, — говорит Кел, ныряя под ветку. Чувствует, что малой наблюдает за ним.

— Вот они-то его и похитили.

— Ты знаешь, чей это дом? Кто в нем жил раньше?

Трей качает головой.

* *On the Q. T.* (*англ.* "По-тихому") — изначально ирландская компания и блог-платформа, объединяющая вольных путешественников-"дикарей" по всему миру, основана в 2013 году блогером-фрилансером Стефани Линч.

— Но кто-то из них в горах, они лютые.

— Похоже, придется глянуть в реестры собственников, — говорит Кел.

— Вы же найдете его, да? — спрашивает Трей.

— Собираюсь, — отвечает Кел. Найти Брендана Редди ему больше не хочется.

Трей начинает было говорить что-то еще, но спохватывается и продолжает лупить веткой по стволам. Ельник пройден, они спускаются по склону молча.

Оказавшись на тропе у поворота, где встретились, Кел притормаживает.

— Где живет Дони Макграт? — спрашивает он.

Трей пинает камешек перед собой, но на этом вопросе вскидывает взгляд.

— А что?

— Поговорить с ним хочу. Где он живет?

— Прям на этой стороне деревни. В сером доме, обшарпанном. С темно-синей дверью.

Кел этот дом знает. Деревенские своим жильем гордятся, окна держат чистыми, всю латунь начищают, а отделку подкрашивают. Неухоженный дом означает заброшенный дом. Жилище Дони — исключение.

— Один?

— С мамкой. Отец у них помер. Сестры повыходили замуж, а брат, кажется, эмигрировал. — С тропы слетает камешек. Малой выгребает его из вереска носком ботинка. — Дони с братом, они доставали Брена еще в школе. Излупили его так, что нашей мамке пришлось влезть, и Дониной тоже. Она такая: "Да мои мальчики ни за что б, они ж милые ребята, мы *прыличная* семья", хотя все знали, что отец ихний был пьянь и паразит. Думала, что сама классная, птушта из города, а брат у нее священник. А школе насрать по-любому, птушта это ж мы. — Смотрит на Кела. — Так а что, Брен из этого мудачка гамно б вытряс с полпинка. Дони его не похищал.

— Я и не говорил такого. Просто потолковать хочу.

— Чего это?

— Ничего. А ты держись от него подальше. Очень далеко.

— Дони — подтирка, — с совершеннейшим презрением заявляет Трей.

— Лады. Держись от него подальше в любом разе.

Трей резко пинает свой камешек в вереск. Встает перед Келом и замирает, преграждая ему путь. Ноги расставлены, подбородок вперед.

— Я, бля, не *младенчик*.

— Я в курсе.

— "Держись подальше от этого, держись подальше от того, ничего не делай, тебе незачем..."

— Ты хотел, чтобы я в это влез, и я знаю, как это делается правильно. А если не можешь не путаться под ногами, пока я...

— Я хочу с Дони поговорить. Он пришлому ничего не скажет.

— А малому, выходит, скажет?

— Скажет, ага. А чего ж нет? Он думает, как вы, что я младенчик. Мне можно говорить что хочешь, я ж ничего поделать не смогу.

Кел говорит:

— Послушай меня. Если я узнаю, что ты даже подошел близко к Дони, меня в этом деле нету. Никаких вторых заходов. Ясно?

Трей упирается в него взглядом. На миг Келу кажется, что малой слетит с катушек, как тогда с бюро. Готовится увертываться.

Но лицо у малого захлопывается, как дверь.

— Угу, — произносит он. — Ясно.

— То-то же, — говорит Кел. — Завтра с ним поговорю. Заходи послезавтра, изложу. — Хочет сказать малому, чтоб по дороге не попадался никому на глаза, но совет кажется таким жалким, что Кел оставляет эту мысль.

Трей больше не спорит и не задает никаких вопросов. Кивает и шагает прочь в вереск, исчезает за бровкой горы.

Кел понимает, что малой осведомлен. В домике на горке что-то произошло, что-то сгустилось и сделалось явным, ставки подскочили. Малой знает, что вот тут все стало скверно.

Кел хочет позвать малого к себе, забрать его на охоту, накормить ужином или показать, как мастерить что-нибудь. Но тут дело непоправимое. Кел разворачивается и бредет домой той же вьющейся тропкой, какая привела его сюда. Под ним в полях желтеет осень. Тень горного склона падает на тропу, а когда Кел входит в эту тень, в ней — стужа. Кел размышляет, не получится ли так, что через неделю-другую малой возненавидит его до печенок.

По крайней мере, теперь он знает, что за имущество украли тогда в марте. Брендан со шлангом и пропановым баллоном отправился ночью — или парой ночей — и откачал у Пи-Джея аммиачного ангидрида. Но попался — может, повел себя неосмотрительно и оставил клочок изоленты на цистерне, где закреплял шланг, а может, Пи-Джей заметил, что медный кран позеленел. Так или иначе, Пи-Джей вызвал легавых. Келу хотелось бы знать, что Брендан сказал Пи-Джею, чтоб тот легавых отправил восвояси.

Может, и удалось бы раздобыть следственную бригаду и кинологов, подайся он в полицию, но не к любезному гарде Деннису, а к большим парням, к следователям из Дублина. Они б отнеслись к нему серьезно, особенно глянув на эти фотоснимки. Брендан в том домике не какую-то там точку по производству сраных полуфабрикатов задумал. Он собирался настоящим делом заняться, по чистой высокотехнологичной методике, и знаний химии ему бы для этого хватило. И вроде вполне разумно допустить, что имелись у него и связи, чтоб продавать мет, когда наварит его. Следователи тут херней страдать не станут.

Кел поджег бы фитиль на чем-то, что рвануло бы и сотрясло Арднакелти совершенно непредсказуемо.

Какое бы действие или бездействие Кел сейчас ни выбрал, он не понимает, как оно может кончиться добром. Вот что означал этот сдвиг в пространстве — тот, который они с Треем почувствовали, когда сели на корточки перед шкафом, этот холодный неумолимый сдвиг, такой знакомый по множеству расследованных дел. Счастливого конца тут не предвидится.

15

Утрата соплеменника кроликов не отпугнула. Поутру не меньше дюжины скачут по полю у Кела, будто это их владения, завтракают мокрым от росы клевером. Кел наблюдает за ними из окна спальни, ощущая, как сквозь стекло просачивается в него холод. Что б ни творили люди, вплоть до убийства, природа все вбирает, затягивает брешь и продолжает заниматься своими делами. Поди пойми, утешительно это или печально. Грачиный дуб — всех оттенков золота, листья кружатся вниз, прибавляются к разливу внизу, подобному отражению кроны.

Сегодня среда, но Кел вполне уверенно предполагает, что Дони Макграт оплачиваемому труду этот день не посвятит. Предполагает он также, что Дони не из ранних пташек, а потому никуда не торопится. Устраивает себе щедрый завтрак: бекон, сосиски, яичница, кровяная колбаса — нравится ему последняя или нет, он так и не понял толком, но считает, что из почтения к местным обычаям есть такое иногда надо. Предстоящее дело может затянуться, а потому стоит приготовиться к тому, что ждать придется долго, а обеда может не случиться.

В начале двенадцатого Кел отправляется в деревню. Дом Дони чуть в стороне от главной улицы, где-то в сотне ярдов от лавки и паба. Это узкий несуразный двухэтажный дом в конце разнобойного проулка, окна натыканы густо, смотрят прямо на обочину. Серая каменная штукатурка облупилась целыми кусками, из печной трубы прет бодрый пучок травы.

Напротив дома Дони — розовый домик с заколоченными окнами, обнесенный низенькой каменной стенкой. Кел пристраивает задницу на эту стенку, поднимает воротник флисовой куртки от насыщенного влажного ветра и ждет.

Некоторое время ничего не происходит. Обвисшие кружевные занавески у Дони на первом окне не шевелятся. На подоконнике видны фарфоровые статуэтки.

Мимо шаркает тощий старик, которого Кел несколько раз видел в пабе, кивает Келу и бросает на него пронзительный взгляд. Кел кивает в ответ, старик идет в лавку. Через две минуты после того, как он уходит, появляется Норин с лейкой и встает на цыпочки, собираясь полить петунии в подвесном кашпо. Вытягивает шею, чтобы глянуть через плечо на Кела, он машет ей и широко улыбается.

К вечеру весь Арднакелти узнает, что он искал Дони. Хватит с Кела скрытности. Похоже, пришло время поворошить кусты и глянуть, что из них выскочит.

Продолжает ждать. Мимо проходят разнообразные старики, пара матерей с младенцами и маленькими детьми, а также толстый рыжий кот — он озирает Кела наглым взглядом, после чего усаживается на обочине и, чтобы показать свое отношение к Келу, принимается охорашивать себе причинные места. За мамочкиными кружевными занавесками у Дони что-то движется, складки колеблются, но не раздвигаются, дверь не открывается.

По улице скачет видавший виды “фиат-600” и останавливается напротив лавки Норин, из машины выходит женщина — судя по всему, аккурат Белинда. У нее обильная шевелюра, крашенная в рыжий и торчащая во все стороны, и пурпурный плащ, какой она запахивает на себе, прежде чем зайти в лавку. Выйдя обратно и тронувшись, она притормаживает напротив Кела, приветственно перебирает пальчиками и одаряет его широченной сияющей улыбкой. Он кратко кивает и извлекает телефон, как будто ему кто-то звонит, пока Белинда не решила остановиться и познакомиться. Кажется, Норин передумала сводить Кела с Леной.

Движения за занавесками учащаются, делаются все беспокойнее. В начале третьего Дони не выдерживает. Распахивает входную дверь и направляется через дорогу к Келу.

На Дони тот же белый спортивный костюм с глянцем, в каком он был в "Шоне Оге". Пытается изобразить угрожающую походку вразвалочку, но мешает легкая хромота. А еще у него над бровью распухшая черно-синяя шишка с глубокой ссадиной посередке.

Кел не сомневается, что Дони Макграт способен заработать себе тумаков самыми разнообразными способами, но тут другой случай. Март, великий знаток Арднакелти и всех ее обитателей, в этом ошибся. Келу хотелось бы видеть лицо Марта, когда тот об этом узнает, — если не знает уже, что маловероятно.

— Чего, бля, тебе надо, чувак? — спрашивает Дони, останавливаясь посреди дороги, от Кела на безопасном расстоянии.

— А что у тебя есть? — задает Кел встречный вопрос.

Дони оценивает его.

— Иди нахер, — отвечает он.

— Так, Дони, — говорит Кел, — это невежливо. Я никому не мешаю. Сижу себе, наслаждаюсь видами.

— Ты мать мою нервируешь. Она боится в магазин выйти. Ты, бля, сидишь тут и пялишься, как извращенец.

— Даю тебе честное слово, Дони, — говорит Кел, — мне твоя мама без всякой надобности. Уверен, она милейшая дама, но жду я тут тебя. Садись-ка и потолкуй со мной немножко, и я тогда пойду.

Дони смотрит на Кела. У Дони плоское лицо и блеклые глазки, выражение в них невнятно.

— Мне тебе нечего сказать.

— Ну, я могу тут сидеть до морковкина заговения, — добродушно говорит Кел. — Никуда не спешу. А ты? У тебя отгул?

— Ага.

— Ага? Чем на жизнь зарабатываешь?

— Всем понемножку.

— Этого вроде как недостаточно, чтоб мужика занять, — замечает Кел. — Фермерством заниматься никогда не думал? Тут в округе навалом такой работы.

Дони фыркает.

— Что, овец не любишь?

Дони пожимает плечами.

— Кажется, у тебя к ним типа обиды, — говорит Кел. — Какая-то овца не дала тебе, что ли?

Дони оценивает Кела взглядом, но Кел гораздо крупнее. Дони сплевывает.

— Кто это тебя так? — Кел кивает на бровь Дони.

— Дрался.

— Но видал бы я того другого парня, да?

— Ага. Типа.

— Должен сказать тебе, Дони, — сообщает Кел, — что если на мой глаз, он смотрелся вполне. Я тебе больше скажу: доволен он был как слон. Что грустно, поскольку весит тот парень вполовину меньше тебя, да и старше вдвое.

Дони таращится на Кела. Затем улыбается. Мелкие зубки.

— Я б тебя сделал.

— Ну, могу поспорить, что дерешься ты по-блядски, — говорит Кел. — Правда, я тоже. Повезло нам обоим, я в настроении разговаривать, а не драться.

Келу заметно, что мозги у Дони работают сразу по двум дорожкам. Небольшая и неторопливая поверхность впитывает сказанное — более-менее. В основном же трудится та часть, которая глубже и гораздо способнее, она оценивает, что в этом положении можно извлечь и в чем состоит угроза, если она есть. Хотя сейчас, когда Дони трезв, эта часть беззвучна, исходит от него этот скверный, непредсказуемый фон, который Кел и уловил сразу: общее впечатление, что нет у Дони никаких обычных процессов, соединяющих его мысли и действия, и мысли у него совсем не те, какие возникают у большинства людей. Кел готов поспорить, что, допустим, в целом затею с овцами мог предложить и не Дони, зато особенности исполнения — точно его.

— Сигаретку дай, — говорит Дони.

— Не курю, — говорит Кел. Похлопывает по стенке рядом с собой: — Ноги не казенные.

— Я арестован? — требует ответа Дони.

— Ты — *что*?

— Птушта если я арестован, без адвоката ничего не скажу. А если нет, я пошел домой и ты мне не помеха. По-любому нахер отвали от моего дома.

— Считаешь, я легавый?

Дони прыскает, радуясь выражению у Кела на лице.

— Ой, чувак. Да все знают, что ты из Отдела по наркоте. Из Америки тебя заслали, чтоб ты нашим помог.

Келу пора б уже привыкнуть к необузданному задору местной фабрики слухов, но врасплох она застать способна все равно. Эта конкретная байка лучше б не укоренялась.

— Сынок, — лыбясь, говорит он, — ты себя переоцениваешь. Нет во всей Америке такого полицейского, кому было б не насрать на тебя и твои жалкие делишки с наркотой.

Дони взирает на него недоверчиво.

— А чего ты тогда тут делаешь?

— "Тут" в смысле "в Арднакелти"? Или типа у твоего дома?

— И то и то.

— В Арднакелти я потому, что пейзажи шибко красивые, сынок, — отвечает Кел. — А у твоего дома, потому что живу по соседству и тут кое-что происходит интересненькое.

Он улыбается Дони и предоставляет ему решать. С бородой, шевелюрой и всем прочим Кел куда больше похож на байкера или экстремала-робинзона, чем на легавого. Дони оценивает Кела и прикидывает, какой вариант нравится ему меньше прочих.

— На твоем месте, — советует ему Кел, — я бы присел, ответил на несколько простых вопросов, не особо выкобениваясь, и занялся бы дальше своими делами.

— Про наркотики я ничё не знаю, — говорит Дони.

Именно с тем, что ему больше не придется вести вот такие блядские разговоры с говнюками как раз такого сорта, Кел и поздравлял себя недавно.

— Ты уже сам признал, что знаешь, блядский ты долбоеб, — говорит Кел. — Но и ладно, потому что и мне насрать на твои жалкие делишки с наркотиками. Я просто добрый южный парняга, в котором воспитали хорошего соседа, и вот у моих соседей происходит кое-что, в чем я желал бы разобраться.

Дони сейчас самое время убраться в дом, но он не уходит. То ли оттого что он тупой или ему скучно, а возможно, по-прежнему выискивает, как бы нажиться на этом. Или ему необходимо выяснить, что именно Келу известно.

— Мне покурить надо, — говорит он. — Дай десятку.

— Бумажник дома оставил, — говорит Кел. Даже если б склонен он был дать Дони денег, то получил бы за это воз выдуманной херни, какой хватило б не на одну неделю, и вымогательство еще бо́льших денег в придачу. — Садись.

Щерясь узенько, по-звериному, Дони прикидывает еще с минуту. Затем усаживается на стенку — так, чтобы Кел не мог дотянуться. Пахнет от Дони какой-то едой — капустой и чем-то сильно зажаренным, приготовленным несколько дней назад.

Кел говорит:

— Ты убиваешь овец моих соседей.

— Докажи. — Дони достает пачку сигарет из кармана, закуривает, не заботясь о том, чтобы дым несло не на Кела.

— У тебя необычные наклонности, сынок, — говорит Кел, — но поскольку я не мозгоправ, то на это мне тоже насрать. Вопрос у меня всего один: когда ты вырезаешь овцам половые органы, ты это для собственного удовольствия или у тебя планы масштабнее?

— Не беспокойся, чувак. Никаких овец больше убито не будет.

— Радует, — говорит Кел. — Но вопрос остается.

Дони пожимает плечами, курит. Норин вновь поливает петунии. Дони сутулится спиной к ней — можно подумать, так она его не узнает.

— У меня примерно тот же вопрос, — произносит Кел, — касающийся Брендана Редди.

Голова Дони резко повертывается, он вперяется в Кела. Кел приветливо смотрит на Дони. Даже эта вот чахлая челочка, в целях экономии сил и времени навеки прилепленная ко лбу чуть ли не месячной давности кожным салом, нешуточно действует Келу на нервы.

— Какой вопрос? — переспрашивает Дони.

— Ну, мне, в общем, нет дела, что там с ним стряслось. Но я очень хотел бы знать, это какая-то мелкая личная история или же часть того, что можно было б назвать более масштабной картиной мира.

— "Масштабной картиной", — повторяет Дони и фыркает.

— По-моему, я правильно подобрал оборот, — поразмыслив, говорит Кел. — Если у тебя есть получше, слушаю тебя, затаив дыхание.

— Какая тебе разница, что там случилось с Бренданом?

— Любому разумному человеку хочется понимать, что к чему, — говорит Кел. — Не сомневаюсь, у тебя так же. Неймется тебе, когда не знаешь, что к чему, верно, Дони?

— Ты в деле?

— В каком я деле, значения не имеет, сынок, — отвечает Кел. — Значение имеет то, что я б хотел не лезть в дела других людей. Мне очень нравится вот так. Но чтобы оно так было, мне надо понимать, в чем состоят эти дела других людей.

— Ты на рыбалку сходи, — говорит Дони и выдувает на Кела дым. — Кур заведи. Поможет не лезть в чужие дела.

— Все в этих краях считают, что мне нужно хобби, — замечает Кел.

— Нужно. И Брену Редди нужно было.

— Вообще-то рыбачить мне нравится, — говорит Кел, — но я хочу, чтобы ты вот что усвоил, сынок: очень дорого оценил бы я прояснение ситуации.

— Да? Почем оценил бы?

— Зависит от того, сколько ясности получу.

Дони качает головой и лыбится.

— Лады, Дони, — говорит Кел. — Поработаю-ка я за тебя. Брендан Редди облажался. — Показывать, что ему известно про метамфетаминовую лабораторию, он не намерен. Нежелательно, чтобы тот дом спалили, он еще может пригодиться. — Твои дружки из Дублина так или иначе от него избавились. Мои соседи это обнаружили. А тебе поручили их предупредить, чтоб держали рот на замке.

Дони не сводит глаз с Кела. Ухмыляется.

— Ну как, у меня получается?

— Ты задарма дохера чего хочешь, чувак.

— Я вежливо прошу, — говорит Кел. — Пока что. Оно ж должно в зачет идти, даже в наше время.

Дони встает и отлепляет спортивные штаны от задницы.

— Ебись ты конем, — говорит он. Бросает окурок на дорогу, вразвалочку хромает к дому и захлопывает за собой дверь.

Кел выжидает несколько секунд, машет на прощанье кружевным занавескам и отправляется домой. Прохлаждаться тут дальше без толку. Далее с мертвой точки Дони удастся сдвинуть либо ништяками, либо тумаками. Что угодно более затейливое подействует на Дони не сильнее, чем на росомаху.

Но он в любом случае не ждал от Дони ничего особенного. Добивался, в общем, одного — намеревался выяснить, связан ли Дони с тем, что случилось с Бренданом, — оказалось, что связан, — и пошуршать в тех кустах. И это, к добру или к худу, удалось.

Разговор тем не менее взбудоражил Кела и лишил покоя. Упрятывать таких вот ребят, как Дони, было на службе одной из любимых его задач. Эти парни не тоскуют по ружью, лошади или стаду — им все это можно дать, и уже через неделю их подстрелят за жульничество в картах, или за конокрадство, или за изнасилование чужой жены. Пользу им можно принести лишь тем, что упечь за решетку, где они никому, кроме друг дружки, не в силах навредить. Такой возможности у Кела нет, и потому возникает это же ощущение, как тогда в пабе, когда Дони попер на Марта, — странной подвешенности. С Дони надо что-то делать, но обстоятельства не дают понять, что именно.

В конце концов Кел прислушивается к совету Дони и отправляется на рыбалку. Собственный дом от беспокойства кажется тесным и докучливым, тут дохрена всяких дел, а взяться за это не получается. И вообще дома быть не хочется, чтобы Трей, если вдруг у него кончится терпение, не застал его тут, явившись за новостями.

Келу уже не очень интересно, куда девался Брендан. Легавый в нем по-прежнему машинально дергается от мысли о брошенном деле, сулящем еще много печенек, но есть кое-что поважнее: по крайней мере в обозримом будущем Трею необходимо прекратить поиски.

Река сегодня ленива, в ней ходят мускулистые, вязкие на вид буруны. Листья падают на поверхность воды, скользят несколько секунд, и их утаскивает вглубь — ни завитка, ни следа. Кел подумывает, не сказать ли малому, что Брендан кончил здесь — несчастный случай. Можно было бы придумать убедительную историю: Брендан-де подбирал подходящие точки для рыбного туризма по историческим местам или укромные уголки дикой природы для конторской публики, возрождающей в себе первобытного человека, — хотя то или другое малой, нахер, должен был предположить с самого начала.

Может, и проканает. Трей доверяет ему уж как умеет. И хотя малой воспротивится мысли, что Брендан погиб, его порадует, что брат не сбежал намеренно, оставив Трея без единого слова. Порадует его и возможность думать о Брендане как о крепком добропорядочном предпринимателе на заре карьеры. Возможно, он всему этому так обрадуется, что не задумается, зачем Брендану понадобилось брать с собой свои сбережения ради проверки подходящих мест под строительство домиков на деревьях для бухгалтеров — или зачем актуариям лабораторные маски.

Кел никак не сообразит, должен ли он поступить именно так. Вроде бы такое надо понимать тут же, инстинктивно, но он совсем не врубается, правильно это или нет. Это беспокоит его до самых потрохов. Выходит, что на каком-то рубеже он утратил навык поступать правильно — вплоть до того, что правильное даже по виду не распознаёт.

В частности, из-за этого ощущения Кел и ушел с работы. Он связывает это — хоть и знает, что действительность и близко не так проста, — с худосочным черным пацаном по имени Джеремайя Пейтон, который за несколько месяцев до увольнения Кела ограбил, вооружившись ножом, круглосуточный магазинчик и нарушил поручительство. Кел с О'Лири выследили его в доме его девушки, и тут Джеремайя выскочил в окно и дал деру.

Кел и старше О'Лири, и грузнее. Он на три шага отстал, выворачивая из-за угла. Услышал, как О'Лири кричит: "Покажи руки!" — и тут Джеремайя повернулся к ним, одну руку поднимая, вторую опуская, и пистолет у О'Лири выпалил, Джеремайя рухнул ничком на тротуар.

Когда они подбежали к парню, Кел уже вызвал по рации "скорую", но Джеремайя, завидев их рядом, закричал в тротуар:

— Не стреляйте!

Кел заложил ему руки за спину и надел наручники. Кто-то завопил.

— Ты ранен? — спросил Кел Джеремайю.

Тот качнул головой. Кел перевернул его и проверил на всякий случай: крови нет.

— Я промахнулся? — спросил О'Лири. Сделался капустно-зеленым и вспотел так, будто тает. "Глок" все еще был у него в руке.

— Ага, — сказал Кел и следом спросил Джеремайю: — Есть что при тебе?

Джеремайя беззвучно пялился на него. Кел не сразу понял, что парень не в силах разговаривать, — решил, что ему конец.

О'Лири сказал:

— Он полез в карман. Ты же видел, как он полез в карман.

— Я видел, что он опустил руку, — сказал Кел.

— В карман, бля. В карман штанов. Богом клянусь... — О'Лири нагнулся, пыхтя, и полез в карман к Джеремайе. Вытащил оттуда выкидушку. — Я думал, у него там пистолет, — сказал О'Лири. — Вот же мать твою. — Он осел на бордюр, будто ему отказали ноги.

Келу хотелось сесть рядом, но женщина вопила все громче, вокруг начал собираться народ.

— Все будет нормально, — сказал Кел бессмысленно, оставил О'Лири, отменил "скорую" и огородил место поимки.

Кел тогда был уязвим — от него только что ушла Донна. Почти весь предыдущий год он пытался выпутаться в потемках изо всяких осложнений и последствий этих осложнений и не понимал, когда оно кончится. Совершенно не сомневался: О'Лири был уверен, что Джеремайя лезет в карман за пистолетом, чего многим ребятам хватило бы. Но для Кела над и под этим фактом столько других слоев, что не разберешь, важен сам факт или нет. Важно было то, что им с О'Лири полагалось охранять безопасность других людей. Они всегда считали себя хорошими легавыми — теми, кто старается со всеми поступать по-честному. Очень старались, даже когда многие их на дух не выносили, даже когда другие ребята день ото дня вели себя все гнуснее, а некоторые были злыми, как гремучие змеи, с самого начала. Они с О'Лири прошли этот чертов тренинг восприимчивости. Но в итоге так сложилось, что они чуть не убили восемнадцатилетнего пацана. Кел понимал, что это невыразимо скверно — Джеремайя на том тротуаре оказался на волосок от смерти, смотрел на них и ждал гибели, — но сколько бы Кел ни копался в себе, не получалось отыскать точку, в которой удалось бы все сделать правильно. Мог бы остаться сторожить под окном у Джеремайи и не дать ему сбежать, но вряд ли это бы что-то исправило.

Доложил в Отдел служебных расследований, что Джеремайя полез в карман. Послужной список у Кела был хороший, жалоб на него было меньше, чем на большинство других легавых, в ОСР ему верили. Может, это и правда — Кел так считает, он думает, что, наверное, именно это О'Лири и видел. Но неизменно вот что: он сказал так в ОСР не потому, что считал это правильным. Сказал, потому что знал: все вокруг считают, что это правильно, — а сам-то понятия не имел. Кела так оглушило саранчовое стрекотание гнева, неправоты и последствий, что он перестал слышать ровный пульс собственного кодекса и обнаружил, что вынужден обращаться за подсказкой к другим людям, а это само по себе было фундаментальным и непростительным нарушением Келова кодекса.

Когда подал заявление об уходе и сержант спросил его о причинах, Кел о Джеремайе не заикнулся. Сержант решил бы, что у Кела поехала его достославная крыша, раз он распсиховался насчет случая, в котором никто увечий не получил, если не считать ссадин на коленках. Кел не смог бы объяснить, что дело не в том, что он больше не в силах нести службу. Дело в том, что либо ему, либо службе нельзя доверять.

Из своего нескончаемого своенравия река решила сегодня быть обаятельной. Окуни мелки, но всего за полчаса Кел ловит их столько, что хватит на добрый ужин. Продолжает рыбачить — даже после того, как холод пробирается внутрь и ноет у него в суставах, от чего Кел чувствует себя стариком. Собирает снаряжение, только когда свет в ветвях начинает тускнеть и сжиматься и вода от этого делается зелено-черной и насупленной. Возвращаться сегодня домой впотьмах Келу не хочется.

Шагая по тропинке к себе, он видит Марта у своей калитки, тот глядит через дорогу на разросшуюся изгородь и поля, где тут и там лежат рулоны сена, смотрит на золото небес. Тонкая кудель дыма сочится у него изо рта и плывет над дорогой. Рядом с ним Коджак выкусывает из шерсти блоху.

Кел подходит ближе, Март поворачивает голову и бросает окурок себе под сапог.

— А вот и наш смелый охотник, — лыбясь, говорит он. — Как добыча?

— Стая окуней, — говорит Кел, поднимая мешок с уловом. — Хочешь?

Март отмахивается.

— Не йим я рыбу. У меня от ней депрессия. Каждую пятницу у нас она всю жизнь бывала, пока матушка не преставилась. Йил ее столько, что до гроба хватит.

— Мне оно так должно быть с мамалыгой, — говорит Кел. — Но нет. Я б мамалыгу ел хоть каждый день и два раза в воскресенье, если б дали.

— А это что, блить, за мамалыга такая? — интересуется Март. — Какую фильму ни возьми, везде ковбои ее едят, но никто не снисходит объяснить, что это такое. Манка это, что ли, или какое вообще?

— Из кукурузной муки делается, — поясняет Кел. — Варишь и подаешь с чем нравится. Лично мое любимое — мамалыга с креветками. Если разживусь, приглашу тебя попробовать.

— Норин бы заказала такое спецом для тебя. Если ты ей блюзца закатишь.

— Может быть, — говорит Кел. На ум приходит, как Белинда сегодня поздоровалась с ним в окошко. Вряд ли Норин сейчас в настроении заказывать спецом для него что бы то ни было.

— Ты мне тут, что ли, ностальгию развел, братец? — спрашивает Март, пристально вглядываясь в него. — Я на тебя двадцать фунтов поставил в "Шоне Оге", что ты тут задержишься не меньше чем на год. Не подводи меня.

— Я никуда не собираюсь съезжать, — говорит Кел. — С кем поспорил?

— Не твоя печаль. Они все там орава старых дураков, хорошую ставку не учуют, даже если она их стукнет.

— Может, мне самому стоит чуток поставить на себя же, — говорит Кел. — Какие у меня шансы?

— Не бери в голову. Если поможешь мне выиграть, я тебе немножко отсыплю.

— Выглядишь хорошо, — говорит Кел. Это правда. Март, может, не шибко свеж, но бодрость и движения сейчас даются ему без тех усилий, каких ему все это стоило в последние дни. Свое присутствие у калитки Кела он, похоже, объяснять не собирается. — Отоспался для красоты в этот раз?

— Ох батюшки, это да. Дрых без просыпу. Что бы там за хренотень ни была, больше она никому мешать спать не будет. — Март тыкает в пакет с уловом клюкой. — Молодец ты. Что будешь делать с тем, что сам не съешь?

— Да вот думаю, — говорит Кел. — В морозилку ко мне не поместится. Знай я, как найти Малахи, дал бы ему — за радости той ночи.

Март обдумывает это, кивает.

— Может, и неплохая мысль. Малахи, правда, в горах живет. Ты его не найдешь. Отдай мне, я прослежу, чтоб ему доставили.

Март с Коджаком идут с Келом к его дому, чтобы получить пакет с рыбой, но внутрь не заходят. Март опирается плечом о косяк раскрытой двери — угловатый очерк, подсвеченный закатом. Коджак оседает у его ног.

— Особняк смотрится хорошо, — говорит Март, оглядывая гостиную.

— Долгая работа, — говорит Кел. — Много еще надо успеть доделать, пока зима не заявилась.

— Ты, я гляжу, себе подмастерье завел, — говорит Март, наклоняясь и вынимая веточку у Коджака из шерсти. — Это чуток ускорит дело.

— В смысле?

— Трей Редди тебе помогает.

Кел ждал этого не одну неделю, но совпадение по времени занятное.

— Ага, — говорит он, отыскивая в буфете большой пакет-струну. — Ребенок искал работу, ну я и прикинул, что мне не помешает.

— Я тебя не предупреждал разве насчет Редди? — укоризненно спрашивает Март. — Вахлачье. Подметки на ходу режут и тебе же назавтра продают.

— Предупреждал, — соглашается Кел. — Я ж не знал, какая у малявки фамилия, так и не сразу понял, кто это. И у меня вроде ничего не пропало.

— Следи за инструментами. Их можно загнать за пару фунтов.

Кел лезет в морозилку за ледницей.

— По-моему, вполне нормальный пацан. Этого хватит, чтоб рыба дождалась Малахи?

Март переспрашивает:

— Пацан?

— Трей.

— Трей Редди — девчонка. Ты не просек, что ли, братец?

Кел резко выпрямляется, ледница в руках, глаза нараспашку.

Марта пробивает на смех.

— Ты гонишь? — Март качает головой. Говорить он не в силах. Ржет так, что складывается пополам, стучит клюкой по полу. — Трей, бля, — *мужское* имя.

От Келова возмущения Март гогочет еще пуще.

— Краткое от "Терезы", — с трудом выдает он сквозь смех. — Ты б поглядел на себя!

— Откуда мне было знать?

— Боже святый, — выговаривает Март, выпрямляясь и вытирая глаза костяшками пальцев, все еще хихикая. Судя по всему, ничего смешнее с ним не приключалось много недель подряд. — Тогда все понятно. А я-то голову ломаю, какого черта-дьявола тебе надо — девчоночку при себе держать, а ты, оказывается, ни ухом ни рылом, что она вообще девчонка. Куда там нахер Банахер*, ну?

— Малой *похож* на мальчишку. Одеждой. Стрижкой, бля.

— Я б решил, что она, может, лесбиянка, — говорит Март, прикидывая возможности. — Подходящее время выбрала для этого, уж всяко, если так. Замуж может и все такое, теперь-то.

— Ага, — произносит Кел. — Везет.

— Я за это голосовал, — уведомляет его Март. — Священник в городе грозился на мессе, что отлучит любого, кто проголосует за, но я его слушать не стал. Хотел посмотреть, что дальше будет.

— Понятно. — Кел расслабляет голос. — И что же было дальше? — Первоначальное потрясение прошло, и ему не хочется показывать Марту, до чего сильно злится он на Трей. Более того, Кел даже не вполне понимает, почему так злится, если учесть, что Трей никогда и не говорила, что она мальчик, — но злится Кел все равно.

— Да мало что, — признает Март с некоторым сожалением. — В этих местах уж точно. Может, в Дублине геи бросились жениться и в мать, и в душу, а у нас тут я про такое не слыхал.

— Вот поди ж ты, — замечает Кел. Марта он слышит лишь отчасти. — Почем зря достал священника.

— Да нахуй его. Старый брехун, привык свое гнуть. Никогда он мне не нравился, башка как у Джаббы Хатта. Здоровее оно, когда мужики с мужиками живут, как-никак. Головы друг дружке не морочат. Пусть и женятся, раз уж на то пошло, чего мелочиться.

* Существует несколько версий происхождения этого фразеологизма, но все так или иначе связаны с древним ирландским городком Банахер в графстве Оффали.

— Не помешает, — говорит Кел. Выстукивает ледницу о кухонную стойку, забрасывает кубики льда в пакет.

Март наблюдает за ним.

— Если Трей Редди у тебя не ворует, — говорит он, — тогда чего ей от тебя надо? Редди эти, им же вечно чего-то надо.

— Плотницкому делу поучиться, — говорит Кел. — Оплаты не просил... не просила. Я подумывал, не дать ли ей пару дубов, но не уверен, что она это воспримет правильно. Что скажешь?

— Редди от денег никогда не откажется, — говорит Март. — Но ты гляди в оба все же. Незачем ей думать, будто ты рохля. Ты ей позволишь и дальше приходить, раз теперь знаешь, что она девица?

Ни за что на белом этом свете Кел не дал бы девочке болтаться у него во дворе — какое там в доме.

— Еще не успел про это подумать, — говорит.

— Зачем она тебе тут? Не надо мне про то, что тебе нужна помощь с этим клятым бюро.

— Она толковая. И мне веселее.

— Да уж конечно, с этим ребенком тебе веселее? Со стулом с ентим у тебя разговоров будет больше, чем с ней. Хоть два слова ты от нее слыхал?

— Не болтунья она, это да, — говорит Кел. — Время от времени сообщает, что проголодалась.

— Шли ее куда подальше, — наставляет Март. В голосе у него решительность, от какой Кел вскидывает взгляд. — Дай пару фунтов и скажи, что она тебе тут больше не нужна.

Кел открывает пакет с уловом и вылавливает пару окуней.

— Может, так и сделаю, — говорит. — Сколько Малахи съест? У него семья?

Март бьет по двери клюкой, резкий удар ошеломительно громко разлетается отзвуком в полупустой комнате.

— Слушай сюда, дядя. Я о тебе пекусь. Если здесь узнают, что Тереза Редди ошивается у тебя, пойдут разговоры. Я-то им объясню, что ты дельный человек и думал, что она парнишка, но сколько уж они меня будут слушать. Не хочу я, чтоб тебе всыпали — или подпалили тебя тут.

Кел говорит:

— Ты мне сказал, что можно не брать в голову местную преступность.

— Правильно. Если только ты сам не напрашиваешься.

— Боишься проиграть свои двадцать дубов? — уточняет Кел, но Март не улыбается.

— Ты о ребенке подумал? Хочешь, чтоб в округе болтали о ней так, как станут, если узнают?

Об этом Кел не задумался.

— Она просто ребенок, осваивает навыки, — говорит он старательно ровным голосом. — Вот и все. Если каким-то тупым уродам хочется, чтобы она ошивалась по улицам и хулиганила...

— Ошиваться по улицам она будет так и так, коли ты не образумишься. Они ее выловят еще до Рождества. Куда она подастся, как думаешь?

— И все это за то, что починила бюро да кролика зажарила? Какого ж хера...

— У меня от тебя давление будет как пить дать, — говорит Март. — Богом клянусь. Или сердцебиение. Вы, янки, слушать научитесь вообще хоть иногда, чтоб всем вокруг, бля, жилось спокойней?

— Вот, — говорит Кел, вручая ему пакет-струну. — С наилучшими пожеланиями Малахи.

Март забирает пакет, но не уходит.

— За всю эту хрень с браками я голосовал еще по одной причине, — говорит он. — У меня брат был гей. Не Шемас, который со мной жил, другой. Эмонн. Когда мы были молодыми, такое по закону запрещалось. Он в итоге уехал в Америку из-за этого. Я его спрашивал, чего он в священники не пойдет. Уж эти-то творят что хотят, и никто им козу не покажет; я б решил, половина друг друга в зад катает. Но Эмонн ни в какую. На дух их не выносил. Ну и уехал. Тридцать лет назад. Ни слуху ни духу от него с тех пор.

— Фейсбук пробовал? — спрашивает Кел, не вполне понимая, к чему все это.

— Пробовал. Там несколько Эмоннов Лавинов. У одного ни фотокарточки, ничего, ну я послал ему сообщение на всякий случай. Все равно не ответил. — Коджак обнюхивает пакет. Март ладонью отводит его нос в сторону. — Я думал, может, если геям разрешат жениться, он вернется домой, если еще жив. Но нет.

— Может, еще вернется, — говорит Кел. — Кто знает.

— Не вернется, — говорит Март. — Я ошибался. Дело не в законе. — Глядит на поля, в розовое небо. — Трудное оно, место енто. Лучшее место на свете, и меня отсюда за ноги не оттащишь. Но неласковое. И если Тереза Редди этого пока не смекает, скоро поймет.

16

То одно, то другое, и за всем этим Кел отвлекся от кое-чего привычного — например, от грачей, от своих ежедневных прогулок по окрестностям, да и от бюро. Открыв глаза утром — свежим в резком осеннем солнце, таким холодным, что студит нёбо при каждом вдохе, — он прикидывает, что пора бы уже ко всему этому вернуться. Как раз побудет на улице — а именно там он хочет находиться, когда явится Трей. И надо согнать ум с пыльной сыскной тропы на приятную и живописную, где тот с удовольствием обретался, пока на ней вдруг не возник этот ребенок.

Начинает с того, что гуляет, пока не принимаются гудеть ноги. Затем решает заняться грачами — они уже достаточно давно за ним наблюдают и вроде бы должны привыкнуть. У Алиссы была книжка про детей, умевших всякое удивительное, там, в частности, одна маленькая девочка дружила с вороной. В книге имелись фотографии подарков, которые ворона носила девочке: конфетные обертки, автомобильные ключи, сломанные сережки и фигурки “Лего”. Алисса месяцы напролет пыталась наладить отношения с соседскими голубями, но те, по мнению Кела, оказались слишком бестолковые, и Алисса была для них скорее причудливой кормушкой, нежели живым существом. Келу очень хотелось послать ей снимок грачей, приносящих ему подарки.

Он высыпает на пень горстку клубничин, а затем выкладывает из них тропку от пня к заднему крыльцу, садится там и ждет. Грачи сыплются со своего дерева, препираются над угощеньем на пне, подбираются к середине тропы, где, поглядев на Кела, дружно закатывают глаза и устремляются по своим делам.

Кел пытается отыскать в себе терпение, но оно, похоже, куда-то подевалось, да и на крыльце холодно. Выжидает он явно меньше нужного, но решает, что достали они, грачи эти, и уходит в дом за бюро и инструментами. Когда возвращается на улицу, ни единой клубнички не осталось, а грачи уже сидят на своем дереве и хохочут над ним как ненормальные.

Бюро все еще нужно отчищать от белой краски — там, где та хитро затекла в щели, и Трей в той своей истерике сломала одну полочку. Высвобождать сломанное кажется слишком муторным, Кел принимается оттирать краску зубной щеткой и мыльной водой из чашки, но эта работа почти сразу выводит его из себя. Вчера ни капли выпивки, а ощущение как с похмелья — тяжкое, колючее неприятие всего вокруг. Хочется, чтобы сегодняшний день закончился поскорее.

Бросает возиться с краской, выламывает полочку и вырисовывает ее контуры на свежей деревяшке. Почти готово — и тут доносится шорох ног по траве.

Ребенок на вид тот же, что и обычно, — паршивенькая парка и непоколебимый взгляд. Не видит Кел в этом девчонку. Вроде бы есть там какая-то грудь, но у него и раньше-то не было возможности разглядеть, а теперь он и подавно не собирается этим заниматься. До Кела доходит, что злится он на Трей, в частности, потому, что желал бы, чтоб хоть кто-то в этих клятых местах был тем, кем кажется.

— Только из школы, — извещает его она.

— Поздравляю, — говорит Кел. — Восхищен.

Ребенок не улыбается.

— С Дони говорили?

— Иди-ка сюда, — говорит Кел. — Давай-ка починим вот это. Пилить будешь?

Трей некоторое время не двигается, смотрит на него. Затем кивает и подбирается ближе.

Ей понятно: Кел собирается сказать то, что она не хочет слышать. Она б ни за что не попросила сжалиться над ней и подарить еще несколько минут без этих знаний, но принимает, когда он сует их ей в руку. Ее стоицизм, полный и безоглядный, как у животного, ослепляет Кела.

Хочется передумать. Но каким бы говенным ни был его план, любой другой кажется еще хуже. Вот такая неспособность предложить этому тщедушному и неустрашимому ребенку хоть одно хорошее решение кажется Келу громадным непоправимым изъяном его натуры.

Вручает ей ножовку и отступает, чтобы она могла занять место у стола.

— После школы удалось перекусить?

— Не-а, — говорит Трей, прищуриваясь на линию спила.

Кел уходит в дом и возвращается с сэндвичем с арахисовым маслом, яблоком и стаканом молока.

— Скажи волшебное слово, — машинально говорит он.

— Ага. Спасибо. — Малявка плюхается на траву, скрестив ноги, и набрасывается на сэндвич так, будто весь день не ела.

Кел принимается за потеки краски. Не желает он говорить то, что собрался. Лучше б остался этот день безмятежным, пусть катится неспешным своим ходом по свежевспаханным полям, в ритме их с Трей работы, западного ветра и низкого осеннего солнца — вплоть до того, когда наступит миг все разрушить.

Но, помимо теории Марта, есть еще пара причин, почему Келу ясно возможное нежелание Трей походить на девчонку. Если кто-то творит с ней что-то нехорошее, свой план Келу предстоит переменить.

— У меня на тебя зуб, — говорит он.

Трей жует, смотрит непонимающе. Не разобрать, то ли не догадывается, то ли просто впервые слышит такое выражение.

— Ты не говорила, что ты девочка.

Малявка отводит сэндвич ото рта, по глазам видно, как заметались мысли. Она пытается прочесть его лицо — что он хочет сказать. Впервые за долгое время Трей изготавливается бежать.

Говорит:

— Я не говорила, что я мальчик.

— Ты знала, что я так считал.

— Подумаешь.

Мышцы у нее все еще напружинены к побегу. Кел говорит:

— Боишься, что я тебя обижу?

— Злитесь?

— Не злюсь, — отвечает Кел. — Я просто не в восторге от сюрпризов. Тебе кто-то что-то плохое делал, потому что ты девочка?

Трей хмурится.

— Типа как?

— Типа как угодно. Чтоб тебе хотелось вести себя как мальчик.

Он пристально высматривает хоть мельчайшее напряжение или отстранение, но малявка просто качает головой.

— Не-а. Папка, он с нами, с девчонками, полегче был.

Она понятия не имеет, к чему он клонит. Кела затопляет облегчение, а вслед облегчению возникает нечто более шипастое и трудноопределимое. Малявку спасать не от чего, и нет поводов менять замысел.

— Что ж, — говорит он, — хватит таращиться на меня, будто я в тебя щеткой зубной брошу.

— А как узнали? Кто-то сказал?

— Чего стрижка такая?

Трей проводит рукой по голове, проверяет, словно ожидая найти листок или еще что-то.

— А?

— Под машинку. Смотришься как мальчишка.

— Вши были. Мамке пришлось сбрить.

— Круто. До сих пор вши?

— Не. В прошлом году.

— А чего тогда коротко до сих пор?

— Возни меньше.

Кел все еще пытается высмотреть девочку поверх уже привычного мальчика.

— А раньше как было?

Трей подносит ладонь примерно к ключице. Кел не в силах вообразить.

— Когда я в школу ходил, дети проходу девчонке б не дали с такой стрижкой. А ты как?

Малявка последовательно жмет плечами, кривится и закатывает глаза, что означает “тоже мне беда”, насколько Кел может понять.

— Ко мне обычно не лезут. Птушта я отметелила Брайена Карни.

— Чего это?

Трей еще раз пожимает плечами. На сей раз жест означает, что в это незачем вдаваться. Чуть погодя бросает, глядя на Кела исподлобья:

— А вам не все равно?

— Что ты побила Брайена Как-его-там? Зависит от того — почему. Иногда ничего не остается, только поставить человека на место.

— Что я девчонка.

— В твоем возрасте малявка есть малявка, — отвечает Кел. — Какого сорта, особой разницы нету. — Он бы мечтал, чтоб так оно и было.

Трей кивает и возвращается к еде. Не разберешь, закрыли они эту тему или нет. Чуть погодя Трей говорит:

— У вас дети есть?

— Один.

— Сын или дочка?

— Дочка. Взрослая.

— А мамка ее где? Вы не были женаты?

— Были. Но уже нет.

Трей, жуя, осмысляет сказанное.

— Чего это? Вы шмарогон, как ваш папка?

— Не.

— Колотили ее?

— Нет. И пальцем не тронул ни разу.

— А чего тогда?

— Малая, — говорит Кел, — я понятия не имею.

Трей скептически сводит брови, но помалкивает. Отгрызает кусок от яблока, засовывает в остаток сэндвича и пробует это сочетание — с неоднозначным результатом, судя по ее лицу. От того, каким дитем она иногда кажется, Кел размягчается до костей.

Трей говорит:

— Ваша дочка знает, что вы здесь?

— Конечно. Разговариваем с ней каждую неделю.

— Бюро для нее?

— Не, — отвечает Кел. — У нее свое жилье, своя мебель. Бюро тут останется.

Трей кивает. Доедает яблоко, резким движением забрасывает огрызок подальше в сад, грачам. Затем вытирает руки о джинсы и вновь принимается пилить.

Звуки их работы уравновешивают друг друга, и вот так она могла бы длиться вечно. Стрижи прорезают и рассекают холодное синее небо, а отлученные от матерей ягнята взывают друг к дружке дрожкими трелями. Вдали по владениям Лопуха Ганнона терпеливо бродит туда-сюда красный трактор, на таком расстоянии махонький, как жук, позади стелется широкая полоса темной перевернутой земли.

Кел оставляет им времени как можно больше. Трей выпиливает полочку, примеряет и проверяет, обстругивает и выглаживает, прищуривается и снова примеряет. Кел трет щели, вытирает их, скребет лезвием, где необходимо. Наконец Трей удовлетворяется и берется шкурить.

Свет начинает сгущаться, золотой, ложится через поля, словно мед. Надо брать быка за рога.

— Я поговорил с Дони, — сообщает он, слыша, как слова расщепляют что-то — как дерево.

Плечи у Трей мгновенно каменеют. Осторожно откладывает полочку и наждачку и поворачивается к Келу.

— Ага.

Кел видит белки ее глаз и трепет ноздрей при дыхании. Знает, что сердце у нее несется, как сбежавшая лошадь.

— Новости не плохие. Лады?

Она тяжко выдыхает. Утирает тылом ладони рот.

— Лады.

Она такая же жутко бледная, как в тот день, когда подстрелила кролика.

— Присесть не хочешь поудобней? — спрашивает Кел. — История длинная.

— Не.

— Дело твое, — говорит Кел. Сметает пыль от краски с бюро и облокачивается на него, двигаясь неспешно и непринужденно, как держался бы рядом с напуганным зверьком; так он вел себя первые пару раз, когда малявка начала приходить, всего несколько недель назад. — Для начала: ты хотела узнать, чего это я рвался потолковать с Дони. Ход мыслей у меня был такой. Брендан собирался использовать тот домик, чтобы прилично зарабатывать. Замышлял что-то мутное, иначе сказал бы тебе. А значит, ему надо было общаться с людьми, у кого есть мутные связи. Такие люди в этих краях — только ребята из Дублина, которые наркотой торгуют. И я видел, как Дони с ними в пабе тусуется.

Трей кивает — одиночный напряженный дерг. Слушает внимательно. Все еще бледная, но жути в глазах уже нет.

— Вот я и навестил Дони. Я знал, да ты и сама говорила, что вываливать всю историю чужаку он не захочет, а уж раз даже ты слышала, что я в прошлом легавый, значит, и он слыхал то же самое. Но мы в итоге пришли с ним к взаимопониманию.

— Вы его поколотили?

— Не. Незачем. Дони достаточно повидать разок, и сразу ясно, что он рыба не крупная. Он просто дешевка, задницы крутым пацанам лижет и боится их до усрачки все время. Достаточно было показать, будто я знаю гораздо больше, чем на самом деле, и втолковать, что если он мне пробелы не заполнит, я озабочусь уведомить его городских друзей, что он болтал с легавым.

Трей явно одобряет такой подход.

— И он разговорился?

— Запел, как птичка, — говорит Кел. — Дони на преступного гения не тянет, но что-то усек, вероятно, неправильно, — хотя, думаю, все основное усек. Короче, вот что он говорит. Помнишь ту хренотень в схроне у Брендана? — Трей резко кивает. — Люди иногда обзаводятся тем, чего лучше при себе не иметь. Затем они это продают дальше.

— Брендан не вор.

— Заткнись и слушай, малая. Я и не говорю, что он вор. А говорю я, что иногда людям нужно время, чтоб найти покупателя. А пока они ищут, нужно товар хранить где-то. В безопасном месте, не на виду у других, чтоб никто на это по ошибке не налетел и чтоб легавые не нашли, если не знают, где именно искать. Если эти пацаны находят подходящее место, которое держит кто-то надежный, кто их добро сбережет, они готовы платить приличную аренду.

— Типа склада.

— Ага. Точно. И вот такое место, как тут, недалеко от границы, — первоклассный вариант. Брендан просек нишу в рынке и понял, что его схрон — то что надо под эту нишу. Просто навести там порядок и выйти на связь с людьми, которым бы это место пригодилось. — Трей оценивает. Судя по всему, такая разновидность мутных дел в ее представления о Брендане вписывается. — Вот Брендан и привел то место в порядок. Может, даже кто-то из местных понемножку им пользовался, но они оказались слишком мелкими для него и потому бесполезными. Ему нужна была рыба покрупнее.

— Ребятки из Дублина, — произносит Трей.

— Тут Дони стал чуточку невнятным, — продолжает Кел. — Кто ж доложит такому обалдую больше необходимого? Ему дали знать об общей сути того, что случилось. Брендан, по его словам, выждал, пока дублинские ребятки появятся в городе, и попросил их познакомить его с теми, кому могут быть интересны его услуги. Интересно им стало, но они там слегка не договорились насчет Бренданова предприятия. Кто-то счел, что Брендан — это их актив, а кто-то — что скорее обуза. Из того, что я понял, они собирались мутить что-то свое там же в горах и не захотели, чтоб Брендан и его клиенты привлекали внимание полиции.

— Такие ребята... — произносит Трей. Осекается.

— Ага, — говорит Кел. — Таких ребят лучше не бесить. Брендану б надо было учесть это, но, сдается мне, он склонен был увлекаться и забывать учитывать чужие реакции. Как оно, сходится у тебя?

Трей кивает. Кел полночи выглаживал края у этой истории и рассматривал ее под всеми углами, чтоб она не рассыпалась и включала в себя все фрагменты, какими владеет Трей. Кое-где есть мелкие бреши, но ни под каким давлением история не развалится. Правды в ней достаточно, ее клея хватит. Есть даже вероятность — и вот это будет отвал башки, — что с минимальными поправками эта сомнительная история случайно окажется истинной.

— Короче, — говорит он, — Брендан назначил с ними встречу, собираясь заплатить им за подборку телефонных номеров, и все останутся довольны. Но когда встреча подошла, те, кто считал Брендана обузой, задавили остальных. Велели ему убираться из города и носа сюда не казать.

— Просто велели ему уехать, — говорит Трей. Дышит она быстро и поверхностно. — Они его не забрали? Точняк?

— Не. Зачем им? Они от него хотели одного: чтоб свалил, так он и свалил — очень шустро. Не дожидаться второго приглашения ему мозгов хватило.

— И вот почему он уехал. А не потому что хотел.

— Именно, — говорит Кел. — У него выбора не было.

Трей тяжко выдыхает, взгляд мечется с места на место. Мысль о том, что Брендан ушел, не сказав ни слова, потому что захотел так, ела ее поедом не один месяц. Теперь этой мысли не стало, но Трей не в силах еще осознать эту возникшую ясную пустоту.

Кел оставляет девчонку в покое. Через минуту она спрашивает:

— И куда он уехал?

— Дони сам толком не знает. Думает, что в Шотландию или куда-то типа. Говорит, денег те парни с него никаких не взяли, а значит, ему хватило, чтоб куда-то добраться и осесть. И если соображает, что делает, сюда он не скоро вернется.

Трей говорит, сильно напирая на слова:

— Но он жив.

— Насколько известно. Гарантий никаких — может, упал с парома по дороге или его машина сбила, как кого угодно. Но поводов так думать пока нету.

— Чего ж он тогда не позвонил? Хоть разок, чтоб мы знали, что у него все нормально?

Вопрос прет из нее против ее воли. Это второе, что грызло ее до костей. Ей хотелось, чтобы Брендана похитили, потому что это можно исправить.

— Те ребятки довольно-таки стремные, — осторожно говорит Кел. — По моим догадкам, Брендан знает тебя неплохо и решил: унюхай ты, что происходит, ты б попыталась так все устроить, чтобы он смог вернуться домой. А это все только испортило бы. И для него, и для тебя. Он же тебя защищал, верно?

— Ага. Защищал.

— Тут то же самое. Если хочешь его защитить, лучше всего сейчас довериться ему и вести себя так, как он бы хотел. Охолони, держи рот на замке и занимайся своими делами, пока он не разберется, как вернуться домой безопасно.

Трей смотрит на него еще одну долгую минуту. Затем произносит:

— Спасибо. — Поворачивается к бюро и продолжает шкурить, очень прилежно и тщательно.

Кел берется за зубную щетку и мыльную воду, хотя бюро уже отмыто чище некуда. Трей не произносит больше ни слова, помалкивает и Кел. Когда малявка приносит готовую полочку, горы на их стороне потемнели, громадная тень наползает по полям все ближе.

Все кромки выглажены, как бумага. Кел выдает Трей молоток, она осторожно заколачивает полочку на место — стук с одной стороны, стук с другой. Выпрямляется, смотрит на Кела.

— Молодец, — говорит он. — Отличная работа. Теперь иди домой давай.

Трей кивает, отряхивает руки о джинсы.

— Ну что. Ответы свои ты получила, ближе я не подберусь. Рад, что смог помочь. — Протягивает руку.

Малявка смотрит на его ладонь, затем в лицо Келу, растеряна.

— Дело закрыто, малая, — говорит Кел. — Надеюсь, твой брат рано или поздно вернется, когда все уляжется. Увидимся у Норин, если она тебя на порог продолжит пускать.

Трей говорит:

— Я все равно приду. Доделать. — Дергает подбородком на бюро.

— Не, — произносит Кел. — Ничего личного. Ты рукастая, и с тобой вместе нормально, но я сюда приехал, чтоб ни с кем вместе не быть.

Малявка не сводит с него взгляда, потрясенная, лицо не выражает ничего. Горюя глубоко и изнурительно, Кел осознаёт, что хочет упасть на колени и зарыться лбом в прохладную траву — понятно же, как сильно Трей хочет сюда приходить.

Он уже знает из собственного опыта, что происходит, если попытаться заставить Трей Редди отказаться от чего-то желанного ее сердцу. Выход у Кела один: сделать так, чтобы она сама пожелала никогда сюда не возвращаться.

Если она сама не осознаёт, что люди скажут, заставить себя объяснить ей он не в силах. Говорит так:

— Ты хотела, чтоб я выяснил, что случилось с твоим братом. Я выяснил. Чего тебе еще от меня надо?

Трей продолжает на него смотреть. Кажется, будто что-то сейчас скажет, но слов не возникает.

Кел подпускает ехидную ухмылку.

— А, — говорит он, — меня предупреждали насчет Редди и денег. Тебе этого надо? Плату за работу? Птушта я б мог выдать дубов пятьдесят-шестьдесят, но если подумываешь, не взять ли то, что тебе полагается, когда я не смотрю...

На миг он допускает, что она вновь накинется на бюро — или на него самого. Готов и к тому и к другому. Пусть разнесет бюро в щепки, если нужно. Он даже отступает, чтоб она могла прицелиться. Но Трей сплевывает, стремительно и злобно, как нападающая гремучая змея, ему под ноги. Плевок шлепается ему на ботинок. На этом она разворачивается и шагает прочь к дороге, быстро и одеревенело.

Кел выжидает минуту, после чего идет к калитке. Трей уже далеко, движется между кляксами света и тени, пятнающими дорогу, пригибает голову, руки глубоко в карманах. Кел наблюдает за ней, пока она не достигает подъема, где оказывается в яркой ряби солнца и ветвей изгороди, а потом еще долго после. Тишь да гладь.

Он заносит в дом инструменты, стол и, наконец, бюро. Ставит его в свободную комнату, где оно не будет мозолить ему глаза. Хотелось бы ему доделать эту работу с Трей и лишь потом выгонять ее.

Может, стоит приготовить остаток вчерашних окуней на ужин, но Кел берет пиво и выходит с ним на заднее крыльцо. На востоке небо делается все глубже, становится лавандовым; под ним замер красный трактор, брошенный посреди борозды. Вспашка добавляет запахам в воздухе еще один слой — насыщеннее, темнее, он полнится чем-то сокрытым.

"Видишь? — мысленно говорит он Донне. — Я способен забросить дело, если так правильнее". Донна, отказываясь смилостивиться даже в воображении, возводит очи горе и люто фыркает в небо.

Кел сказал Трей правду, он действительно не знает, почему они с Донной расстались. Насколько сам он понимает, расклад таков: на Алиссу, когда та училась на первом курсе в колледже, напали и довольно сильно избили, а через два года Донна его бросила, и между этими событиями явно имелась какая-то связь, но Кел слишком бестолков, чтобы ее понять.

В свое время никаких признаков того, что первое приведет ко второму, не проявлялось. Они с Донной вылетели в Сиэтл так поспешно, что оказались там, не успела еще Алисса прийти в себя после операции на сломанной плечевой кости. Как только Кел удостоверился, что с Алиссой все в порядке, он оставил Донну сидеть с дочерью, а сам отправился к начальнику полиции. Он совершенно точно знал, каков приоритет у случайного нападения, но нападение на дочь легавого — совсем другое дело, а дочь легавого, заявившегося к начальнику полиции лично, — тем более. В последующие две недели Кел изводил того начальника вежливо, но неотступно, пока они не отсмотрели все снятое камерами наблюдения в радиусе квартала. Это дало им парочку зернистых снимков нападавшего, с которыми Кел и ребята начальника работали, — бывали дни, когда Кел выкладывался двадцать часов подряд, — пока не отыскали плюгавого рыжего наркушу по имени Лайл, у которого в кармане все еще болталась Алиссина кредитка.

Когда Кел уведомил об этом Алиссу, та все еще была слишком потрясена и потому никакого облегчения не выказала, просто глянула на отца и отвернулась. Кел все понимал: он надеялся ее порадовать, но повидал достаточно жертв преступлений, чтобы знать, что травма придает чувствам очертания, каких никак не ждешь.

Далее некоторое время они с Донной были в основном заняты тем, что волновались за Алиссу. После первых двух недель она не позволила им остаться с собой и домой возвращаться не захотела, а потому беспокоиться им пришлось издали. Из-за нападения зеркало ее ума пошло трещинами, и пусть осколки все на своих местах, оно уже не цело. Кел так и не понял, от физических увечий это случилось или от того, что́ Лайл грозился сделать с Алиссой, — она пыталась его уговорить, наладить с ним связь как человек с человеком, а Лайлу это пришлось не по душе. Так или иначе, она едва выбиралась из постели — какое там учиться, или тусоваться с друзьями, или заниматься любыми другими своими делами.

Впрочем, постепенно все склеилось. Она возвратилась к учебе. Однажды даже рассмеялась по телефону. Через несколько недель, когда Кел позвонил рассказать ей, что Лайла признали виновным, она была в баре с Беном. Кел понимал, что трещины еще не исчезли и все хрупко, но понимал и то, до чего сильна в здоровых молодых созданиях тяга к жизни. Как умел, он полагался на это.

Когда Донна начала наезжать на него, Кел поначалу списал это по той же статье: теперь, когда возникла такая возможность, поперла отсроченная травма. Наезды, о которых идет речь, исходно представляли собой некую невнятную картечь гнева, но постепенно Донна придала своим мыслям отчетливость, и речь пошла о том, как все сложилось в Сиэтле, а еще точнее — о том, что Кел почти все время занимался поимкой Лайла. Донна, судя по всему, считала, что Келу следовало быть с Алиссой у нее в квартире — вместе с Донной, Беном, Алиссиными соседками и прочими друзьями, кто оказывал Алиссе моральную поддержку и приносил сплетни и фиготень с семенами чиа.

— Что мне было там делать?

— Разговаривать с ней. Обнимать ее. Да, нахер, просто сидеть рядом. Что угодно лучше, чем ничего.

— Я не бездельничал. Я пошел и поймал того парня. Без меня они бы...

— Да ей не требовалось, чтоб ты там где-то был легавым. Ты ей нужен был как отец.

— Да зачем я ей там? — растерянно сказал Кел. — У нее была ты.

— Ты у нее спрашивал? — рявкнула Донна, всплеснув руками и вскинув брови. — Ты вообще *спрашивал*?

Нет, не спрашивал. Ему казалось очевидным, что в такое время ребенку нужна мама, что с разговорами и объятиями Донна справится лучше, чем он. Кел отправился на поиски и принес Алиссе лучшее из того, что мог предложить, — завшивленный скальп Лайла. Келу это пустяками не казалось. Без его усилий Лайл бы до сих пор болтался по улицам, и всякий раз, выходя из дома, Алисса ожидала бы его за каждым углом. А теперь лет семь-десять она могла гулять без опаски.

Так или иначе, это сперва не казалось поводом для развода. Но в последующие месяцы оно привело их с Донной — чередой скачков и рывков, которые Кел в свое время едва успевал отслеживать, — в места куда темнее и гаже. Они ссорились часы напролет, до глубокой ночи, даже после того, как Кел напивался или уставал до такой степени, что переставал понимать, из-за чего они ссорятся. В конце концов Донна разъярилась так, что ушла от него, и это потрясло Кела до глубины души. За их совместную жизнь он на Донну сердился будь здоров, но ни разу настолько, чтобы ему пришло в голову все бросить.

Из тех ссор он извлек с какой-никакой ясностью лишь одно: Донна была уверена, что Кел был бы лучшим мужем и лучшим отцом, если б не служил легавым. Кел считал это херней на постном масле, но оказалось, что тем не менее готов как-то с этим разбираться. Свои двадцать пять он отработал, Алисса окончила колледж, а служба уж не была той, что прежде, — или Келу так виделось. Он уже не мог разобрать, в чем дело, но все яснее понимал: работу свою он не любит.

Донне о своем решении он не сообщал вплоть до того, как подал заявление, заверил его у начальства и узнал, когда ему предписано сдать бляху. Хотел предъявить что-то осязаемое, чтобы она не решила, будто он ей лапшу вешает. Может, он слишком с этим затянул, поскольку, когда сообщил Донне, она сказала, что и ей есть что ему сообщить: оказалось, что она уже встречается с каким-то мужиком из ее книжного клуба по имени Эллиотт.

Эту новость Кел своим друганам не выкладывал. Они бы сказали, что Донна давным-давно трахается с Эллиоттом и ушла от Кела аккурат поэтому, а Кел был уверен, что это не так. Он бы хотел с этим согласиться — для своего же спокойствия, — но не сомневался, что хорошо знает Донну. У нее тоже есть кодекс. Возможно, ей и в голову не приходило связываться с Эллиоттом, пока они с Келом были вместе, иначе она бы пальцем к этому Эллиотту не притронулась после того, как они с Келом расстались. Он просто сообщил ребятам, что, по словам Донны, опоздал — и она это действительно сказала, ребята купили Келу еще пива и сошлись во мнении, что женщины непостижимы.

Это вроде должно было как-то утешить, а в итоге Кел чувствовал себя даже хуже. Сам себе казался мошенником, потому что из ссор с Донной он извлек для себя еще и то, что совершенно непреднамеренно подвел жену и дочь. Кел всегда хотел лишь одного: быть человеком надежным — тем, кто заботится о своей семье и обходится с близкими порядочно. Больше двадцати лет занимался своим делом, считая себя вот таким человеком. Но где-то по пути он это качество профукал. Растерял свой кодекс, а хуже всего то, что он не понимает, как так вышло. С того мига он никчемен — и не может сказать, что это был за миг.

Кел допивает пиво и шагает по сумеречной дороге. Март с Коджаком возникают у своей двери в луково-паприковом облаке.

— Ты глянь, — радостно говорит Март, — Миляга Джим. Как твое, ничего?

— Я велел Трей Редди проваливать, — говорит Кел. — Она сюда больше ходить не будет.

— Вот же молодец какой, — говорит Март. — Я знал, что на тебя денежки ставить надежно. Будешь в итоге доволен, что так сделал. — Зовет Кела жестом на кухню. — Садись-ка, я еще тарелку достану. Взялся тут паэлью с курицей и беконом стряпать, и она, блить, прекрасная, пусть я и сам это скажу.

— Я уже поел, — говорит Кел. — Спасибо. — Чешет Коджаку уши и возвращается домой в холодном темнеющем воздухе и в невесть откуда плывущем запахе дыма.

17

Заходя назавтра к Норин, Кел ожидает, что его поприветствуют в лучшем случае ледяным взглядом, однако Норин одаряет его бруском чеддера и длинным рассказом, как пришел за этим сыром Бобби и как она сказала ему, что когда его манеры станут не хуже, чем у Кела Хупера, тогда Бобби удостоится такого же обслуживания, как Кел, и что идиёт этот ушел практически в слезах, — а также напоминанием, что через пару недель Ленины щенки уже дорастут, чтоб отлучать их от матери. Для того, чтоб истолковать нюансы этих разговоров, Кел прожил в Арднакелти уже достаточно. Норин не только в курсе, что Кел узрел свет, и одобряет это всем сердцем, — она похлопочет, чтобы в курсе была и вся округа. Келу интересно, уж не нарушил ли ради этого Март условия своей вражды с Норин.

Чтобы удостовериться, Кел наведывается тем же вечером в "Шон Ог". Заходит в дверь, и из Мартинова угла на него тут же накатывают гиканье и иронические вопли восторга.

— Есусе, — говорит Сенан, — мертвые воскресли. Мы уж думали, Малахи тебя грохнул.

— Мы тут решили, что у тебя жуть какая нежная конституция вообще, — говорит мужик голяком-перед-окном, — и ты с пары глотков потина завязал с выпивкой по жизни.

— Кто это "мы", кимосаби?* — требует ответа Март. — Говорил я тебе, он вернется. Неохота ему было пару дней смотреть на

* Цитата из анекдота об Одиноком объездчике и его верном друге индейце Тонто, персонажах американских радио- и телесериалов, фильмов и романов (с 1933). Кимосаби (искаж. "гимузааби" на языке оджибве и потатоми), "тот, кто втайне выглядывает" — так Тонто называл Одинокого объездчика.

ваши мерзкие ряхи, вот и все. И не упрекнешь его. — Март подвигается, освобождая Келу место на банкетке, и подает Барти знак, чтоб нес пинту.

— Иди сюда, — говорит Бобби Сенану. — Спроси. Он знает.

— Откуда ему?

— Наверняка это какая-нибудь американская хрень. Молодежь вся на американском теперь разговаривает.

— Ну давай, просвети меня, раз так, — говорит Сенан Келу. — Что такое "йит"?

— Что? — переспрашивает Кел.

— Йит. Сижу сегодня после чая на диване, занят пищеварением потихонечку, и тут вбегает мой младшенький, сигает мне на, блить, живот, как из пушки, орет дурниной "Йит!" прям в лицо мне и выметается обратно. Я у одного своего пацана спросил, что это вообще, но тот поржал до усеру и сказал, что я старею. После чего попросил у меня двадцать фунтов — в город съездить.

— Дал? — спрашивает Кел.

— Не дал. Сказал ему, чтоб отвалил и шел работать. Что за хрень этот йит?

— Ты ни разу йита не видел, что ли? — спрашивает Кел. Осточертело ему, что его эти ребята пинают, как пляжный мяч. — Это ж ручные зверьки. Типа хомячков, только крупнее и уродливее. Здоровенные жирные морды у них и маленькие поросячьи глазки.

— Не жирное у меня, блить, лицо. Ты, что ль, хочешь сказать, будто мой младшенький меня хомячком назвал?

— Ну, это слово еще кое-что значит, но, надеюсь, сынок твой про такое не знает. Ему сколько?

— Десять.

— В интернет ходит?

Сенан раздувается и пунцовеет.

— Если этот дятел порнуху смотрит, попрощается у меня со своей барабанной установкой, "икс-боксом" и... и всем остальным. Что такое "йит"? Он отца родного писькой назвал?

— Да он тебя разводит, идиётина, — говорит мужик голяком-в-окне. — Он про йитов понимает не больше твоего.

Сенан свирепо смотрит на Кела.

— Первый раз слышу, — говорит Кел. — Но ты красава, когда злишься.

Все ревут от хохота, а Сенан качает головой и сообщает Келу, куда ему стоит засунуть своих хомячков. Мужики заказывают еще выпить, а Март настаивает на том, чтобы научить Кела играть в "пятьдесят пять", — на том основании, что раз он собирается остаться в этих краях, то пусть уж от него польза будет. Никто не заикается ни о Трей, ни о Брендане, ни о Дони, ни об убитых овцах.

Мало того — кого бы Кел вообще ни встретил, никто ни о чем из перечисленного не заикается. Кел пытается принять это как знак того, что вопрос целиком и полностью закрыт, — уж всяко если малая вытворила что-нибудь дурацкое, он бы о том так или иначе услыхал. Что так оно и есть, Кел убежден не вполне.

Трей же растворилась. Кел готов к чему угодно, от порезанных покрышек до кирпича в окно, потому отодвинул матрас в угол, чтоб не попало, и присматривает, чтоб не прилетел снаряд по дороге в дом и из дома. Ничего не происходит. Когда он сидит у себя на крыльце вечерами, в изгороди никто, кроме птиц и мелких зверьков, не шуршит. Пока работает по дому или готовит ужин, загривок у него спокоен. Если б можно было провести его на мякине, он бы запросто поверил, что все это себе придумал.

За дом он берется нешуточно: выясняет у Норин, как зовут местного трубочиста, заканчивает покраску стен в главной комнате и принимается обдирать обои в маленькой второй спальне. Мартов приятель Локи приходит переделать проводку и добывает стиральную машинку; Келу хватает ума не проверять цену. Локи выказывает склонность к трепу, и Кел при первой же возможности катит в город за кухонными шкафами и настоящим холодильником с морозилкой. Когда все это занимает свои места, а в очаге разгорается огонь, гостиная преображается. В ней нет больше этого отчужденного ощущения разрухи, она становится пространством, у наготы которого есть просторное, добротное тепло. Кел шлет Алиссе в Вотсапп снимок. "Ух ты, — пишет она в ответ, — здорово!" — "Потихоньку, — пишет Кел. — Приезжай, посмотришь". Алисса отзывается: "Да! Как только с работой разберусь" и эмодзи "закатываю глазки". Хотя примерно на это Кел и рассчитывал, он огорчен и уныл, ему неймется позвонить Донне и вывести ее из себя.

Вместо этого он отправляется в свой лесок и пару часов собирает там сухие ветки на растопку. Пришел холод, в воздухе висит тонкая пелена дождя. На сколько б ни выходил Кел из дома, даже просто вынести мусор, ни единой капли он не чувствует, однако возвращается волглым насквозь. Сырости удается просочиться и внутрь дома: как долго б ни горел в очаге огонь, ни работал масляный обогреватель, спальный мешок и одеяло у Кела постоянно и едва уловимо волглые. Он покупает себе в спальню еще один радиатор, польза от него есть, но невеликая.

Кел пытается воспользоваться тем, что можно слушать музыку на какой хочешь громкости, но как-то не клеится оно. Начинается вроде здорово — Кел готовит ужин под славного бодрящего Стива Эрла с полной ударной партией на воображаемых барабанах, так, словно никто никогда не подбирался к его окнам подглядывать, как он тут дурака валяет. Но к концу вечера в итоге оказывается на заднем крыльце с пивом, смотрит в темнеющую дымку неба и чувствует, как уплотняется у него на коже и в волосах мгла дождя, а в воздухе гудит старая слезовыжималка Джима Ривза о том, как мужик бредет сквозь метель и почти добирается домой*.

Из того немногого, что по-настоящему радует Кела в эти дни, — открытие, что глазомер на стрельбу он не растерял. Погода скорее располагает к рыбалке, но Келу сейчас не хватает терпения. Он бы проводил больше времени с "хенри", хоть морось, хоть вёдро, но есть пределы тому, сколько Кел может питаться крольчатиной. Парочку он припрятывает в новую морозилку, двух отвозит Даниэлу Буну — тот воздает Келу скидкой на патроны и обзором своих любимых ружей — и еще пару Норин,

* Джеймз Тревис Ривз (1923—1964) — американский кантри-, блюз-, госпел-певец и автор песен; речь о песне "Буран" (*The Blizzard*, 1961).

показать, что он замечает и ценит ее старания. Понимает, что одного он обязан закинуть Марту, но никак не может себя заставить.

Одного можно было б отвезти Лене, да только он избегает встреч с ней так прилежно, что чувствует себя конченым дураком, — таится возле лавки, чтобы знать наверняка, что ее там нет, прежде чем набраться отваги и зайти самому. Он бы с радостью закупался в ближайшие недели в городе, но в этих щекотливых обстоятельствах велик риск обидеть Норин. Это вдобавок означает, что никак не получится быстро заскочить и убежать, придется выслушать все новости о кардиологических бедах Анжелы Магуайр, со всеми подробностями о том, что Норин и Анжела — дальние сестры по прабабушке, которая, может — а может, и нет, — отравила своего первого мужа, а также обсудить, как повлияет на Арднакелти новый парк водных развлечений за городом. Обычно Кел счастливо потратил бы на это полчаса своего дня, но если Лена его увидит, она захочет поговорить про щенка, а Кел щенка брать не будет.

Впервые с тех пор, как он приехал, Ирландия кажется ему крошечной и тесной. Ему хочется тысячи миль открытого шоссе, где можно вжать тапок в пол на весь день и всю ночь, смотреть, как солнце и луна скользят исключительно над охряной пустыней и путаницей кустарника. Попробуй он такое здесь, через пятьдесят ярдов налетит на ничем не оправданный поворот дороги, отару овец, рытвину размером с ванну или встречный трактор. Кел отправляется пешком, но поля промокли насквозь и чавкают под ногами, как болото, а обочины перепаханы до несусветных ям и борозд грязи, из-за которых без толку даже пытаться настроить ходьбу на ритм. Все эти каверзы его, в общем, не беспокоят, но сейчас кажутся адресованными ему лично: камешки в обуви, мелкие, но тщательно отобранные по острым граням.

Слишком уж расстраиваться из-за этого непокоя Кел себе не позволяет. После смуты, привнесенной Трей, непокой этот вполне естествен. Если не будить лихо и переделать уйму трудных дел, это чувство пройдет. Так он поступал, когда, например, прижимала семейная жизнь или служба, и все удавалось: рано или поздно обустраивалось так, что Келу вновь становилось уютно. По его прикидкам, когда подготовит дом к зиме, непокой весь сточится.

Такой возможности он в итоге не получает. Меньше чем через две недели после того, как он послал Трей куда подальше, Кел сидит перед огнем у себя в славной гостиной, где теперь полный марафет. Темень вздорная, буйная и до того ветреная, что Кел подумывает, уж так ли крепка у него кровля, как ему казалось. Читает тощую местную газетку, слушает, как громыхает черепица, и тут в дверь стучат.

У стука этого странное свойство, он размазанный и невнятный, словно зверь лапой. Если бы постучали не в перерыве между порывами ветра, Кел мог бы списать такой шум на то, что это ветер швырнул в дверь веткой. Десять вечера, для фермеров отбой уже прозвучал — если не стряслось ничего решительно ужасного.

Кел откладывает газету и на миг замирает посреди гостиной, раздумывая, не сходить ли за ружьем. Стук не повторяется. Кел подходит к двери и приоткрывает ее на щель.

На крыльце, дрожа с головы до пят, как выпоротая собака, стоит Трей. Один глаз багровый и распух так, что не открывается. Струйки крови исчерчивают ей лицо, кровь капает с подбородка. Рука вскинута, пальцы сложены звериной лапой.

— Ой бля, — выговаривает Кел. — Ой бля, малая. — Колени у Трей подгибаются, Кел рвется подхватить ее на руки и внести в дом, но боится к ней прикасаться, чтоб не добавить боли. — Заходи.

Трей вваливается в дом и стоит, покачиваясь и тяжело дыша. С виду кажется, что она не понимает, где находится.

За ней вроде никто не шел, но Кел все равно запирает дверь.

— Так. Входи. Иди сюда. — Ведет ее к креслу, еле касаясь кончиками пальцев плеча. Трей оседает в кресле и шипит от боли. — Погоди, — говорит Кел, — погоди тут. Держись. — Притаскивает из своей комнаты спальный мешок и одеяло, укрывает малявку — предельно осторожно. Неповрежденная рука вцепляется в одеяло так крепко, что белеют костяшки пальцев. — Вот. Все будет нормально.

Находит чистое полотенце, присаживается у кресла, промокает кровь, капающую у девочки с подбородка. Трей отшатывается, но когда Кел пробует вновь, ей не хватает сил его остановить. Он промокает, пока не становится понятно, где именно кровоточит. Рассечена нижняя губа.

— Кто тебя так?

Ребенок широко открывает рот, будто собирается завыть, как раздавленное животное. Слов не возникает, выливается лишь больше крови.

— Все нормально, — говорит Кел. Еще раз прикладывает полотенце к ее рту, прижимает. — Неважно. Не надо ничего говорить. Просто посиди спокойно чуть-чуть.

Трей смотрит мимо него и дрожит. Дышит меленько, так, будто это больно. Не разобрать, понимает она, что происходит, или ее ударили по голове и она пришла сюда бессознательно. Не разобрать, насколько сильно повреждена у нее рука, выбиты ли зубы или какие еще повреждения таятся под худи. Все залито кровью изо рта.

— Малая, — произносит он тихонько, — не надо ничего говорить. Мне только надо понимать, где сильнее всего болит. Можешь показать?

На миг ему кажется, что она его не слышит. Затем Трей поднимает сложенную лапой ладонь и показывает на рот и на бок.

— Ясно, — говорит Кел. По крайней мере, она понимает его слова. — Молодец. Мы отвезем тебя к врачу.

Небитый глаз малявки распахивается в ужасе, и она пытается встать.

— На... — из-за разбитой губы смазанно выдавливает она, — не надо врача.

Кел вскидывает ладонь, пытаясь остановить ее движение.

— Малая. Тебе надо на рентген. И на губу швы...

— *Не*. Отой... ди... те... — Она отталкивает его руки и, раскачиваясь, ухитряется встать.

— Послушай меня. Если у тебя рука сломана...

— Фигня. Нахер...

Она готова с боем пробиваться к двери и уйти в ночь.

— Ладно, — говорит Кел, чуть отступая и вскидывая руки. — Ладно. Ладно. Без врача. Сядь.

Он понятия не имеет, что делать, если она не сядет, но через минуту, когда слова доходят, боевой дух покидает ее целиком и она обрушивается в кресло.

— То-то же, — говорит Кел. — Так-то лучше. — Возвращает полотенце к ее рту. — Нет ощущения, что сейчас вырвет?

Трей качает головой. От боли резко вдыхает.

— Не.

— Не сглатывай кровь, а то стошнит. Сплевывай прям сюда. Голова кружится? В глазах двоится?

— Не.

— Тебя вырубало?

— Не.

— Это хорошо, — говорит Кел. — Непохоже, что у тебя сотрясение мозга. — Кровь пропитывает полотенце стремительно растущим пятном красного. Кел выбирает чистое место и пытается заставить себя прижимать полотенце сильнее. В дальних закоулках сознания замечает мысль, что, когда расклад прояснится, он тут кого-то убьет. — Слушай, — говорит он, когда краснота начинает расплываться помедленнее, — я выйду на минутку. Буду сразу за дверью. А ты сиди спокойно. Ладно?

Трей опять напрягается.

— Без врача.

— Не стану я врача вызывать. Клянусь. — Он осторожно отцепляет ее невредимую руку от одеяла, смыкает ее пальцы на полотенце и подносит к ее губе. — Подержи вот тут. Прижимай посильнее, пока терпеть можешь. Я сейчас вернусь.

Малявка все еще доверяет ему — или у нее просто нет выбора. Кел не понимает, что для него сокрушительней. Трей сидит, прижимает к губе полотенце и смотрит в никуда, а Кел выходит на крыльцо и осторожно прикрывает за собой дверь.

Опирается спиной о дверь, утирает окровавленные руки о штаны и пытается осмотреть сад. Ночь в ветре и звездах бескрайня и дика. Листья носятся и мечутся, в траве бурлят тени. Там может оказаться что угодно.

Лена на звонок отвечает не сразу, а ее “алло?”, когда она снимает трубку, определенно прохладное. Пренебрежение к щенку она заметила, и оно ей не нравится.

Кел говорит:

— Мне нужна ваша помощь. Кто-то избил Трей Редди, довольно сильно. Надо, чтоб вы приехали ко мне и подсобили.

Кел всерьез предполагает, что Лена останется при своих принципах невмешательства в чужие дела, и это самое разумное. Она же, помолчав, говорит:

— Зачем я вам там?

— Осмотреть Трей, понять, насколько все плохо и получила ли она еще какие-то увечья. Сам я не могу.

— Я не врач.

— Вы повидали уйму больных животных. Это гораздо больше, чем я умею. Просто посмотрите, нет ли чего такого, что нужно показывать врачу.

— Может не быть видно. Вдруг у нее внутреннее кровотечение. Надо везти в больницу.

— Она не хочет. Мне надо знать, тащить ее силком на веревке или она выживет и так. И если придется тащить, вы мне понадобитесь, чтоб ее держать, пока я буду за рулем.

Повисает еще одно молчание, дольше, — Кел просто ждет. Затем Лена говорит:

— Ясно. Буду через десять минут. — Разъединяется, не успевает он что-то произнести.

От шума двери Трей резко вздрагивает.

— Это я, — успокаивает он. — Подруга сейчас приедет, она умеет ухаживать за больными зверями. Больной ребенок, помоему, не сильно отличается.

— Кто?

— Лена. Сестра Норин. Не волнуйся. Из всех местных я не знаю, кто лучше умеет держать рот на замке.

— Что будет делать?

— Просто осмотрит тебя. Умоет — у нее выйдет осторожней, чем у меня. Может, налепит тебе модный пластырь, который похож на швы.

Трей явно расположена возражать, но пороха у нее на это никакого. От тепла одеял и огня она почти перестала трястись, обмякла и расплылась. Вид у нее такой, будто сил ей едва хватает держать полотенце у рта.

Кел подтаскивает кухонный табурет, чтобы сидеть рядом и поймать полотенце, если она уронит. Глаз затек еще сильнее, стал сливово-черным и распух так, что кожа натянулась и залоснилась.

— Давай глянем, как там губа, — говорит Кел, Трей не откликается. Он пальцем отводит ее руку. Кровотечение ослабло, теперь взбухают медленные яркие капли. Зубы на месте. — Уже лучше. Как ты?

Трей двигает плечом. В лицо ему она не посмотрела пока ни разу. Когда пытается, взгляд ускользает, словно малой от его внимания больно.

Этот порез следует промыть соленой водой и глянуть поближе, не надо ли зашивать. Кел оказывал первую помощь младенцам, наркушам и всем в промежутке, но тут никак. Не возьмешь на себя риск ткнуть куда-то не туда и сломать ребенка. Даже от одного того, что он с нею рядом, у него дребезжат нервы.

— Малая, послушай меня, — говорит он. — Я не могу обещать гладкий и спокойный расклад, пока не узнаю, с чем имею дело. Никому ни слова не скажу без твоего разрешения, но мне надо знать, кто с тобой так.

Трей елозит головой по спинке кресла.

— Мамка.

Ярость настигает Кела так мощно, что на миг он слепнет. Когда все чуток проясняется, он уточняет:

— Чего это?

— Ей велели. Сказали — давай сама или мы ее.

— Кто сказал?

— Нинаю. Меня не было. Вернулась домой, и она сказала, чтоб я шла на зады, поговорить надо.

— Угу, — произносит Кел. Старательно держит лицо легавого и голос легавого — мирные, заинтересованные. — И чем она?

— Ремнем. И руками. Пнула пару раз.

— А вот это нехорошо, — говорит Кел. Ему так сильно нужна здесь Лена, что он едва способен усидеть смирно. — Хоть примерно за что?

Трей невнятно дергается — в этом жесте Кел распознает пожатие плечами.

— Воровала у кого-то, кто мог бы обидеться?

— Не.

— Спрашивала про Брендана, — говорит Кел. — Так?

Кивок. На вранье ее не хватает.

— Черт бы драл, малая, — начинает было Кел, но проглатывает реплику. — Ладно. Кого спрашивала?

— Сходила к Дони.

— Когда?

Как ответить на этот вопрос, она соображает некоторое время.

— Позавчера.

— Сказал он что?

— Сказал отъебаться. Ржал надо мной. — Слова неряшливые, между ними бреши, но она соображает. Ум работает нормально — в зависимости от определения слова "нормально". — Сказал следи за собой, не то кончишь, как Брен.

— Ну, Дони пусть говорит что хочет, — отзывается Кел. — Это не значит, что так оно и есть. — От разговоров губа у Трей снова кровит, тонкая струйка ползет по подбородку. — Тш-ш. Этим я займусь. А ты не двигайся.

Ветер бьет в окно и люто поет в печной трубе, огонь трепещет и гонит в комнату завитки душистого дыма. Дрова трещат и щелкают. Кел время от времени проверяет, как там эта трещина на губе. Когда кровотечение прекращается, он встает.

От этого движения Трей содрогается от страха.

— Вы чего?

— Льда возьму, приложим к глазу и к губе, чтоб отек спал. Вот и все. И болеть чуть поменьше будет.

Он у мойки, вытряхивает кубики льда в свежее полотенце, и тут по окну проскальзывают огни фар Лениной машины.

— А вот и мисс Лена, — говорит он, в нахлынувшем облегчении отставляя ледницу. — Пойду предупрежу ее, чтоб не приставала к тебе с вопросами. А ты посиди спокойно, подержи вот это у лица.

Когда Кел выходит из дома, Лена уже выбирается из машины. Захлопывает дверь, топает по дорожке, руки в карманах мужской зеленой вощеной куртки. Ветер треплет пряди волос, выпроставшиеся из хвоста, в свете звезд они сияют потусторонним белым. Приблизившись к Келу, она вопросительно вскидывает брови.

— Малая явилась ко мне под дверь в жутком виде, — говорит он. — Начнете расспрашивать, она психанет, поэтому не спрашивайте ничего. У нее фингал, рассеченная губа, что-то с рукой и, с ее слов, болит бок.

Брови у Лены взлетают еще выше.

— Норин сказала, что свиданье с вами — совсем другое дело, не то что с местными мужиками, — произносит она. — Никогда не ошибается, вот как есть. — С этими словами проходит мимо Кела в дом.

Увидев Лену, Трей вновь полошится. Роняет полотенце, лед рассыпается, и кажется, что она сейчас вновь попытается выбраться из кресла.

— Спокойно, — говорит Кел. — Мисс Лена пришла тебя осмотреть, помнишь? Либо она, либо врач, поэтому не бузи давай. Ладно?

Трей обмякает в кресле. Не понять, то ли согласна на Лену, то ли сил нет.

— Вот да, — одобряет он, — давай так. — Открывает буфет, достает аптечку.

— Перво-наперво надо тебя отмыть, — говорит Лена невозмутимо, стаскивая куртку и бросая ее на стул, — чтоб посмотреть, что к чему. Еще тряпка найдется, Кел?

— Под мойкой, — отвечает он. — Я буду за дверью. — Подает Лене аптечку и выходит на крыльцо.

Усаживается на ступеньки, упирается локтями в колени и глубоко дышит в ладони. У него словно бы кружится голова — или, может, тошнит, не разберешь. Хочется что-то предпринять, но и тут не разберешь, что именно.

— Бля, — тихо произносит он в ладони. — Бля.

Ветер бросается на него, пытается обогнуть и протиснуться в дверь. Макушки деревьев мотает зверски, у сада вид заброшенный, наглухо задраенный от непогоды; кажется, ни одно существо, если только не самое отчаянное или чокнутое, носа не высунет. Из дома ни звука — вернее, ничего, что можно расслышать на таком ветру.

Чуть погодя Кел собирается с мыслями — хотя бы чтоб сложилось некое подобие дальнейшего плана. Ему хватает здравого смысла не соваться к Шиле Редди, но ничто на земле не удержит его от Дони.

Вместе с тем предпринимать ничего нельзя, пока он не выяснит, что нужно Трей и как это раздобыть. Прикидывает, не загнать ли в ребенка могучую дозу бенадрила и не сунуть ли в машину, когда ее сморит. Даже если оставить за скобками неоднозначность появления в больнице с обдолбанной избитой девочкой-подростком, ему непросто с таким порядком действий, который, среди многих прочих менее предсказуемых последствий, скорее всего, подведет ребенка под приют. Может, там ей будет лучше, никто не знает. Будь такое еще его заботой, он бы, не задумываясь, сбыл ее с рук и предоставил разбираться системе.

Вытирая ладони о джинсы, выходит Лена, закрывает за собой дверь и усаживается на ступеньку рядом с Келом.

— Не удерет, пока вы тут? — спрашивает Кел.

— Сомневаюсь. Она вымотана. Да и незачем. Я ей сказала, что врач не понадобится.

— Так и есть?

Лена пожимает плечами.

— Ничего горящего, насколько я вижу. Живот не поврежден и не опух, там у нее ушибов нет — говорит, что свернулась клубком, — а значит, нет причин думать, что есть внутреннее кровотечение. Я б решила, ребро сломано, но с этим врач ничего поделать не сможет. Рука вроде ушиблена, а не сломана, но придется пару дней подождать и посмотреть, как оно. На спине и на ногах навалом порезов и ушибов, но все несерьезные.

— Ясно, — говорит Кел. Картинка в воображении, как Трей свертывается клубком, жжется, как раскаленное тавро. — Ага. Так. Ну вот. Губу зашивать надо?

— Швы б не помешали, это да, чтоб не жуткий шрам остался. Предложила ей, но она говорит "никаких швов", плевать ей на шрамы. Промыли соленой водой, я наклеила стерильный пластырь, из ваших. Нурофен, чтоб обезболить. Все лучше, чем ничего.

— Спасибо, — говорит Кел. — Ценю.

Лена кивает.

— Показать бы ее надо — на всякий случай. Но обойдется и без.

— Тогда лучше обойтись. Только больше ущерба себе нанесет, если всю дорогу будет сопротивляться.

— Если ей за ночь станет хуже, к врачу придется. Хочешь не хочешь.

— Ага.

Лена зябко втягивает ладони в рукава.

— Вы ее тут на ночь оставите?

Даже если Шила заметит раньше утра, что Трей нет дома, в полицию она вряд ли станет звонить.

— Ну, — говорит Кел. — Можно попросить вас посидеть с ней? — Выпаливает он внезапно, ему неймется взяться за дело. — Надо мне тут в одно место. Если станет хуже, звоните, я вернусь.

— Она спрашивала о вас.

— Скажите, утром вернусь. И чтоб не волновалась, я не за врачом.

— Меня она едва знает. Ей нужны вы.

— Не останусь я на всю ночь один на один с девочкой.

Лена откидывает голову к дверному косяку, оглядывает Кела с головы до пят. То, что она видит, особого впечатления на нее не производит.

— И впрямь, — говорит. — Останусь — если вы останетесь.

Это вызов, и он ставит Кела в тупик.

— Какую пользу я ей тут принесу? — спрашивает.

— Ту же, что и я. Нурофен подать или чистое полотенце, если губа опять рассядется. Ей же не операция на мозге нужна. А болтаясь невесть где, вы ей чем поможете?

— Я же сказал, — отвечает Кел. Жалеет, что не позвонил кому-то другому, кому угодно, — не то чтоб кто-то был, если только не вылезать в Фейсбук и не слать сообщение Каролайн. — Мне надо в одно место.

— Неумное какое-то место.

— Может, и неумное. Но все равно.

— Если уедете, — уведомляет его Лена, — я тоже уеду. Вы эту кашу заварили, не я. Не буду я сидеть тут всю ночь и ждать, когда ваши беды меня здесь найдут.

Келу не кажется, что Лена хоть чуточку нервничает, но и отступаться, похоже, она не собирается.

— Никого эти беды искать не станут, — говорит. — Сегодня, по крайней мере.

— Вообразите, каково вам будет, если вы бросите несчастную вдову с изувеченным ребенком, чтоб их обидели хулиганы.

— Могу ружье вам оставить, у меня есть.

— Поздравляю. Как и у многих других в округе.

Положение Кела ее, судя по всему, в первую очередь забавляет. Он трет руками лицо.

— Слушайте, — говорит, — я понимаю, что зарываюсь, но, может, заберете ее к себе, если...

— Думаете, поедет?

Кел трет лицо сильнее.

— У меня сейчас голова плохо соображает, — говорит он. — Вы серьезно насчет того, что уедете, если я уеду?

— Ага. Я не против помочь, когда вам правда нужна помощь, но не собираюсь ничего за вас расхлебывать, пока вы там занимаетесь глупостями, какими голову себе забили. — Широко улыбается. — Говорила я вам, я черствая сучка.

Кел ей верит.

— Лады, — говорит, будто это его выбор, — ваша взяла. — Ни за что не оставит он Трей этой ночью одну в доме. — У меня только одна постель, там будет малая, но вы можете в кресле.

— Ну вы гляньте на это, — говорит Лена, вставая. — Рыцарство не померло. — Открывает дверь и в ответ приглашает его взмахом руки.

Боль и потрясение утихают, и Трей срубает от усталости словно конским копытом. Голова завалилась на спинку кресла, рука с кульком льда упала на колени, веко на здоровом глазу отяжелело.

— Давай-ка, — говорит Кел, — уложим тебя в постель, пока ты тут не уснула.

Малявка переводит дух и трет здоровый глаз. Там, где по руке попало пряжкой ремня, отпечатались полукружия.

— Я тут буду?

— Ага, на ночь. На моей постели поспишь. Мы с мисс Леной будем рядом. — Губа у Трей, промытая и склеенная пластырем, смотрится надежно, профессионально. Лена постаралась. — Давай. Не понесу я тебя, спину сорву.

— Вам зарядка полезна, — говорит Трей. Перекошенная тень ухмылки чуть не разбивает Келу сердце.

— Неблагодарная ты такая-этакая, — говорит он. — Повежливей давай, не то будешь у меня в ванне спать. Шагай.

Увечные места у нее затекли. Приходится чуть ли не выскребать ее из кресла, ставить на ноги и направлять в спальню. От движения она кривится, но не жалуется. Лена подбирает одеяло и спальный мешок, идет следом.

— Ну вот, — говорит Кел, включая свет, — шик-блеск. Пусть мисс Лена тебя тут обустроит. Если что понадобится ночью или что-то заболит — зови нас.

Трей рушится на матрас неуклюжей мешаниной локтей и ног. Лена бросает одеяла рядом и принимается развязывать малявке шнурки. Келу вся эта сцена кажется беззаконной и непостижимой: запятнанный матрас на голых половицах, резкое сияние одинокой лампочки, путаница дешевого постельного белья, женщина на коленях возле избитого окровавленного ребенка. Хочется дать малой хотя бы что-то приятное — пуховую перину с оборками, ночник с мягким светом, а на стене чтоб картина с котятами.

Включает масляный обогреватель.

— Что ж, — говорит он. На миг задумывается о нелепом — положить Трей на подушку ту игрушечную овцу. — Спокойной ночи. Спи крепко. — Она провожает его взглядом через Ленино плечо, единственный открытый глаз не имеет никакого выражения; Кел притворяет за собой дверь.

Все кресло завалено окровавленными кухонными полотенцами. Кел собирает их и бросает в новенькую стиральную машину. Не врубает, чтобы не гудела и не беспокоила малую. Включает электрический чайник, достает две кружки. Ему бы сейчас тяпнуть виски, но, возможно, еще придется сесть за руль, а чай в этих краях, как он уже усвоил, — подходящее решение в любых обстоятельствах, в любое время дня и ночи. В складки кожи на костяшках въелась кровь; Кел моет руки над кухонной раковиной.

Лена выходит из спальни, тихо прикрывает за собой дверь.

— Как она? — спрашивает Кел.

— Уснула, не успела я ее одеялом укрыть.

— Ну, это хорошо, — говорит Кел. — Чаю хотите?

— А то.

Лена усаживается в кресло, примеряется к нему, сбрасывает ботинки. Чайник кипит, Кел наливает воду, приносит чашку Лене.

— У меня молока нет. Ничего?

— Дикарь. — Принимает чашку, дует в нее. Лене в кресле уютно, словно оно ее и было. Это обширное кособокое нечто причудливой лиловато-зеленой расцветки, какая могла быть минуту-другую модной невесть как давно, а может, исходно была другого оттенка; оно неожиданно удобное, но Кел не представлял себе, что пригласит кого-то в нем спать. Вновь у него это ощущение невесомости, нет земли под ногами, и несет его, и не за что уцепиться.

Огонь прогорел; Кел подбрасывает дров.

— Она вам сказала что-нибудь, что мне хорошо бы знать? — спрашивает.

— Ничего и ни про что, кроме того, что я уже передала. Но я не расспрашивала.

— Спасибо.

— А толку-то. Доверяет она вам. — Лена попивает чай. — Она сюда часто хаживала.

— Точно, — говорит Кел, беря чашку со стола. Он и вообразить-то не может, что Лена возьмется поучать его насчет того, как неприлично было позволять Трей Редди тут болтаться, и, само собой, Лена лишь кивает. — Вам не попортят жизнь за то, что вы мне помогаете?

Пожимает плечами.

— Вряд ли. Вам могут, но все зависит от того, как вы дальше поступите. Собираетесь отвезти ее завтра домой?

— А ей есть куда податься еще?

Он видит, что Лена взвешивает последствия. Обдумав, качает головой.

— Тетя? Дядя? Бабки-деды?

— Почти все ее родственники либо эмигрировали, либо померли, либо толку в них никакого, смотря с какой стороны. У Шилы в том краю от города навалом двоюродных, но они в это лезть не захотят.

— Понимаю почему, — говорит Кел.

— Шила старается как может, — говорит Лена. — Нам с вами может казаться, что не очень-то, но мы не прожили двадцать пять лет не под тем боком у Джонни Редди и Арднакелти. Из Шилы все кучерявые мысли вышибло сразу. Ей надо одного: чтоб дети, какие при ней остались, были живы и не в тюрьме.

Кел понятия не имеет, что на это сказать. Не понимает, сердится он на Лену или гнев его на Шилу и того, кто ее заставил, так силен, что выплескивается прямо здесь.

Лена говорит:

— Она привыкла делать то, что необходимо. Правильно оно или нет. Выбор у нее небогатый.

— Может, и так, — говорит Кел. Не убеждает. Если Шила сочла, что на сегодняшний вечер лучший вариант — спустить шкуру с Трей, она, возможно, сочтет так же и в будущем. — Я, вероятно, смогу кое-что сделать, прежде чем возвращать ребенка.

Лена смотрит поверх своего чая.

— Например?

— То, чем я должен был заниматься этой ночью.

— *Мужские* дела, — говорит Лена с насмешливым благоговением. — Слишком все серьезное для нежных дамских ушек.

— Да просто дела.

Дрова щелкают и стреляют искрами вверх. Лена вытягивает ногу и поправляет каминный экран.

— Я не могу помешать вам вытворить что-нибудь дурацкое, — говорит она. — Но надеюсь, если отложите это до утра, то, может, передумаете.

Кел минуту-другую соображает, почему это замечание так сильно его ошарашивает. Он-то считал, что Лена вынудила его остаться — помимо нежелания расхлебывать его кашу, что вполне справедливо, — потому что этого хотела малая. А получается, что она желала оградить Кела от приключений на его задницу или чего-то подобного. Келу это кажется неожиданно трогательным. Март с той же целью прикладывал немало усилий, но такая забота от женщины — другой разговор. Давненько хоть какой-то даме было до Кела хоть какое-то дело.

— Ну, ценю, — говорит он. — Учту.

Лена ехидно фыркает, что Кела слегка задевает, хотя он согласен, что заслужил.

— Я засыпаю, — говорит она, подаваясь вперед, чтобы поставить чашку на стол. — Свет выключим?

Кел гасит свет, остается только огонь в очаге. Уходит в запасную спальню, приносит тяжелое зимнее одеяло; пододеяльник для него он купить пока не удосужился, но оно еще чистое.

— Извините меня, — говорит он. — Хотел бы быть хозяином получше, но это все, что у меня есть.

— Спала я и на худшем, — говорит Лена, распуская хвост и натягивая резинку на запястье. — Жалко, зубную щетку не взяла. — Укладывается боком на кресле, подтыкает одеяло.

— Простите, — говорит Кел, снимая обе куртки с крючка. — С этим помочь не могу.

— Схожу к Марту Лавину, спрошу, нет ли у него запасной, а?

Кел настолько сам не свой, что в ужасе оборачивается. Увидев ее ухмылку, крякает смехом, да так громко, что зажимает себе рот рукой и косится на дверь спальни.

— Вы на весь Арднакелти прогремите, — говорит он.

— Это точно. Оно б того даже стоило, да только Норин себя так по плечу отхлопает, что изувечится.

— Да и Март.

— Иисусе. И он о том же?

— Ой да. Он уже решил, что Малахи Дуайер будет снабжать холостяцкую попойку.

— Ну и хрен с ней, с зубной щеткой, — говорит Лена. — Нельзя же позволять этим двоим думать, будто они вечно правы. Вредно это.

Кел устраивается перед камином, укутывается куртками. При свете огня комната вся сплошь в теплых золотых бликах и трепетах теней. В том, что сейчас происходит, столько соблазнительной, призрачной сокровенности, словно они с Леной остались последними на домашней вечеринке, увязнув в разговоре, какой завтра уже будет не в счет.

— Не знаю, есть ли у нас выбор, — говорит он. — Если только не уедете до рассвета, кто-то наверняка заметит вашу машину.

Лена обдумывает.

— Может, и неплохо это, — замечает она. — Дать людям повод трепаться о чем-то, отвлечь от другого. — Кивает на дверь спальни.

— Но доставать-то вас будут?

— За что? Типа, за распущенность? — Ухмыляется. — Не. Старичье будет болтать, да и пусть. Чай, не восьмидесятые, никто меня в Магдалинины прачечные* не сдаст. Переживут.

— А я? Норин не заявится ко мне с дробовиком, если я на вас не женюсь после сегодняшнего?

* Приюты для так называемых падших женщин, поддерживаемые католической церковью с XVIII века и принявшие в XX веке в Ирландии характер исправительных заведений с тюремно-принудительным режимом жизни и труда. Последний такой приют был закрыт в Ирландии в 1996 году.

— Боже, да нет. Будет ругать меня, что дала вам ускользнуть. У вас всё шик. Мужики в "Шоне Оге" вам, может, даже пинту выставят, чтоб поздравить.

— Всем прибыток, — говорит Кел. Вытягивается на спине, руки под головой, жалеет, что не притащил из спальни побольше одежды. Спать он не собирается, если удастся, — на случай всяких непредвиденных обстоятельств, но после ночи на полу ковылять будет, как Март.

— Скажите-ка мне вот что, — говорит Лена. Отсветы огня у нее в глазах. — Почему щенка не берете?

— Потому что, — отвечает Кел, — я хочу знать наверняка, что смогу о нем заботиться как надо и не будет ему никакого вреда. Но что-то сомневаюсь, что у меня получится.

Лена вскидывает брови.

— Хм, а я-то думала, что вы просто не хотите, чтоб вас хоть что-то привязывало.

— Не, — говорит Кел. Смотрит в огонь. — Кажется, я все время ищу что-то такое, что меня привяжет. Да без толку.

Лена кивает. Ветер, утомившись до вялых порывов, едва ерошит пламя. Оно вновь низкое, сердце его темнеет до глубокого рыжего сияния.

Из спальни долетают возня в одеялах и хриплый невнятный крик. Пока ум Кела успевает сообразить, что нападение на дом маловероятно, сам он уже у двери в спальню.

Останавливается, смотрит на Лену.

— Уже встали, — говорит она. — Я в следующий раз пойду. — Поворачивается плечом к нему, устраивается поудобнее и натягивает одеяло до подбородка.

Кел стоит под дверью. Из спальни доносится второй придушенный крик. Лена не шевелится.

Через миг он открывает дверь. Трей приподнимается на локте, ошалело крутит головой и поскуливает сквозь стиснутые зубы.

— Эй, — говорит Кел. — Все хорошо.

Малая вздрагивает и резко поворачивается к нему. Чтобы высмотреть его, ей надо несколько секунд.

— Тебе приснилось плохое, вот и все. Уже все прошло.

Трей испускает долгий прерывистый выдох и ложится, морщась от боли в ребрах.

— Ну, — говорит она. — Просто приснилось.

— Все нормально, — говорит Кел. — Болит что-нибудь? Может, еще обезболивающее?

— Не.

— Лады. Спи.

Он поворачивается, чтобы выйти, она возится в постели и коротко хрипит. Он оглядывается и видит, что Трей здоровым глазом смотрит на него, в нем отблески света из большой комнаты.

— Что?

Малая молчит.

— Хочешь, чтоб я побыл с тобой?

Кивает.

— Лады, — говорит Кел. — Побуду. — Усаживается на пол, прислоняется к стене.

Трей устраивается так, чтобы приглядывать за ним.

— Что делать будете? — спрашивает она через минуту.

— Тш-ш, — говорит он. — Сообразим утром.

Кел видит, что она ищет следующий вопрос. Чтобы угомонить ее, он принимается петь — очень тихо, едва слышно, в надежде, что Лена не услышит за шумом ветра. Песня, которую он поет, — “Большая гора карамели”*, та же, что пел он маленькой Алиссе, когда ей не спалось. Постепенно Трей расслабляется. Дыхание замедляется, делается глубже, блеск глаза гаснет в тенях.

Кел продолжает петь. Когда-то он ради Алиссы немножко подправил текст, заменил сигаретные деревья на леденцовые, а озеро виски — на озеро чая. Ради Трей ничего подправлять, наверное, не надо, но Кел подправляет все равно.

* *Big Rock Candy Mountain* — кантри-песня о том, как представляет себе рай бездомный бродяга; впервые записана Хэрри Макклинтоком в 1928 году.

18

Ветер сдувается сам, рассвет приходит к окну холодным и неподвижным, ясный и зелено-золотой. Кел задремывает, в промежутках наблюдает за смертью огня и проверяет, как там Трей, подсвечивая себе телефоном. Судя по всему, она за всю ночь ни разу не шевельнулась, даже когда он склонялся совсем близко, чтобы проверить, дышит ли она вообще.

С первым светом Лена обретает очертания. Свернулась в кресле, лицо уткнуто в локоть, волосы — тусклая путаница. Снаружи мелкие птицы начинают перебрасываться утренними разговорами, грачи огрызаются на них, чтоб заткнулись. У Кела болят все точки, где он костями касается пола, а также многие другие места.

Он встает как можно тише и отправляется к мойке налить воды в чайник. Голова кружится от усталости, но не мутная; прохлада и рассвет придают всему зачарованную, воздушную прозрачность. В саду кролики гоняют друг друга кругами по мокрой от росы траве.

Лена возится в кресле и садится, выгибая спину и кривясь. Вид у нее смущенный.

— Доброе утро, — говорит Кел.

— Ай, Есусе, — говорит Лена, прикрывая глаза ладонью. — Если собираетесь принимать гостей и впредь, заведите шторки.

— Мне куда больше всякого придется завести, — говорит Кел приглушенно. — Как вы себя чувствуете?

— Старость не радость, вот как я себя чувствую. Сами-то как?

— Будто меня грузовиком сбило. Помните, как мы ночевали по чужим квартирам на полу чисто ради смеха?

— Помню, но я тогда была жуткой идиёткой. Лучше буду старой и при мозгах. — Потягивается — широко, с удовольствием. — Трей еще спит?

— Ага. И, по-моему, чем дольше проспит, тем лучше. Можно я вам завтрак приготовлю? — Кел надеется, что она согласится. Лена, может, и не самый уютный человек на свете, но равновесие в доме она смещает в приятную для Кела сторону. — Могу предложить тост с беконом и яйцом, а могу — без бекона и яйца.

Лена ухмыляется.

— Нет, я лучше поеду. Надо собраться на работу, а еще собак покормить и выпустить. Нелли там с ума сходит. Она совсем башку теряет, когда меня дома нет после отбоя, а сейчас уже небось половину мебели сгрызла. — Выбирается из кресла, складывает одеяло. — Заеду сюда по пути на работу? Отвезу Трей домой?

— Не уверен, — говорит Кел. Раздумывает, как же надо напугать мать, чтобы она такое вытворила с собственным ребенком. На миг, прежде чем успевает отвлечься мыслями, прикидывает, что́ могло бы заставить его или Донну так поступить с Алиссой. — Я лучше сперва разберусь тут кое с чем.

Лена бросает сложенное одеяло на спинку кресла.

— А я-то надеялась, что к утру у вас тяму прибавится, — произносит она.

— Ничего дурацкого не натворю.

Лена взглядом сообщает, что мнения на этот счет могут быть разные, но помалкивает. Стаскивает с запястья резинку, собирает волосы в хвост.

— Значит, не везу ее домой.

— Может, погодя. Ничего, если я гляну, как день сложится, и позвоню вам?

— Валяйте в свое удовольствие.

— Если надо будет, чтоб вы тут еще раз переночевали, — говорит Кел, — пойдете навстречу? Я б сгонял в город и добыл надувной матрас, чтоб вам не пришлось опять в кресле.

Лена ошарашивает его хохотом.

— Ну вы даете, — говорит она, — ну вы и фрукт, я вам скажу. И время подгадываете говенно. Позже обсудим. Когда все болеть перестанет, тогда и посмотрим. — Обувается, натягивает куртку и направляется к двери.

Кел дожидается, чтоб отъехала ее машина. Затем прогуливается по саду. Никаких признаков вторжения не видит, но он не нашел бы их в любом случае. Повсюду следы ночного ветра. Листья щедро разбросаны по траве, их навалило высоко вдоль стен и изгородей; ободранные, но не побежденные стоят нагие деревья. Под окнами землю выскребло дочиста.

Возвращается в дом, принимается готовить завтрак. Запах жарящегося бекона вытягивает Трей из спальни, босую и растрепанную. Отек на губе чуть спал, но глаз в дневном свете смотрится еще зрелищнее, а на скуле возник синяк, которого вчера Кел не заметил. Худи и джинсы заляпаны потеками и пятнами засохшей крови. Кел смотрит на нее и понятия не имеет, что с нею делать. При мысли о том, чтобы выслать ее из этого дома, хочется забаррикадироваться тут и сидеть, высунув ружье в окно — на случай, если кто-то за Трей явится.

— Как ты? — спрашивает.

— В говно. Все болит.

— Ну, это ясно, — говорит Кел. От того, что она ходит и разговаривает, ему становится настолько легче, что он едва дышит. — В смысле, помимо этого. Спала нормально?

— Ага.

— Голодная?

У малой такой вид, будто собирается отказаться, но запах сильнее ее.

— Ага. Ужасно.

— Завтрак будет через минуту. Садись.

Трей садится, зевая и морщась, от зевка больно губе. Наблюдает, как Кел обжаривает бекон и мажет тост маслом. Сидит она так: плечи высоко, вес перенесен на ноги, и это ему напоминает, как она, бывало, стояла, когда только начала сюда приходить, — готова бежать.

— Еще обезболивающее надо? — спрашивает Кел.

— Не.

— Не? Что-то болит сильнее, чем вчера вечером?

— Не. Все шик.

С таким-то лицом сейчас тем более не разобрать, что там у нее на уме.

— Вот, — говорит он, ставя тарелки на стол. — Режь помельче и старайся губу не задевать. От соли щипать будет.

Трей не обращает внимания и набрасывается на еду, осторожно поглядывая на Кела. Руке лучше; Трей держит вилку неуклюже, стараясь не гнуть пальцы, но рука действует.

— Мисс Лена уехала несколько минут назад, — говорит Кел. — Ей надо на работу. Может, вернется попозже, посмотрим.

Трей выпаливает:

— Простите, что пришла. Не соображала.

— Нет, — говорит Кел, — все ты правильно сделала.

— Не. Вы мне сказали больше не приходить.

Все взаимоотношения Кела, казавшиеся прошлым вечером совершенно открытыми и уравновешенными, словно бы вывихнулись, стоило чуть отвлечься. Фиг с ним, с Бренданом Редди. Настоящая загадка, ключ к которой Кел мечтал бы сейчас получить, в том, как, вроде бы поступая правильно, он ухитряется облажаться во всем.

— Ну, — говорит он, — это ж чрезвычайная ситуация. Другое дело. Все правильно решила.

— Я уйду скоро.

— Не спеши. Прежде чем ты уйдешь, нам надо решить, как мне поступать дальше. — Трей смотрит непонимающе. — Насчет того, что вчера случилось. Хочешь, я вызову полицию? Или органы опеки, как они у вас тут называются.

— Нет!

— Опека не бабайка, малая. Найдут тебе, где безопасно перекантоваться. Может, маме твоей помогут.

— Не нужна ей помощь.

Малявка глядит свирепо, нож держит так, будто собирается пырнуть им Кела.

— Малая, — говорит он миролюбиво, — то, что мать с тобой сделала, нехорошо.

— Она так никогда раньше. В этот раз так, потому что ее заставили.

— А если опять заставят?

— Не заставят.

— Чего это? Ты усвоила урок и теперь будешь паинькой?

— Не ваше дело, — бросает Трей, смотрит дерзко.

— Прошу тебя, малая. Мне надо понять, как тут поступить.

— Не надо тут никак поступать. Если позвоните в опеку, я им скажу, что это вы сделали.

Не шутит.

— Лады, — говорит Кел. Видя, какую бузу она подняла, он чуть не слабеет от облегчения. Начав сегодня день, он боялся встречи с ней: вдруг ее раздавило изнутри и он увидит лишь оболочку девчонки, взгляд сквозь него, а ее саму, спотыкающуюся, придется водить за ручку и напоминать, что кусок у нее во рту нужно прожевать. — Никакой опеки.

Трей пялится на него еще минуту. Похоже, верит, поскольку вновь принимается за еду.

— Я знаю, что вы мне херню наговорили. Про Брена и Шотландию. Чтоб я отвалила и оставила вас в покое.

Кел сдается. Что б ни пытался сделать, все без толку.

— Ну да, — говорит. — Дони меня послал куда подальше. Но и насчет "отстань от меня" я тебе херню гнал. Если по-честному, меня ты не напрягаешь. Мне с тобой нравится.

Трей вновь смотрит на него.

— Не нужны мне ваши сраные деньги.

— Я знаю, малая. Я и не думал так никогда.

Она замирает, заново обустраивая мысли о сказанном. Лицо у нее расслабляется, и это цепляет Кела где-то под грудиной.

— А чего тогда вы мне ту херню наговорили? — спрашивает она.

— Да господи боже мой, малая. Думаешь, никто не заметил, что́ мы с тобой замышляем? Меня предупредили, чтоб я бросил это дело. И как раз вот этого, — он показывает вилкой на лицо Трей, — я стремился избежать.

Трей нетерпеливо дергает плечом.

— Да ерунда. Все будет шик.

— В этот раз будет. Потому что они маму твою подговорили, а она сделала то, что, как ей кажется, их устроит. В другой раз они тобой займутся сами. Или мамой твоей. Или твоим братиком и сестренками. Или мной. Это серьезные ребята, у них серьезные дела. Они хуйней не страдают. Они тебя не били, потому что внимания к убитому ребенку им не надо, но если придется — убьют.

Малая моргает часто-часто. Поглощает еду, уткнувшись лицом в тарелку.

— Иисусе, малая, — говорит Кел, внезапно чуть не взрываясь, — какого ляда должно случиться, чтоб ты это выкинула из головы?

Трей говорит:

— Когда я узнаю. Железно. А не всякую хренотень, которую придумывают, чтоб от меня отделаться.

— Да? Ты этого хочешь? Просто знать наверняка?

— Ага.

— Ага, так не бывает. Если узнаешь наверняка, что Брендан сбежал, ты захочешь выяснить почему, а потом и найти его. Если наверняка узнаешь, что его кто-то выкурил, захочешь с ними разобраться. Вечно будет еще что-то впереди. Надо уметь остановиться.

— Я знаю. Когда...

— *Нет.* Остановиться надо сейчас. Ты глянь на себя. Если им придется еще раз за тебя взяться, что они сделают? Остановиться надо сейчас.

Трей обращает к нему лицо, и кажется, что она тонет.

— Я хочу остановиться сейчас. Я устала адски от этого. Сначала, когда только пришла сюда, чувствовала как вы говорите: вечно буду так. А сейчас я просто хочу, чтоб всё закончилось. Хочу никогда про это не думать уже. Хочу свою жизнь, как раньше. Но что б там ни случилось с Бренданом, он заслуживает того, чтобы кто-то знал. Хотя бы чтоб кто-то один знал.

Вплоть до этой минуты Кел не был уверен, сознает ли она величину вероятности того, что Брендан мертв. Они сидят и слушают, как сказанное оседает в щелях комнаты.

— Тогда я и остановлюсь, — говорит Трей. — Когда я узнаю.

— Что ж, — произносит Кел, — вот, пожалуйста. Ты спрашивала про кодекс. Это его начало. — Он смотрит в это избитое, непонимающее лицо и чувствует, как в горле у него густеет от всего того, что у малой только-только начинается, — от мысли о реках, какие ей предстоит преодолевать, а она их еще даже не видит за горизонтом. — Доедай завтрак, — говорит, — пока не остыл.

Трей не шевелится.

— Так вы мне поможете? Или нет?

— Если по правде, — говорит Кел, — не знаю пока. Сперва мне надо найти людей, которые вчера наведывались к твоей маме, и потолковать с ними. Как разберусь с этим, я либо узнаю, что случилось с твоим братом, либо хотя бы пойму, удастся ли разбираться дальше, — и так, чтоб нас при этом не грохнули.

— А если не удастся?

— Не знаю. Мы пока не добрались до этого.

Не похоже, что Трей удовлетворена таким ответом, но она начинает собирать желток с тарелки тостом.

— Скажи мне вот что, — продолжает Кел. — Думаешь, это Дони твою маму заставил?

Трей фыркает.

— Не. Она б его послала.

— Ага, тоже так думаю. Но эти ребята заявились через два дня после того, как ты поговорила с Дони. Это не совпадение.

— Вы сказали, если я поговорю с Дони, вы не в игре.

— Ну да, — говорит Кел. — Но все меняется. Как ты к нему подобралась?

— Мамка у него ездит на мессу в полдевятого в город, каждый день, — сообщает Трей с набитым ртом. — Ее подвозит Святой Майк. Я подождала в изгороди у Майка в переулке, пока его машина не уехала, а потом прошла через поля у Франси Ганнона к заднему крыльцу Дони.

— Видела кого-нибудь по дороге туда или обратно?

— Не. Но меня кто-то мог заметить, чё. Из окошка. Тут ничего не поделаешь, только идти быстрее.

— Слушай, — говорит Кел. Встает, собирает тарелки, относит в мойку. — Я уеду на чуть-чуть. Ненадолго. Одна тут нормально побудешь?

— Ага. Каэшн.

Малой это все, похоже, не очень нравится.

— Никто не знает, что ты здесь, — говорит Кел, — поэтому не волнуйся. Дверь я запру на всякий случай. Если кто явится, пока меня нет, не открывай, не выглядывай в окно. Сиди тихо, пока не уйдут. Поняла?

— Вы опять с Дони будете толковать?

— Ага. Заскучаешь? Хочешь книжку или что-то?

Трей качает головой.

— Прими ванну, если хочешь. Смой с себя вчерашнее.

Малая кивает. Кел догадывается, что мыться она не пойдет. По ней не скажешь, что она справится с чем-то настолько сложным. Встать и позавтракать — уже утомительно: внезапно на лице у нее проступает изможение, для ребенка совершенно противоестественное, веко на здоровом глазу обвисает, от носа ко рту пролегают глубокие складки. Она впервые немножко похожа на свою мать.

— Просто отдохни, — говорит он. — Ешь тут что хочешь. Я скоро.

Кел отправляется к Дони тем же путем, что и Трей, — проселками через поля Франси Ганнона. Ветер обломал на деревьях ветви и раскидал их, растрепанные и расщепленные, по дорогам; в долгом золотом осеннем свете эти палки смотрятся умышленной зловещей жатвой. Кел собирает те, что покрупнее, и оттаскивает в канавы. Понимает, что, по идее, должен чувствовать себя уставшим, но ничуть. Прогулка и прохладный воздух вытрясают боль из мышц, а все та же головокружительная ясность по-прежнему держит его на плаву. На уме у Кела исключительно Дони.

Фермеры, видимо, уже покончили с утренними трудами и разошлись завтракать; Келу не попадается никто, если не считать овец Франси, — они замирают на полужёве и пронзают его непроницаемыми взглядами, пока он шагает мимо, а потом обескураживающе долго смотрят ему вслед. У задней каменной изгороди Дони Кел все равно оказывается раньше, чем можно было б ожидать от человека его возраста и габаритов, — просто на случай, если соседи глянут в окно или Франси решит разобраться, отчего парализовало его овец.

Сад Дони — заброшенный клок земли, заросший травой, с разбросанной ветром пластиковой садовой мебелью, добытой, судя по ее виду, на распродаже в супермаркете. Кухня в окне пустынна. Кел отщелкивает замок на задней двери скидочной карточкой любимой чикагской кулинарии, неспешно и аккуратно открывает, входит.

Тишь да гладь. Кухня старая, видавшая виды и яростно отдраенная, клеенка на столе и линолеум усталые до глянца. Из крана медленно подкапывает.

Кел тихо проходит через кухню и по коридору. Дом сумрачен, здесь мощно пахнет цветочным чистящим средством и сыростью. Мебели перебор, в основном это унылая, покрытая лаком сосна, от времени приобретшая пошлый оранжевый оттенок, а также перебор обоев, а на них — перебор узоров. В гостиной на каминной полке в груди чудаковатого на вид Иисуса мерцает тусклый красный свет, Иисус показывает на него пальцем и укоризненно улыбается Келу.

Кел поднимается по лестнице, стараясь держаться у края, и вес переносит постепенно, однако ступеньки скрипят все равно. Останавливается, прислушивается. Единственный звук — приглушенный сосредоточенный храп из какой-то спальни.

Комната Дони, за вычетом сосновой мебели, не имеет с остальным домом ничего общего. Почти все поверхности завалены грязной одеждой и коробками с видеоиграми. Одну стену занимает телевизор размером с витрину, на второй первоклассная аудиосистема, колонки от нее выпирают во всех углах, как перекачанные мышцы. В воздухе можно топор вешать от напластованных запахов пота, сигаретного дыма, пивного пердежа и засаленных простыней. В самой гуще всего этого размещается Дони, ничком разметавшийся на постели, в майке и трусах, украшенных Приспешниками*.

Кел в три шага пересекает комнату, упирается коленом Дони в поясницу, хватает его за жирный загривок и сует лицом в подушку. Держит, пока сопротивление Дони не приобретает оттенок отчаяния, после чего вскидывает ему голову и дает сделать одиночный долгий вдох. Затем повторяет процедуру. Еще и еще раз.

В третий раз Дони всплывает, вдыхая со стоном. Кел наваливается ему на спину, отпускает шею и выкручивает руку за спину. На ощупь Дони напоминает гидрокостюм, накачанный пудингом.

— Говнюк тупой, — говорит он Дони на ухо. — Трындец тебе.

Дони сипит и извивается, наконец ухитряется выкрутить голову и глянуть на Кела. Первым делом по лицу его пробегает облегчение. Не этого Кел добивается. Страх — то немногое, что способно разогнать хомячковое колесико Дони. Если он крепче боится кого-то другого, нежели Кела, это нехорошо. К счастью, Кел в подходящем настроении, чтобы это исправить.

— Брендан Редди, — произносит он. — Излагай.

— Не знаю, чего...

Кел открывает ящик прикроватного столика, сует туда пальцы Дони и захлопывает. Дони воет, Кел тычет его лицом в подушку.

Ждет, пока Дони довоет, после чего ослабляет хватку, чтобы гаденыш мог повернуть голову.

— Знаешь, что я хочу себе на Рождество? — говорит он, глядя Дони в лицо. Тот пыхтит и поскуливает. — Хочу, чтобы вы, отморозки, перестали быть *такими, мать вашу, предсказуемыми*. Я сыт по горло этими твоими "о-о-ой, ну я нинаю, чего вы, не слыхал никогда о таком". Отлично ты знаешь, чего я. Я знаю, что

* Герои нескольких американских анимационных фильмов, в том числе *Despicable Me* (2010, в российском прокате "Гадкий я") и *Minions* (2015, в российском прокате "Миньоны").

ты знаешь. Ты знаешь, что я знаю, что ты знаешь. Но все равно, Дони, *все равно* ты лезешь с этой херней. Иногда мне кажется, что *хоть раз еще* услышу — уже не смогу держать себя в руках.

Он отпускает Дони, слезает с кровати, опрокидывает стул, чтобы стряхнуть с него на пол горку мерзких спортивных костюмов.

— Прости, что взваливаю на тебя свои проблемы, — говорит он любезно, подтаскивая стул к кровати. — Но то и дело все вроде как напирает чуть больше, чем мне б хотелось.

Дони с трудом усаживается, подносит пальцы к лицу и дует на них сквозь зубы. Между майкой и трусами вываливается плюха бледного волосатого живота. Ссадина от встречи с Мартовой клюшкой для хёрлинга зажила лишь отчасти. Тяжелая у Дони выдалась пара недель в смысле побоев.

— Хорошо выглядим, сынок, — говорит Кел.

— Руку, блядь, *больно*, — возмущенно орет Дони.

— Забей. Нам тут кое-что обсудить надо.

— Ты, бля, *сломал* ее.

— Уй, — говорит Кел, подаваясь вперед, чтобы глянуть на пальцы Дони; они распухают, глубокие красные отметины быстро багровеют, средний палец выгнут под интересным углом. — Небось если наступить на них, больно будет копец как.

— Какого хера тебе *надо*, чувак?

— Иисусе Христе, сынок, ты прогулял школу, когда там английскому учили? Брендан Редди.

Дони прикидывает, не уйти ли ему опять в режим "ничего не знаю", оценивает Кела и передумывает. Вид у Дони не то чтоб напуганный, но несколько оживленнее обыкновенного, что для людей его сорта одно и то же.

— Ты вообще кто, чувак? Ты в деле? Или легаш? Или что?

— Как и говорил уже, я просто мужик, которому недостает хобби. Содержание этой беседы я никому передавать не собираюсь, если это тебя парит. Ты, главное, не беси меня.

Дони проводит языком по губе изнутри, там, где ее придавило подушкой к зубам, и разглядывает Кела плоскими блеклыми глазами.

— Тебя еще немножко поубеждать? — спрашивает Кел. — У нас в запасе по крайней мере час. За час я могу оказаться очень убедительным.

— Зачем тебе про Брендана?

— Дай помогу тебе начать, — говорит Кел. — Брендан мутил метамфетаминовую кухню для твоих корешей из Дублина. Начнем с этого места.

— Мудачок этот думал, тут у него "Во все тяжкие"*, — говорит Дони. — "Тут делов-то — из говна и веток, я тебе сам чистую дрянь могу гнать..." Обсос долбаный. — Кел следит за взглядом Дони — на случай, если у того где-то припрятано оружие, но Дони сосредоточен на своих пальцах. Рассматривает их так и эдак, пытается сгибать и разгибать, морщится.

— Ты, стало быть, не подпевал?

— Я им сразу говорил. Никчемный мудачок, а считает, что он хер с горы. Подставит.

— Надо было им тебя слушать, — соглашается Кел. — Всем нам проще жить было б.

Дони тянется к захламленному прикроватному столику. Кел швыряет Дони обратно на кровать.

— Не, — говорит.

— Мне покурить надо, чувак.

— Потерпишь. Не хочу я дышать этим говном, тут и так воняет. Ты пользу этим дублинским ребяткам приносишь или они тебя чисто для красоты держат?

Дони опять выпрямляется, оберегая больную руку.

— Я им нужен. В игре без местных никак.

— И наверняка они ценят тебя по достоинству. С Бренданом у тебя никаких дел нету?

— Помочь мудачку прибраться в том доме надо было, когда обустраивался. Добыть что надо. — Дони оголяет меленькие зубки, словно хочет укусить. — Слал меня со списком товара, как, бля, слугу.

* *Breaking Bad* (2008–2013) — американский сериал на кабельном канале Эй-эм-си о кустарях-наркопроизводителях.

— Что там, в списке-то?

— Судафед. Батарейки. Баллоны с пропаном. Генератор. Есть, сэр, нет, сэр, три полных мешка, сэр.

— Ангидрид?

— Не. Мудачок сказал, сам добудет, а я облажаюсь. — Дони ухмыляется. — Облажался-то он в итоге.

— Как?

Дони пожимает плечами.

— А я почем знаю? Слил слишком много, может. По-любому, Пи-Джей Фаллон засек и позвонил в Гарду. Мудачок-то небось отговорил его, чтоб не слали их к нему домой, но...

— Как так удалось?

— Пи-Джей головкой слабый. Что хочешь сойдет. — Дони гаденько скулит: — "Моя бедная мамочка, если меня загребут, она останется одна-одинешенька..." Только мудачок сболтнул Пи-Джею, где ангидрид прячет.

— А именно? В лабе?

— "В лабе", — повторяет за ним Дони и щерится. — Развалюха в горах. Мудачок поклялся, что никто о ней не знает. Пи-Джей и дружки его пришли и все зачистили. Не только ангидрид. Генератор, батарейки, все подряд, что дельное. Сотен на пять, а то и шесть, легко.

Спрашивать, кто они, дружки Пи-Джея, незачем. Март, этот ебила-всезнайка, он и впрямь всё это знал — или почти всё. И пока Кел болтал про крупных кошек, пока шастал по округе с невинными вопросами насчет электрики, Март отчетливо понимал, кого и зачем они оба ищут.

— Дублинские ребята проведали? — спрашивает.

Дони ухмыляется.

— Ага.

— Как?

— Нинаю, чувак. Может, заслали кого посмотреть, проверить, впрямь ли оно такое надежное, как мудачок им сказал. — Оскал у Дони ширится. Ему поразительно легко в этом разговоре — после того, как он к нему привык. Такие, как Дони, Келу попадались — люди, едва замечающие боль или страх, куда там еще что-то, словно эмоции у них так толком и не отросли. Никто из них ничью жизнь никак не украсил. — Мудачок-то чуть не обосрался. Надо думать, надеялся под ковер замести, что его обдурили. Попытаться добыть налички, чтоб заменить всю снарягу, пока не разнюхали.

— А они что?

— Велели встречу назначить. С ним.

— Где?

— В том доме.

— Зачем?

— Навешать ему, видать. За то, что он гондон тупой и внимание привлекает. Да только мудачок не явился. Сдриснул.

Взгляд Дони вновь тянется к сигаретам на прикроватном столике. Кел щелкает пальцами у него перед лицом.

— Сосредоточься, Дони. Это все, что они с ним сделали бы? Навешали?

— Если заплатит, да. Они хотели, чтоб он на них работал.

— Он это знал?

Дони пожимает плечами.

— Идиёт этот жопу от пальца не отличал. Не по зубам ему, а он брался, понимаешь, да? Хочешь с такими ребятками работать — соображай. Не в химии, блядь. А по жизни.

— Ты на встрече был?

— Не. Другие дела.

Означает, что его не звали, и тогда он не в курсе, правду ли ему дублинские пацаны сказали насчет того, что Брендан не явился. Брендан был оптимистом — выскакивал за дверь, считая, что сейчас все радостно наладит обратно, а что все не так, понял слишком поздно. Кел говорит:

— Дублинские пацаны тебя спрашивали, куда он мог деться?

— А я откуда знаю? Я ж ему не нянька.

— Они его ловили? Поймали?

Дони качает головой.

— Я не тупой, чувак. Я не спрашивал.

— Брось, Дони. Насколько они были злые?

— А ты, бля, как думаешь?

— Ясно. Считаешь, они бы просто дали Брендану свалить в закат?

— Не хочу знать. Знаю одно: они мне велели страху нагнать на то старичье. Чтобы рты на замке держали точно и в наши дела больше не лезли.

— Овцы, — произносит Кел. Дони вновь лыбится — улыбка эта непроизвольная, как судорога. — Надо думать, удовольствие получил. Наконец-то хоть как-то дали Богом данные таланты проявить.

— Да просто делаю свое дело, чувак.

Кел смотрит на Дони — тот сидит на краю кровати, пухлые коленки врастопырку, ощупывает сломанный палец, посматривает испытующе на Кела. Дони что-то недоговаривает.

Брендан ему не нравился нисколько — и его можно понять. Дони ишачил на эту банду невесть как долго, а тут вдруг такой Брендан, чванный пацан с грандиозными планами, и Дони приставляют к нему мальчиком на побегушках. Ему надо было убрать этого умника, и Келу что-то отчетливо подсказывает: Дони предпринял шаги к тому, чтобы это произошло. Может, сказал Брендану, что на той встрече ему далеко не только навешают, напугал его до икоты и подтолкнул к тому, чтобы Брендан слинял. А может, просто сопровождал Брендана на встречу и выбрал безлюдный отрезок дороги.

Кел раздумывает, не вытянуть ли всю историю из Дони, который взялся выковыривать войлок у себя из пупа. Решает, что не стоит, — просто потому, что сейчас ему на самом деле плевать на судьбу Брендана Редди. Ему необходимо ровно столько этой истории, чтобы понять, кто заставил Шилу избить Трей и почему. Остальное может подождать.

— А когда дело свое ты сделал, — говорит он, — все вернулось в норму.

— Ага. Пока ты не начал в это лезть. Я, бля, хочу курить, чувак.

— Кстати, о людях, которые лезут, — говорит Кел. — Трей Редди.

Губа у Дони вздергивается.

— А что с ней?

— Она пришла тебя повидать на днях, поспрашивать о Брендане. А потом кто-то ее довольно сильно избил.

Тут Дони ухмыляется.

— Поделом. Сучка эта и так уродина была всегда.

Кел бьет его в живот так быстро, что Дони не успевает заметить. Складывается пополам и падает на кровать, сипя, а следом срыгивая.

Кел ждет. Не хочется, чтобы Дони вынудил его на второй удар: всякий раз, когда приходится к этому парню прикасаться, Кел не уверен, сумеет ли остановиться.

— Давай еще раз, — говорит он, когда Дони наконец удается сесть, утирая слюну с подбородка. — Не промахнись. Трей Редди.

— Пальцем не трогал.

— Я знаю, что ты не трогал, дубина. Ты сказал кому-то, что она у тебя была. Твоим дублинским корешам?

— Не, чувак. Ни слова никому.

Кел заносит кулак. Дони отпрыгивает задницей по кровати и скулит, позабыв, что руку нагружать нельзя.

— Не-не-не, погоди. Я, бля, *ничего* не говорил. Честно, чувак. Зачем мне? Насрать мне на нее. Послал подальше, и все — забыл. Точка. Богом клянусь.

Кел распознает эту особую уязвленность, какая прет из хронического вруна, которого в кои-то веки обвинили в чем-то, чего он действительно не делал.

— Ладно, — говорит Кел. — Кто-то еще ее тут видел?

— Нинаю, чувак. Я не проверял.

— На дублинских пацанов еще кто-то работает тут?

— В Арднакелти неа. Пара человек в городе, один в Лиснакарраге, один в Нокфаррани.

Неувязочка в том, что этого Дони может и не знать, особенно если дублинские пацаны подозревают, что от него хлопот из-за Брендана прибавилось. Если у них тут кто-то за Дони присматривает, Дони точно не в курсе. Кел жалеет, что не подождал ночи и не нашел способа выловить Дони вне дома, а не вот так, наспех, но теперь уж поздно.

На прикроватном столике у Дони, среди пепельниц, пакетиков с травой, киснущих кружек и оберток от батончиков, два телефона — здоровенный глянцевый распальцованный "айфон" и паршивенький маленький фуфлофон. Кел берет одноразовый, лезет в телефонную книгу, там полдесятка имен. Подносит экран Дони.

— Кто старшой? — Дони пучит на него глаза. — Или я просто всех могу обзвонить и сказать им, откуда взял их номера.

— Остин старшой. Из тех ребят, которые сюда ездят, по-любому.

Кел вбивает номер Остина и остальные к себе в телефон, присматривая за Дони — на случай, если тот решит выделываться.

— Да? И собирается ли Остин сюда в ближайшее время?

— Тут, типа, не по расписанию, чувак. Они мне звонят, когда я им нужен.

— А Остин какой?

— Ему мозги крутить не стоит, — говорит Дони. — Верь слову.

— Не собираюсь я никому ничего крутить, сынок, — говорит Кел, бросая телефон на прикроватный столик, тот попадет в пепельницу и поднимает унылое облачко пепла. — Но иногда жизнь складывается иначе. — Он встает и отрясает со штанов то, что налипло на них со стула. Такое ощущение, что ему потребуется обеззараживающий душ. — Можешь теперь доспать.

— Я тебя убью, — уведомляет его Дони.

Плоские глазки сообщают, что так он и сделает — если не облажается.

— Не, не убьешь, дубина, — говорит Кел. — Попробуй — и у тебя тут десяток следаков по всей округе набежит, допросят всех и каждого к едрене фене за любую муть, которая в этих местах творится. Как думаешь, что кореша твои дублинские с тобой сделают, если ты этот говносмерч обрушишь на их головы?

Дони, может, и туп как пробка почти во всем, но причудливые пути возникновения неприятностей отслеживает мастерски. Вперяет в Кела взгляд незамутненной лютой ненависти, какая возможна только в человеке, угрозы не представляющем.

— До скорого, — произносит Кел. Направляется к двери, пиная в сторону тарелку с окаменевшим кетчупом. — И прибрался бы ты, Христа ради. Мама твоя мирится с этим? Белье поменяй, козел.

По пути домой Кел долго и славно бродит по проселкам за полями Франси Ганнона, заинтересованно разглядывая обочины и проверяя, не следит ли кто за домом Дони. У него припасена история про потерянные солнечные очки, если кто-то решит выяснить, но попадается ему только Франси Ганнон — он дружелюбно машет Келу рукой и выкликает что-то невнятное, шагая куда-то с ведром, тяжелым на вид. Кел машет в ответ и продолжает искать, но не слишком целеустремленно, чтобы Франси не решил прийти на выручку.

Заключив, что вокруг все чисто — по крайней мере, сейчас, — Кел отправляется домой с нарастающей досадой — скорее на себя, чем на кого-то еще. В конце концов, он с самого начала прикидывал, что под Мартовой клоунадой мужлана-потешника таится много чего другого, однако так и не собрал все воедино, что для человека его ремесла непростительный уровень бестолковости. Надо полагать, за Мартову опеку стоит быть ему благодарным, даже если Март в основном стремился не дать Келу навлечь на округу еще больше бед, но Кел не шибко обожает, когда его выставляют дураком.

Утро задается расточительно красивым. Осеннее солнце придает зелени полей невозможную, мифическую яркость и превращает глухие проселки в залитые светом тропы, где за каждым поворотом среди дрока и куманики можно встретить тролля с его загадкой или прелестную деву с корзинкой. Чтобы все это оценить по достоинству, у Кела нет настроения. Кажется, именно эта особая красота и породила морок, что убаюкал Кела до отупения, превратил его в крестьянина, который таращится, разинув рот, на горсть золотых монет у себя в руках, пока золото не обернется мертвой листвой прямо у него на глазах. Случись что-то подобное где-нибудь среди унылых пригородных скоплений типовых домов и выверенных по линейке газонов, мозги б остались при Келе.

Надо потолковать с Остином. Тот, похоже, мужик прикольный. Правда, если он старшой, даже региональный, тут вероятность покрепче половины на половину, что он расчетливый подвид психопата, а не буйный бешеный. В таком случае, в отличие от многих других, Кел считает, что это плюс. Если удастся убедить Остина, что Трей угрозы не представляет, Остин, скорее всего, отставит свою кампанию по замалчиванию как излишне рискованную, а не дожмет чисто ради потехи. Есть даже некоторая вероятность, что Келу удастся уговорить Остина выдать Трей хоть какой-то ответ в обмен на гарантированную тишь да гладь. Впрочем, чтобы раскусить Остина как следует и выкрутить ему руки, Келу все же надо увидеться с ним лично. Придется позвонить и назначить встречу, стратегию выстраивать на лету в зависимости от того, что обнаружится, и надеяться, что встреча сложится лучше, чем у Брендана.

Дом и сад выглядят такими же, какими были, когда он уходил, грачи радостно занимаются своими делами, болтают и прочесывают траву в поисках жуков, невозмутимые. Кел отпирает входную дверь как можно тише, полагая, что малая, вероятнее всего, легла спать, и заглядывает в спальню. Постель пуста.

Кел разворачивается, в голове сразу битком полностью сложившихся сценариев похищения. Увидев, что дверь в уборную заперта, он переключается на другие картинки: малая лежит на полу, с кровотечением в потрохах. Уму непостижимо, как он не притащил ее вчера вечером в больницу.

— Малая, — говорит он под дверью уборной. — Все нормально?

Тошный миг спустя Трей тянет дверь на себя.

— Вы, нахер, пропали! — рявкает она.

Аж искрит от нервов. Кел тоже.

— Я поговорил с Дони. Ты хотела этого или нет?

— Что он сказал?

Вспышка ужаса у нее в глазах выжигает в Келе досаду.

— Ладно, — говорит он. — Дони сказал, что твой брат действительно спутался с пацанчиками из Дублина. Не торговал, тут ты была права, но намеревался варить для них мет. Да облажался — просрал их материалы. Хотел встретиться с ними и все исправить, а дальше Дони о нем не слышал.

Кел не уверен, не перебор ли что-то или все это для Трей, но не собирается больше ограждать ее, скрывая что бы то ни было, — вон как славно это получилось в прошлый раз. Малая имеет право, оплаченное и вколоченное в нее, услышать все честные ответы.

Сказанное она впитывает с сосредоточенностью, от какой перестает дергаться.

— Дони правда так и сказал? Сейчас без вранья?

— Без вранья. И я вполне уверен, что и он мне не загонял. Не знаю, все ли он сказал, но то, что сказал, — похоже, правда.

— Вы его побили?

— Ага. Но несильно.

— Надо было отмудохать, — постановляет Трей. — Сплясать на голове у него.

— Да понятно, — бережно говорит Кел. — Я б и рад бы. Но нам ответы нужны, а не канитель.

— Надо поговорить с ними, с ребятами из Дублина. Поговорили?

— Малая, — произносит Кел, — угомонись. Собираюсь. Но сперва прикинем, как это сделать лучше всего, чтоб ни ты, ни я не огребли пулю в башку.

Трей обдумывает сказанное, обкусывая заусенцы на большом пальце, морщится, зацепив губу. Наконец говорит:

— Марта Лавина видели?

— Нет. А что?

— Приходил сюда, вас искал.

Кел хмыкает и мысленно пинает себя. Ну конечно же, Март засек Ленину машину и потопал прямиком сюда, вынюхивая трюфели сплетен, в тот же миг, как возможность представилась.

— Видел тебя?

— Не. Я его засекла и спряталась в сортире. Обошел дом кругом, когда вы дверь не открыли. Я слышала. Проверял окна. Я видела его тень.

При этом воспоминании малая опять начинает подергиваться от адреналина.

— Что ж, — умиротворенно говорит Кел, — хорошо, что у меня в туалете шторка на окне. — Снимает куртку, вешает на крюк за дверью, двигается тихо-спокойно. — Знаешь, зачем я его закрыл вообще? Из-за тебя. Еще до того, как мы познакомились. Я знал, что за мной кто-то подглядывает, и повесил простыню, чтоб там, где надо, быть одному. Вот и тебе пригодилось. Прикольно как все поворачивается, а?

Трей дергает одним плечом, но трясется меньше.

— Я знаю, чего Марту надо, — говорит Кел, — и к тебе это не относится. Он увидел машину мисс Лены и хочет узнать, сошлись мы с ней или нет.

У Трей такое лицо, что Кел расплывается в улыбке.

— И как?

— Не. И так выше крыши всякого, чтоб еще и это поверх. Хочешь чего-нибудь? Перекусить, может?

— Хочу вот на это поглядеть. — Малая показывает на свое лицо. — Зеркало есть?

— Сейчас выглядит куда хуже, чем есть. Отек сойдет через день-другой.

— Я знаю. Посмотреть хочу.

Кел отыскивает в шкафу зеркало, перед которым стрижет бороду, вручает его Трей. Она усаживается с ним за стол и долго разглядывает себя, поворачивая голову так и эдак.

— Все еще можно узнать, поправит ли тебе врач губу, — говорит Кел. — Чтобы шрама не осталось. Скажем, что ты с велика упала.

— Не. Пофиг мне на шрамы.

— Это понятно. Но, может, потом передумаешь.

Кел счастлив: малая одаряет его полномасштабным взглядом "ну ты и недоумок".

— Лучше пусть я выгляжу типа "отвали подальше", чем красоткой.

— Думаю, с этим у тебя все путём, — заверяет ее Кел. — Тебе придется показаться людям на деревне. Пока синяки не сошли.

Трей резко вскидывается от зеркала.

— Не пойду я туда.

— Пойдешь, пойдешь. Кто б там ни велел твоей маме это сделать, надо показать, что она послушалась. Вот почему она тебя в основном по лицу: чтоб знали. Надо, чтоб тебя увидел тот, кто донесет.

— Типа?

— Если б я знал, — отвечает Кел. — Сгоняй к Норин. Купи хлеба или чего-то. Дай ей хорошенько на тебя полюбоваться, ходи так, будто у тебя все болит. Уж от Норин-то разлетится по округе.

— У меня денег нет.

— Я тебе дам. Можешь принести хлеб сюда.

— У меня по правде все болит. Я так далеко не дойду.

Малая мятежно хохлится. Все в ней противится тому, чтоб выносить семейный сор к Норин.

— Малая, — говорит Кел, — ты хочешь, чтобы они вернулись и дожали?

Через секунду Трей отодвигает зеркало.

— Ясно, — говорит она. — Ладно. Только можно завтра?

Кел улавливает воронку усталости у нее в голосе и чувствует себя злодеем. Только потому, что малая по-прежнему хорохорится, он сдуру подумал, будто она целее, чем это сейчас вообще возможно.

— Ага, — говорит. — Конечно. Завтра вполне. Сегодня отдыхай.

— Можно я тут останусь?

— Конечно, — отвечает Кел.

Он сам крутил в голове варианты, как ей это предложить. Дони оказался бы балбесом эпических масштабов, если бы побежал к Остину ныть насчет их с Келом разговора, но Кел давным-давно усвоил: это ошеломляющее чудо природы — человеческую тупость — недооценивать нельзя никогда. А если вдруг случайно Остин все же имеет пригляд за Дони и Кела засекли, каждое слово их с Дони беседы уже известно. Кел вспоминает типов вроде Остина, которых знавал прежде, думает о том, что́ они способны вытворить с Трей, если им приспичит отыграться. Пока он не разберется как следует, что к чему, малая остается здесь.

Трей зевает, внезапно и вовсю, не обеспокоившись прикрыть рот.

— Я в хлам, — говорит она растерянно.

— Это потому что у тебя все болит, — объясняет Кел. — Тело расходует прорву энергии на выздоровление. Через пару минут мы тебя уложим.

Берет молоток, гвозди, стул и брезент, тащит все это к окну спальни. Трей идет за ним и падает на постель, будто кто-то подрезал ей жилы.

— Меня разок отлупили, когда мне было как тебе, — говорит Кел. Забирается на стул и прибивает брезент над окном.

— Мамка вас так?

— Не, — говорит Кел. — У мамы сердце было самое мягкое на весь город. Она бы и комара не пришлепнула.

— Папка?

— Не. В нем злобства тоже не водилось. Отец, когда объявлялся, привозил мне игрушечные машинки и конфеты, маме нашей — цветы, показывал мне карточные фокусы, пару недель был дома и уезжал опять. Нет, двое парней в школе. Я даже не помню с чего. Отделали хорошенько, правда. Два сломанных ребра, а лицо было как гнилая тыква.

— Хуже моего?

— Примерно так же. Больше синяков, меньше крови. Крепче всего я, правда, запомнил, до чего был потом уставший. Чуть ли не целую неделю я только и мог, что лежать на диване, смотреть телик да лопать то, что бабуля подтаскивала. Когда больно, устаешь вусмерть.

Трей осмысляет.

— Вы им сдачи дали? — спрашивает. — Парням, которые вас отлупили?

— Ага, — отвечает Кел. — Чуть погодя, потому что надо было вырасти и стать таким же здоровенным, как они, но в итоге все удалось. — Слезает со стула, дергает за брезент. Держится. —

Вот. Теперь не придется прятаться в уборной, если кто-то объявится. Отдыхай на всю катушку. — Малая зевает еще раз, трет кулаком здоровый глаз и заматывается в простыни. — Спи крепко, — говорит Кел и закрывает за собой дверь.

Спит она четыре часа. Кел обдирает во второй спальне обои в неспешном, ровном ритме, чтоб без всяких случайных шумов. Пыль вьется и мерцает в солнечном свете, косо скользящем в оконные стекла. Среди сжатых полей перекликаются овцы, запоздалая стая гусей поднимает далекий гомон. Никто никого не ищет.

19

Голод все же выгоняет Трей из постели, Кел делает им сэндвичи с арахисовым маслом, после чего запирает Трей, чтобы сгонять в город. Даже если Дони позвонил Остину тут же, вряд ли это окажется в списке приоритетов Остина достаточно высоко, чтобы бросаться действовать, но Кел все равно хочет вернуться домой засветло. Выкатывается к воротам, и дом, приземистый и невозмутимый среди заросших полей во владениях Кела, оттененный бурым мазком гор на горизонте, кажется очень далеким от всего на свете.

По дороге он звонит Лене.

— Привет, — говорит. — Как там собаки?

— Мировецки. Нелли мне в наказание изничтожила всего одну мою туфлю, но и та старая. — Из трубки доносятся мужские голоса, где-то разговаривают. Лена работает. — Как Трей?

— Нормально. Ее слегка потряхивает, но все получше. Сами как? Ломота отпустила?

— В смысле, — говорит Лена, — удалось ли мне забыть о ней покрепче, чтоб я по второму разу согласилась?

— Ну, и это тоже, — говорит Кел. — Малая хочет остаться у меня еще на одну ночь. Сможете мне подсобить? Если я матрас добуду?

Через миг он слышит от Лены звук, какой может быть и смехом, и раздраженным вздохом, и тем и другим.

— Взяли бы щенка сразу, — говорит она. — Меньше хлопот вышло б.

— Всего одна ночь. — Кел почти уверен, что так оно и будет. Затягивать с этим он себе позволить не может. — Берите Нелли с собой, если хотите. Остальная ваша обувь сохраннее будет. — Насчет того, что чуткие уши бигля могут оказаться кстати, он не заикается, хотя уверен, что Лена смекнет и сама.

Мужские голоса затихают — Лена от них удаляется. Говорит:

— Только на одну ночь. Если матрас добудете.

— Как раз за ним еду, — говорит Кел. — Спасибо. Если понадобится вас выручить, вы знаете, к кому обращаться.

— В следующий раз, когда кто-то из щенков зассыт мне весь пол, я звоню вам.

— Явлюсь. Можно пригласить вас к нам на ужин?

— Нет, поем сама и приеду после. Где-то в восемь, скажем. До тех пор вдвоем отобьетесь?

— Постараемся, — отвечает Кел. — Я понимаю, что сажусь на голову, но не могли бы вы мне еще одно одолжение сделать? Можете позвонить Шиле Редди и сообщить ей, что с Трей все нормально?

Молчание.

— Ей надо знать, — продолжает Кел. Никакой особой теплоты у него к Шиле нет, но неправильно это — бросать ее маяться от мысли, что беспомощная или умирающая Трей валяется где-то на горном склоне. — Просто скажите, что ребенок в безопасности, вот и все.

— А, ну да, конечно. А когда она спросит, где Трей, я ей такая — понятия не имею, так? Или: "Ха-ха, а вот не скажу!" — и повесить трубку?

— Просто сообщите ей, ну не знаю... сообщите, что ребенок не хочет с ней сейчас разговаривать, но завтра вернется домой. Что-нибудь такое. — Снова возникает тишина. Кел отчетливо воображает вздетые брови. — Я б и сам позвонил, но Шила может расстроиться, если узнает, что ребенок у меня в доме. Не хочу я, чтоб она полицию на меня натравила. Или сама заявилась ко мне под дверь.

— А если она это устроит мне, все шик, да?

— К вам она не будет полицию вызывать. Если придет к вам, можете показать ей, что ребенка у вас нету. А если заявится после восьми, вас вообще дома не будет.

Через минуту Лена говорит:

— Было б мне веселей, если б я понимала, как меня вообще угораздило.

— Ага, — говорит Кел. — И мне. У девчонки дар.

— Мне пора, — говорит Лена. — До встречи. — Отключается.

Кел вспоминает о разнообразии звуковых эффектов, какие предложила бы Донна, чтобы явить ему вершину айсберга своих чувств в заданных обстоятельствах. Кел даже подумывает, не позвонить ли ей и не изложить ли всю эту историю — исключительно ради удовольствия послушать их еще раз, но сомневается, что Донна оценит все это так, как ему бы хотелось.

Город по-будничному деловит, старушки с сумками на колесиках рассекают по улицам, на перекрестках, размахивая клюками, беседуют старики. Добыть надувной матрас Келу удается не сразу, но в конце концов мужик в хозяйственном магазине надолго исчезает в подсобке и возвращается с двумя — оба покрыты пылью и липкой паутиной. Кел забирает оба. Пусть и готов он к ночи в кресле, одинокий матрас может создать у Лены впечатление, будто у Кела есть какие-то планы.

В лавке, увешанной впечатляюще многообразной ношеной синтетикой, становится понятно, откуда взялся Шилин свитер. Кел находит проволочную корзину с синтетическим постельным бельем, а также дополнительное одеяло и пару подушек, пижаму, синее худи и пару джинсов примерно на размер Трей, грузит все это в супермаркетную тележку вместе со стейком, картошкой, овощами, молоком, яйцами — самым питательным, что удается найти. Попутно прихватывает Марту печенье. Нужен повод зайти к соседу — пусть тот покуражится насчет Лены, пока у него не лопнуло терпение и он не заявился к Келу повторно.

Вечер в эти дни надвигается раньше. Когда Кел выезжает из города, свет уже низок, отбрасывает обширные полотна теней через поля. Кел катится к дому быстрее, чем следовало бы по этим дорогам.

Все еще прикидывает, как подобраться к Остину. На службе он бы взялся за дело, вооружившись затейливым набором всевозможных кнутов и пряников любых размеров, очертаний и свойств. Наблюдает, как узкая низкая луна висит на лавандовом небе, как с сумерками набирают глубины, струясь за окнами, поля, и вновь чувствует, до чего беспредельно пусты у него руки.

Остин с бывшим легавым разговаривать не станет, к конкуренту по-доброму не отнесется и до случайного гражданского не снизойдет. Кел считает, что лучше всего сыграет такая ставка: он повидал веселой жизни, убрался, пока удача не отвернулась, и переехал подальше от дома, чтоб не затянуло обратно и чтоб не нашли, — вроде и крут достаточно, чтоб удержать Трей на сворке и чтоб уважали, но не настолько деятелен, чтоб представлять угрозу.

Кел осознает, что вновь мыслит как следователь, но таким следователем он не служил. Тут работа под прикрытием. Кел такое не любил никогда — как и ребят, которые этим занимались. Их мир — текучесть зеркальной комнаты, им там ловко, как борцам в весе мухи, а Келу делалось не по себе до самых костей. Начинает ощущать, что у них в этих краях все получалось бы лучше, чем у него.

Когда загоняет машину к себе, дом — два освещенных прямоугольника и линия крыши, оттененная небесным индиго и первыми звездами. Кел выходит из пикапа, огибает его сзади, чтобы вынуть матрасы. Успевает засечь торопливые шаги по траве, но времени хватает только на то, чтобы обернуться и увидеть почти в полной тьме, как на него бросаются темные фигуры, схватиться за то место, где полагается быть "глоку", и тут что-то грубое и пыльное опускается ему на голову, его валят с ног навзничь.

Падение вышибает из него дух. Кел силится вдохнуть, но без толку, разевает рот, как рыба. Затем что-то тяжелое крушит ему ключицу. Он слышит глухой бряк по кости и чувствует, как раскалывается на щепки. Вновь пытается вдохнуть, боль пронзает насквозь, и тут удается наконец втянуть полные легкие пыли и трухи, а воздуха там едва хватает.

Он скручивается вбок, сипя, рот забит грубой тряпкой, вслепую размахивает руками. Хватает чью-то лодыжку, дергает изо всех сил, чувствует удар о землю — человек упал. Пинок в спину вынуждает его разжать руку. Что-то тяжелое бьет его по коленной чашечке, боль вновь выпускает из него дух, а маленькая ясная часть ума сознает, что их там больше одного и ему пиздец.

Мужской голос говорит ему в лицо:

— Не лезь не в свое дело. Понял?

Кел бьет кулаком, попадает и слышит, как человек крякает. Не успевает подняться на колени, что-то тяжелое прилетает ему по носу, тот взрывается, ослепительно ярко по всей голове вспыхивает боль. Кел вдыхает кровь, давится ею, выкашливает большими беспомощными харками. Затем воздух раскалывается от дикого рева, Кел думает, что его ударили еще раз, что вот теперь-то конец, и тут все замирает.

В тишине раздается жесткий ясный голос, чуть издалека, он кричит:

— Стоять!

Сквозь настырный певучий туман искр и крови Кел лишь через миг осознает то, что слышит, а еще через миг определяет, что это голос Трей. В третий миг он понимает, что Трей только что выстрелила из "хенри".

Трей кричит:

— Где Брендан?

Ничто не шелохнется. Кел возится с тряпкой у себя на голове, но пальцы трясутся и бестолковы. Мужской голос кричит совсем рядом:

— Опусти, мразь ты мелкая!

"Хенри" гремит вторично. За головой Кела раздается дикий вопль, а следом громкая болтовня.

— Что за черт…

— Исусе Христе…

— Я сказала — *стоять*!

— Я убит, она, бля, меня подстрелила…

— *Где мой брат* — или я всех вас, бля, поубиваю!

Келу как-то удается схватиться за мешок и стащить его с головы. Мир кренится и бурлит, и ясно видно лишь одно: золотой луч, как от маяка, разливается по траве, а в вершине его, очерком в ярком прямоугольнике открытой двери, Трей наставляет ружье. Трей выходит из дома, как с огнеметом, заряженная до краев накопленной за всю жизнь яростью, готовая спалить дотла все на мили вокруг.

— Малая! — орет Кел и слышит отзвук над потрясенными темными полями. — Стой! Это я! — С трудом встает, покачиваясь и спотыкаясь, волоча ногу, шмыгая носом и сплевывая кровь. — Не стреляй в меня!

— Убирайся, нахер, с дороги! — орет Трей в ответ. Выговор сделался грубее и неукротимее, прямо с гор на зубастом ветре, но голос ясный и собранный.

За Келом кто-то пыхтит сквозь стиснутые зубы:

— Рука, рука, блядь.

А кто-то еще тихо огрызается:

— Заткнись.

И следом наступает полная тишина — уж насколько ему слышно за стуком и бульканьем у себя в голове. Тем, кто сейчас следит за каждым движением Трей, хватает соображения не относиться к ней легкомысленно.

Кел раскидывает руки и бросается перед ними.

— Малая, — кричит он, — нет. — Он знает, что существуют слова, какими он когда-то вымаливал оружие у людей из рук, обещания, утешения. Ничего не осталось.

— Уйди с дороги — или и тебя шлепну!

Вокруг Кела все качается и рябит, но ее силуэт в дверном проеме недвижим, как памятник; тяжелое ружье у ее плеча не шелохнется. Если эти люди ей откажут или соврут — а может, даже если скажут правду, — она их всех отправит на тот свет.

— Малая, — кричит он. Голос рван от пыли и крови. — Малая, скажи им, чтоб убирались.

— *Где Брендан?*

— Прошу, малая, — кричит Кел. Голос ломается. — Прошу. Пусть убираются. Умоляю тебя.

Полная холодная ночная тишина длится три вздоха. А затем “хенри” палит еще раз. Грачи срываются со своего дерева громадным черным фейерверком крыльев и суматохи. Голова у Кела откидывается, и он воет, как зверь, в ночное небо.

Хватая ртом воздух, парализованный между тем, чтобы рвануться за ружьем и оценить нанесенный ущерб, он слышит крик Трей:

— Валите нахер все!

— Уходим! — кричит в ответ мужской голос позади Кела.

Еще секунда нужна потрясенному мозгу Кела, чтобы сообразить. Трей целилась в воздух, в кроны деревьев.

— Нахер валите с этой земли!

— У меня кровь, господи всемогущий, глянь...

— Идем, идем, идем...

Тяжкое пыхтение, путаница голосов, не разобрать, поспешные шаги по траве. Кел оборачивается поглядеть, кто это был, но тут колено подкашивается, и он медленно и неизящно плюхается на зад. Люди уже исчезают во тьме. Три торопливые черные фигуры держатся друг к другу поближе, головы пригнуты.

Кел сидит где сел, прижимает рукав куртки к истекающему кровью носу. Трей стоит на пороге, ружье у плеча. Грачи кружат и матерятся, а затем, слегка угомонившись, усаживаются на дерево, чтобы говниться в уюте.

Когда приглушенные голоса тают на проселке, Трей опускает ружье и в луче света размашисто шагает к Келу. Он отводит рукав от лица ровно на то время, чтобы успеть сказать:

— Предохранитель. Поставь на предохранитель.

— Поставила, — говорит Трей. Склоняется к нему, чтобы рассмотреть сквозь темень. — Как вы?

— Жить буду, — отвечает Кел. Пытается обустроить конечности так, чтобы удалось встать. — Надо зайти внутрь. Пока не вернулись.

— Не вернутся, — говорит довольная Трей. — Одного я зацепила что надо.

— Ладно, — говорит Кел. Не сформулировать ему сейчас, что если они все же вернутся, то при них тоже будет оружие. Ему удается встать, слегка покачиваясь, и он прикидывает, выдержит ли колено.

— Так, — говорит Трей. Обхватывает его за спину, принимает его вес на свое тощее плечо. — Идем.

— Нет, — говорит Кел. Думает о ее увечьях, которые сейчас представляет смутно, однако то, что помнит, — ужасно.

Трей не обращает внимания и шагает к дому, Кел сознает, что идет с ней. Они бредут по траве, то выпадая из света, то возвращаясь к нему, подпирая друг дружку, как пара пьянчуг. Оба пыхтят. Кел чувствует каждый дюйм тьмы, расстилающейся вокруг, — и каждый дюйм их тел представляет собой безупречную мишень. Старается хромать проворнее.

Когда захлопывает за собой дверь и запирает на два замка, у него содрогаются все до единой мышцы. Внезапный яркий свет шибает по глазам.

— Дай полотенце, — говорит он, падая на стул у стола. — И зеркало.

Трей оставляет "хенри" на кухонной стойке и приносит Келу что попросил, а затем тазик с водой и аптечку и висит над ним, пока он промокает нос полотенцем.

— Вы как? — переспрашивает.

Кел улавливает напряжение у нее в голосе. Глубоко вздыхает — чтоб стало поровнее.

— Типа такого, как у тебя вчера, — отвечает сквозь полотенце. — Потрепали хорошо, но бывало и хуже.

Малая нависает еще минуту, смотрит на него, теребит пальцем губу. Затем внезапно отправляется к морозилке, возится в ней. Пока не остановилась кровь, Кел задирает штанину, проверяет колено. Багровое, распухшее, поперек полоса еще темнее, но, поэкспериментировав, Кел почти не сомневается, что не сломано. Ключица наверняка треснула: стоит шевельнуть плечом, как стреляет болью. Правда, очень осторожно ощупав ее, он обнаруживает, что линия прямая. Значит, вправлять не понадобится, это хорошо. Кел определенно предпочел бы не объяснять всего этого врачу.

Трей бросает на стол перед ним два пластиковых пакета со льдом.

— Что еще? — спрашивает.

— Перевязь понадобится, — говорит Кел. — Простыня в уборной на окне, она длинная, снизу полосу можно отрезать. Ножницы вон в том ящике.

Трей идет в уборную, возвращается, мастерит из того, что отрезала, грязную, но годную перевязь. Когда им удается стащить с Кела куртку и приладить перевязь, Трей забирается на кухонную стойку, откуда можно следить за окном.

Нос кровить перестал. Кел ощупывает его, стараясь не показывать малой, что морщится при каждом касании. Нос разнесло вдвое против обычных размеров, но на ощупь очертания вроде не изменились. Дрожь унялась, можно худо-бедно умыть лицо, макая в таз уголок полотенца. В зеркале он смотрится примерно так, как и ожидал: нос похож на помидор, назревают два фингала под глазами, хотя и близко не такие зрелищные, как у малой.

Трей наблюдает за ним.

— Ты глянь на нас, — говорит Кел. Голос такой же глухой и смазанный, как сквозь полотенце. — Парочка битых бродячих дворняжек.

Трей кивает. Не разобрать, насколько все это ее потрясло. На лице по-прежнему эта жесткая, сосредоточенная решимость, какую он слышал у нее в голосе еще во дворе, при оружии. Вроде как не к месту такая решимость у ребенка. Келу кажется, что он должен что-то с этим сделать, но прямо сейчас не сообразит, что именно.

Откидывается на стуле, пристраивает один пакет со льдом к колену, второй — к носу и сосредоточивается на том, чтобы замедлить тело и ум, чтоб заработали как надо. Вспоминает предыдущие драки, какие выпадали ему, чтобы сравнить с этой. Пацаны в школе, несколько раз. Еще этот идиот, бросившийся на него с обрезком трубы на улице после вечеринки, на которой были Кел с Донной в буйные деньки, — решил, что Кел странно посматривает на его девушку, у Кела до сих пор вмятина на ляжке там, куда воткнулся конец трубы. Тот мужик собирался его убить — как и тот, который вмазался чем-то и выскочил из проулка, когда Кел патрулировал, и не успокаивался, пока Кел не сломал ему руку. И вот пожалуйста — Кел опять сидит, теперь на другом краю света, в дальнем углу Ирландии, с разбитым носом. Ему от этого почему-то уютно.

— У нас жила одно время побитая дворняжка, — говорит Трей со своего шестка. — Мы с Бренданом и с папкой шли в деревню и нашли этого пса на дороге. Весь потрепанный и в крови, и лапа больная. Папка сказал, подыхает. Собирался утопить его, чтоб не мучился. А Брендан что? Хотел вылечить ему лапу, папка в итоге сказал, пусть пробует. Еще шесть лет он у нас прожил, тот песик. Хромал, но вообще все шик. Спал на кровати у Брендана. Умер под конец от старости.

Кел никогда столько слов от нее не слышал, тем более без особой цели. Поначалу решает, что так через болтовню у нее выходит напряжение, но глядит, как она смотрит на него, и осознаёт, что́ она делает. Применяет то, чему у него же и научилась, — говорить о чем угодно, что взбредет на ум, чтобы его успокоить.

— Сколько тебе было? — спрашивает Кел.

— Пять. Брен сказал, что имя могу я придумать. Я назвала Шлёпом — у него пятно вокруг глаза было, типа нашлепки. Сейчас что получше придумала бы, но тогда я была маленькая.

— Ты выяснила, откуда он взялся?

— Не. Не отсюда, а то мы б о нем знали. Кто-то, может, выбросил из машины на главной дороге, и он оттуда приполз. Не из выпендрежных собак. Просто черно-белая дворняга.

— Такие лучше всех, — говорит Кел. — Брат твой молодец. — Пробует колено — теперь, когда первый шок сошел, оно вполне служит. — Скажу тебе, мне сейчас лучше, чем я ожидал.

Это, в общем, правда. Ему все еще шатко много где и мутит от проглоченной крови, но в целом могло выйти гораздо хуже. И вышло бы, если б не Трей и "хенри".

— Спасибо, малая, — произносит он. — Что прикрыла мне задницу.

Трей кивает. Тянется к хлебу, сует пару кусков в тостер.

— Думаете, они б вас прибили?

— Кто знает, — отвечает Кел. — Не рвусь выяснить.

Отнимать у малой заслуги он не хочет, но сомневается, что его бы убили, — ну только если кто-нибудь облажался бы. Он понимает разницу: его били не для того, чтобы прикончить. Как он и говорил Дони, дублинским ребятам внимание, привлеченное к дохлому янки, незачем. Цель была одна — сделать внушение.

Теперь же, когда Трей кого-то подстрелила, расклад может поменяться. Зависит от того, насколько этот Остин уравновешен, насколько убедительным удастся быть Келу и до чего крепко старшой держит в кулаке свою банду. Кел нисколько не расположен звонить сегодня же вечером, но завтра утром точно придется — когда, по разумным прикидкам, Остин проснется.

Трей поочередно присматривает за окном, за тостом и за Келом.

— Ты ружье-то зарядила быстро, — говорит Кел.

— Оно у меня было наготове. Как вы уехали.

— Как ты его из сейфа достала?

— Подглядела комбинацию, когда вы его в тот раз доставали.

Кел порывается прочесть ей лекцию о том, что нельзя браться за ружье, пока ей не дадут на то разрешение и лицензию, но обстоятельства кажутся неподходящими.

— Точно, — говорит. — Откуда такая уверенность, что ты бы в меня не попала?

У малой такое лицо, будто вопрос до того тупой, что едва заслуживает ответа.

— Вы лежали на земле. Я метила выше.

— Точно, — повторяет Кел. Мысль о том, как Трей попадает кому-то из тех мужиков в голову, добавляет ему тошноты. — Ну хорошо.

Выскакивают тосты. Она лезет в холодильник за чеддером, в ящик — за ножом.

— Хотите?

— Не сейчас. Спасибо.

Трей сует сыр между тостами, тарелкой пренебрегает и отрывает кусок, чтоб не тревожить разбитую губу.

— Чего вы не дали мне заставить их разговаривать?

Кел отводит мешок со льдом от носа.

— Малая. Ты на них *ружье* наставила. Одного из них *подстрелила*. Что б они тебе сказали? "Ой, да, это мы твоего брата уделали, прости-извини"? Не. Они поклялись бы, что понятия не имеют, что там с ним произошло, хоть знают, хоть нет. И тогда пришлось бы тебе решать, перебить их всех на месте или отпустить по домам. Так или иначе, ответа б не было. Я решил, что гораздо умнее отправить их домой сразу.

Малая обдумывает, осторожно поедая куски сэндвича и болтая ногой. Напряженная сосредоточенность ушла. Глаз темнеет зверскими новыми оттенками, но сама она с виду оживлена и энергична — и телом, и умом. Сегодняшний вечер пошел ей на пользу.

Говорит:

— Хотела их всех перебить.

— Это понятно. Но не перебила. Хорошо.

Трей смотрит на него не до конца убежденно.

— В одного попала, по-любому.

— Ну. Вроде в руку. Двигался нормально, когда они уходили. Все в порядке с ним будет.

— К легавым не пойдет.

— Не, — говорит Кел. — Больница может их вызвать, если он туда подастся. Но скажет, что это случайность — ружье чистил или что-то такое. Они ему не поверят, но поделать с этим смогут мало что.

Трей кивает.

— Они на дубаков похожи?

— Нинаю. Не обратил особого внимания.

— На мой слух, местные.

— Может, — говорит Кел. Остину не хватило бы времени или, скорее, желания прислать ребяток из Дублина. Это работенка для местных рядовых. — Узнала кого-то из них?

Трей качает головой.

— Видела, чем меня били?

— Вроде клюшками для хёрлинга. Но тока хорошо не разглядела. — Отрывается от сэндвича. — Мы небось близко подобрались, так? Иначе они б за нами не ходили.

— Может, — повторяет Кел. — А может, и нет. Может, им просто вся эта канитель надоела. Или они сбесились из-за того, что я Дони отделал.

— Но может.

— Ага, — соглашается Кел лишь отчасти потому, что ей это нужно, что все оно того стоит. — Мы могли.

Через миг Трей говорит:

— Вы злитесь?

— На это у меня сейчас нет времени. Надо сперва порядок навести.

Трей осмысляет, отрывая еще кусок от сэндвича. Кел чувствует, как ей хочется сказать что-то, но помочь ей ничем не может. Роется в аптечке, отыскивает ибупрофен, заглатывает мощную дозу, не запивая.

— Это я виновата, что они с вами так, — говорит Трей.

— Малая, — говорит Кел, — я тебя не виню.

— Я знаю. Тока это правда.

— Ты ж меня не била.

— Это из-за меня вы в это влезли.

Кел смотрит на нее и столбенеет от бескрайней важности и бескрайней же невозможности сказать что-то правильное — в миг, когда он едва в силах выстроить хоть какую-то мысль. Жалеет, что нет здесь Лены, но следом осознает, что от Лены пользы в этом не было б никакой. Жалеет, что здесь нет Донны.

— Просто стараешься изо всех сил, — говорит он. — Иногда складывается не так, как хочешь. Но продолжаешь все равно.

Трей вроде начинает говорить что-то, но тут голова ее резко поворачивается.

— Эй! — вскрикивает она в тот самый миг, когда по кухонному окну чиркает свет фар.

Кел ухитряется встать, опираясь на стол. Колено все еще болит, но держит.

— Иди в спальню, — говорит он. — Если что — вылезай в окно и беги со всех ног.

— Не буду я...

— Будешь. Иди.

Через миг она уходит, топая так, чтобы точка зрения ее была предельно отчетлива. Кел берет "хенри" и идет к двери. Когда огни гаснут и он слышит, как заглушили мотор, распахивает дверь пошире и встает в проеме, стараясь оказаться ясно видимым в свете. Надо, чтоб тот, кто там есть, видел ружье. Навести его он бы не смог, даже если б захотел, но надеется, что одного вида хватит.

Это Лена, она выбирается из машины — Нелли скачет вперед, — вскидывает руку озаренному Келу, бредет по траве. Со всей этой суетой их с Леной план выскочил у Кела из головы. Он узнаёт ее как раз вовремя, чтобы не выставить себя дураком, крича бог знает что. Вместо этого спохватывается и мгновенье спустя тоже машет ей.

Лена приближается, брови у нее взмывают.

— Что за батюшки светы, — произносит она.

Кел и забыл, как он выглядит.

— Меня избили, — говорит он. Тут до него доходит, что в руках он держит ружье. Отступает в дом, кладет ружье на стойку.

— Это я поняла, ага, — говорит Лена, входя за ним. — Кого-нибудь подстрелили из этой хреновины?

— Без жертв, — отвечает Кел. — Насколько мне известно.

Лена берет его за подбородок, поворачивает лицо так и сяк. Рука у нее теплая, с шершавой кожей, невозмутимая — словно Лена осматривает раненое животное.

— К врачу поедете?

— Не-а, — говорит Кел. — Никакого серьезного ущерба. Заживет.

— Где-то я это уже слышала, — говорит Лена, оглядев его еще раз и отпуская. — Вы двое нашли друг дружку, а?

Трей появляется из спальни и садится на корточки — познакомиться с Нелли, та радостно виляет хвостом и лижется.

— Как раны боевые? — спрашивает ее Лена.

— Шик, — отвечает Трей. — Как ее звать?

— Нелли. Если угостишь ее, будет тебе подруга на всю жизнь.

Трей отправляется к холодильнику и роется в нем.

— Вам лучше домой, — говорит Кел. — Они могут вернуться.

Лена начинает выгружать всякую всячину из многочисленных карманов вощеной куртки.

— Никогда не знаешь, на что нарвешься. Если вернутся, я, может, разберусь с ними лучше, чем вы двое. — Куртка содержит впечатляющее количество всякого: небольшой пакет молока, щетку для волос, книжку в мягкой обложке, две банки собачьего корма, фонарик с клипсой — для чтения — и зубную щетку, которой она помахивает перед Келом. — Вот. В этот раз я подготовилась.

Келу кажется, что Лена не до конца усекла серьезность положения, но если их с Трей лица не смогли ей это объяснить, ничего такого, что сможет, ему на ум не идет.

— Я купил пару надувных матрасов, — говорит он. — В машине. Покараульте, если нетрудно, пока я за ними хожу.

Лена выгибает бровь.

— Чтоб я вас прикрыла, в смысле? Этой хренотенью? — Кивает на ружье.

— Умеете обращаться?

— Иисусе, дядя, — веселясь, говорит Лена. — Не собираюсь я сидеть под окном и играть в снайперов, пока вы идете двадцать метров до машины. Да и не идете вы никуда — с такой-то рукой ничего не донесете. Я схожу. Где ключи?

Келу эта затея не нравится нисколько, но никак не увернуться от того, что Лена права. Здоровой рукой он извлекает ключи из кармана штанов.

— Заприте потом, — говорит, хотя не уверен, чего этим добьется.

— И прикрывать меня не надо, — подчеркивает Лена, ловя ключи. — Эту хрень надо двумя здоровыми руками держать.

— Я прикрою, — говорит Трей с пола, где она сидя скармливает Нелли ломтики ветчины.

— Нет, — говорит Кел. Лена вроде как начинает его раздражать. Он только-только обрел власть над ситуацией, а тут является она, и всё теперь: получается, ситуация выскальзывает из рук и делается чем-то средним между опасной и несуразной. — Брось отвлекать собаку, вот что, пусть идет с мисс Леной. Убери ветчину.

— А вот это гениальный ход, — одобрительно говорит Лена. — Кто лучше бигля отразит нападение банды отчаянных головорезов? Нелли не ужинала, так что съест как минимум троих, смотря сколько на них будет мяса. Они крупные были?

— Если собираетесь забрать те матрасы, — говорит Кел, — сейчас самое время. И там продукты кое-какие заодно.

— Конечно, кто хочешь будет сварливым мудаком после такого дня, как у вас, — говорит Лена ему в утешение и отправляется к машине.

Кел провожает ее до двери и присматривает, независимо от того, что она об этом думает и сможет ли он хоть чем-то помочь, если понадобится. Трей, коротко оценив положение, продолжает кормить Нелли.

Когда они — в основном Лена и Трей — выгружают покупки, кормят пса, надувают матрасы, пристраивают их у очага и стелют постели, Трей зевает, а Кел подавляет зевок. Все его добрые намерения — стейк с зеленой фасолью — псу под хвост. Трей придется пережить ночь на сэндвиче с сыром.

— Отбой, — объявляет он. Бросает ей вещи, купленные в городе. — Вот. Пижама и одежда на завтра.

Трей осматривает одежду так, будто она завшивлена, подбородок подает вперед и начинает было говорить — Кел с ходу знает, что о благотворительности.

— Не надо мне этой херни, — говорит он. — У тебя от одежды воняет кровью. К завтра мухи начнут слетаться. Брось ее вот тут, когда переоденешься, я постираю.

Через миг Трей закатывает глаза к небу, устремляется в спальню и захлопывает дверь.

— Вы подростком разжились, — веселясь, замечает Лена.

— У нее были длинные два дня, — говорит Кел. — Она не в лучшей форме.

— Да и вы. По вашему виду, и вам спать пора.

— Я б поспал, — соглашается Кел. — Если для вас это не слишком рано.

— Почитаю немножко.

Лена находит среди всякой всячины на столе свою книгу и фонарик, сбрасывает туфли и удобно устраивается на матрасе; она благоразумно оделась в мягкую с виду серую толстовку и рейтузы, не собираясь переоблачаться. Нелли разведывает новую территорию, вынюхивает по углам и под креслом. Лена щелкает пальцами, Нелли вприпрыжку бежит к ней и укладывается у ног. Лена пристраивает подушку повыше и погружается в чтение. Кел тоже не в настроении трепаться на сон грядущий, но его задевает, что она его в этом опередила.

Трей открывает дверь спальни, сама уже в пижаме, пуляет свою грязную толстовку и джинсы по полу. Кел осознает, что пижама мальчуковая, с какой-то гоночной машиной на груди. Ему все еще трудно считать Трей девчонкой.

— Хочешь, я с тобой посижу? — спрашивает.

На миг кажется, что Трей сейчас согласится, но она пожимает плечами.

— Не. Все шик. Спокночи. — Уходя обратно в спальню, посылает ему через плечо перекошенную ухмылку. — Зовите, если надо будет вам задницу прикрыть.

— Язва, — бросает Кел в закрывающуюся дверь. — Брысь отсюда.

— Похоже, нынче ей бы вам на ночь сказку рассказывать, — говорит Лена, поглядывая поверх книги.

— Не шутки это, — говорит Кел. Уютненькая Ленина одежка раздражает его будь здоров. Не собирается он просить ее помочь ему переодеться, а это значит, что спать придется в залитых кровью шмотках.

— По-моему, как раз вы и не относитесь ко всему этому достаточно серьезно, — замечает Лена. — Теперь-то с дурацкими поступками покончено?

— Я б мечтал, — говорит Кел. Пытается сообразить, как бы нагнуться за одеждой Трей безболезненнее всего. Бросает это занятие и отправляется на матрас. — Я просто не вижу, как без них обойтись.

Лена вздергивает бровь и продолжает читать. Кел чуть ли не пьян от усталости. Поворачивается к Лене спиной и не смыкает глаз, тыкая себя в больное колено, пока фонарик не гаснет и дом не погружается во тьму — и пока дыхание у Лены не замедляется. Затем предельно тихо выпрастывается из постели, встает и придвигает кресло к окну. Нелли открывает глаза, но Кел шепчет ей: "Нелли хорошая", и она еще разок стукает хвостом и засыпает. Кел укладывает "хенри" на подоконник и усаживается перед ним, глядя в ночь.

Луна в небе на три четверти, луна конокрада, высоко над кронами. В ее свете поля размытые, неземные, слово туман, в каком можно потеряться, бескрайний простор их иссечен резкой черной путаницей изгородей и каменных стенок. Движется лишь всякое малое, мерцает в траве и среди звезд, занято своим делом.

Кел думает о тех пацанах, что оставили свои жизни этой земле: о тех троих пьяных, чья машина слетела с дороги и взвилась к звездам где-то за Гортином, о мальчишке за рекой с петлей в руках; может — или даже вероятно, — о Брендане Редди. Он раздумывает, не то чтоб веря в призраков, не бродят ли тут призраки этих ребят. Сдается ему, что если и бродят, то даже накинь он куртку и отправься проселками и горными склонами, он их не встретит. Их жизни и смерти возникли из той земли, из какой не сделан Кел, не сеял он на ней и не жал, а они в нее впитались. Он сквозь них пройдет и не ощутит никакого тревожного покалывания. Интересно, встречала ли их Трей, шагая долгой дорогой домой под гаснущими небесами.

— Поспите, — доносится из угла тихий Ленин голос. — Я посторожу.

— Мне нормально, — говорит Кел. — Не устроюсь никак на той штуке. Но спасибо.

— Вам надо поспать — после такого-то дня. — Он слышит шорох движения и ворчание Нелли, с матраса поднимается Ленина фигура, идет к нему. — Ну? — Ее рука ложится ему на здоровое плечо. — Давайте-ка.

Кел не шевелится. Они смотрят в окно, бок о бок.

— Красивое место, — говорит он.

— Маленькое, — говорит Лена. — Жуть какое маленькое.

Кел задумывается, сложилось бы оно как-то иначе для всех тех мертвых пацанов, если б тянулось у них от порога на много дней пустое шоссе, о каком он грезил на днях, чтоб по ночам пело им в уши что-то другое — не выпивка и не петля. Может, и нет — для большинства из них. Он знает многих пацанов, у кого и шоссе было под рукой, а они все равно ловили иглу или пулю. Но как обстояло с Бренданом Редди?

— Но такое я искал, — говорит он. — Маленькое место. Маленький город в маленькой стране. Казалось, это гораздо проще понять. Видно, тут я промахнулся.

Лена тихонько и ехидно фыркает. Рука ее все еще у него на плече. Келу интересно, что произойдет, если он положит свою ладонь поверх, встанет из кресла и обнимет Лену. Нет, если учесть его разнообразные увечья, ему это не удастся, даже если б он точно этого хотел, но все-таки интересно, ляжет ли она с ним и, если да, проснется ли он поутру, зная, к добру или худу, что он тут навсегда.

— Идите спать, — говорит Лена. Слегка выталкивает его из кресла за плечо.

Тут Кел подчиняется.

— Если что случится — будите, — говорит. — Даже если вроде ерунда.

— Разбужу, ага. Ну и на всякий случай: я умею с ружьем. Вы в надежных руках.

— Это хорошо, — говорит Кел. Втаскивает себя на матрас и засыпает, не успев натянуть одеяло.

Несколько раз за ночь он полупросыпается — от вспышки боли, когда поворачивается, или от всплеска адреналина невесть откуда. И каждый раз Лена сидит в кресле, руки лежат поверх "хенри" у нее на коленях, профиль вскинут вверх, она смотрит в небо.

20

Кел спит долго; спал бы и дальше, но Лена его будит. Первое движение вырывает из него рык боли, но постепенно мышцы худо-бедно расслабляются, и ему удается сесть, хоть он и морщится на дюжину ладов.

— Иисусе, — говорит Кел, медленно соображая, что к чему.

— Завтрак, — объявляет Лена. — Похоже, вы его не унюхали — с таким-то носом.

— Вы храпели, — уведомляет его Трей из-за стола.

— Что-нибудь стряслось? — спрашивает Кел. Болит у него везде, где ожидалось, но хоть голос звучит повнятнее. — Кто-нибудь приходил?

— Ничегошеньки, — отвечает Лена. — Ничего не видела, ничего не слышала, Нелли не шелохнулась, ни единого бандита подстрелить не удалось. Вставайте, позавтракайте. Ты тоже храпишь, — добавляет она, обращаясь к Трей, та взирает на Лену скептически.

Стол заставлен чуть ли не всей посудой, какая у Кела водится, и вся она наполнена снедью: бекон, яйца, башня тостов. Трей уже обжирается. Келу так давно никто не готовил завтрак, что получилось даже трогательнее, чем Лена, возможно, предполагала.

— Это все потому, что я не была уверена, справитесь ли вы сами хоть как-то, — поясняет она, смеясь над выражением у него на лице. — Вы, скорее всего, ни хрена не умеете готовить.

— Он умеет кролика, — говорит Трей с полным ртом. — И рыбу. Прям роскошно.

— Крольчатину я на завтрак не ем, — уведомляет Лена. У них с Трей, судя по всему, пока Кел спал, сложилось взаимопонимание. — Да и рыбу тоже. И не знаю ваших склонностей. Доверяю своим.

— Докажу вам как-нибудь, — говорит Кел, — если захотите. В знак благодарности. Когда все чуть-чуть уляжется.

— Давайте, — говорит Лена, которой явно нет дела до того, уляжется ли что-то в ее жизни и уж точно в жизни Кела. — Ешьте пока вот это, чтоб не остыло.

Завтрак хорош. Кел обнаруживает, что ему хочется всякого сочного соленого, а у Лены на это рука щедрая: она пережарила весь бекон, какой нашла в доме, а тосты намазаны маслом так, что с них аж капает. Идет дождь, не проливной, но настойчивый, долгими изгибистыми полотнищами; в полях под плоским серым небом коровы сбиваются в кучу и не поднимают голов от травы. У дня странный, непоколебимый покой военного времени, словно дом осажден так наглухо, что и думать об этом незачем, пока они не поймут, что же дальше.

— Вы с ее мамой поговорили? — спрашивает Кел, пока Трей в уборной.

— Поговорила, — отвечает Лена, сухо на него глянув. — Ей полегчало до того, что с вопросами она не полезла. Да только все равно Трей надо отправить домой поскорее. У Шилы и так забот полон рот, чтоб еще и об этом тревожиться.

— Ей нельзя отсюда уходить, пока я не возьму ситуацию в свои руки, — говорит Кел. — Трей взбесила кое-каких нехороших людей.

— И когда же вы собираетесь взять ситуацию в свои руки? — вежливо интересуется Лена. — Чисто из любопытства.

— Я этим уже занимаюсь. Намереваюсь сегодня среди дня. — Один вдумчивый телефонный разговор должен, по идее, заставить Остина обуздать его пацанов, пока они не встретятся и не уладят всё к общему удовольствию. Кел прикидывает, сколько наличных у него на счете — на всякий случай.

— Было б мило, — говорит Лена. — Сообщите, если понадобится подбросить вас в больницу.

— Можно попросить вас побыть тут немного? — спрашивает Кел, не обращая внимания на сказанное. — Мне надо выйти ненадолго, а малую я одну оставлять не хочу.

Лена вперяет в него долгий и не восторженный взгляд.

— Надо съездить глянуть, как там остальные собаки, — говорит она. — А после этого смогу заскочить. Но к часу мне на работу.

— Это навалом времени, — говорит Кел. — Спасибо. Ценю. — Келу кажется, что ничего главнее он не сказал и за все время их знакомства.

Лена оставляет Нелли с Трей — малая влюблена в эту собаку так, что валяется с нею на полу, забыв обо всем на свете. Трей, похоже, целиком восстановилась — психически, если не физически, пусть Кел и не готов этому доверять; ничего примечательного в сложившемся положении малая, судя по всему, не находит. Ее, похоже, полностью устроит, если они втроем продолжат в том же духе всю оставшуюся жизнь.

Неимоверно осторожно, не сразу и с матюками Кел ухитряется переодеться в чистое. Когда выходит из уборной, Трей пытается выучить Нелли переворачиваться лежа, употребляя для этого остатки бекона. Деньги на удачный исход этих усилий Кел ставить не стал бы, Нелли не кажется ему умнейшей собакой в округе, но у малой уйма настойчивости, а Нелли рада потакать ей, лишь бы не истощалось внимание к ней — и бекон.

— Нос у вас получше, — замечает Трей.

— По ощущениям тоже, — говорит Кел. — Вроде бы.

Трей описывает круги кусочком бекона, но Нелли на это лишь прыгает и клацает зубами.

— Бросите искать Брена?

Келу не хочется признаваться ей, что после вчерашней ночи бросить уже не удастся. Остин и его ребята не спустят им с рук то, что одного из них Трей подстрелила.

— Не-а, — говорит он. — Я не люблю, когда кто-то нарывается.

Ждет, что малая разразится вопросами о его планах расследования, но ей, похоже, большего от него и не надо. Она кивает и вновь принимается махать беконом у Нелли перед носом.

— Сдается мне, у тебя лучше получится дрессировать тех кроликов из морозилки, — говорит Кел. Ее будничное доверие трогает его так глубоко, что приходится сглотнуть. Сегодня утром Кел, похоже, сделан из зефира. — Оставь несчастную бестолковую собаку в покое и вымой посуду. Я одной рукой не справлюсь.

Когда Лена возвращается, уже почти одиннадцать. Примерно в это время Март обычно устраивает перерыв на чай. Кел забирает купленное вчера печенье и собирается в путь, пока соседу не взбрело в голову заявиться сюда самому. Он наверняка слышал выстрелы, хотя, возможно, не смог определить откуда. Кел желает дать Марту понять со всей ясностью, что не имеет к ним никакого отношения.

— Прими ванну, — говорит он Трей, уходя. — Полотенце я тебе оставил в уборной. Красное.

Трей отрывает взгляд от Нелли.

— Вы куда? — настойчиво спрашивает она.

— Дела есть, — отвечает Кел; Лена, устроившаяся рядом с Трей на полу, чтоб наблюдать, как продвигается обучение, молчит. — Вернусь через полчаса или около того. Помойся за это время уж пожалуйста.

— А иначе что? — с интересом спрашивает Трей.

— Хуже будет, — отвечает Кел.

Трей бестрепетно закатывает глаза и вновь берется за собаку.

Колено у Кела более-менее успокоилось, до Марта его хватит, хотя осталась хромота, которая, по ощущениям, сколько-то продержится. Отойдя по дороге достаточно, чтобы не видно было из окон, Кел прячется у изгороди от прямого дождя, меняет настройки в телефоне, чтобы скрыть свой номер, и звонит Остину — разумно предположить, что тот уже проснулся. Звонок переводится надменной женщине-автоответчику, ее голос кажется Келу разочарованным. Кел сбрасывает звонок, не оставив сообщения.

Дом Марта, притаившийся среди полей, за пеленой дождя смотрится серым и заброшенным, но Март с Коджаком открывают дверь.

— Эй, — здоровается Кел, протягивая печенье. — Ездил вчера в город.

— Батюшки мои, — говорит Март, оглядывая его с головы до пят. — Вы гляньте, кого принесло. Ты что с собой натворил вообще, Миляга Джим? Бандитос на тебя напали?

— Упал с крыши, — горестно отвечает Кел. Коджак обнюхивает его осторожно, поджав хвост, — остаточного запаха крови и адреналина чистая одежда не устранила. — Залез проверить черепицу после того ветра, но не так я ловок, как раньше. Нога сорвалась, и я рухнул.

— Хорош заливать. С Лены Дунн ты упал, — говорит ему Март, похохатывая. — Оно того стоило?

— Ой, дядя, брось, — говорит Кел и трет шею, застенчиво улыбаясь. — Мы с Леной дружим. Ничего такого.

— Ну уж какое оно там у вас ничего, оно уже две ночи кряду. Думаешь, мне глаза отказали, вьюноша? Или соображалка?

— Мы болтали. И все. Допоздна. У меня есть эти, как их, для гостей... надувные матрасы...

Март ржет так надсадно, что ему приходится уцепиться за дверной косяк.

— Болтали, а? Я и сам с женщинами болтал, бывало, в свое время. Скажу тебе так: никогда не позволял я им сироткой спать на надувном матрасе. — Уходит в кухню, машет Келу пачкой печенья, чтоб шел следом. — Заходи давай, чаю выпей, изложишь подробности.

— Она шарашит обалденную яичницу с беконом на завтрак. Вот и все подробности.

— Не похоже, что вы много чего наболтали, — говорит Март, включая чайник, выставляет чашки и заварник-далек. Коджак плюхается на свой коврик перед очагом, настороженно приглядывая за Келом. — Это братья ее тебя так отделали?

— Ой-ёй, — говорит Кел. — У нее есть братья?

— Ох божечки, еще какие. Три здоровенные обезьяны, башку тебе оторвут, как завидят.

— Блин, — говорит Кел. — Все же придется слинять отсюда, похоже. Извини за те двадцать дубов.

Март прыскает и сдается.

— Насчет тех ребяток не волнуйся. Им ума хватит не лезть промеж Леной и тем, чего она хочет. — Бросает в далека щедрую горсть чайных пакетиков. — Скажи мне одно, и ни слова больше: буйная она?

— Это ты лучше у нее спроси, — чопорно отвечает Кел.

— Постой-ка, — говорит Март, осененный мыслью, и косматые брови его взмывают, — так вот что с тобой стряслось, а? Лена тебя тюкнула пару раз? Я б решил, у ней будь здоров хук справа. Фетиш ейный такой, что ли?

— Нет! Иисусе, Март. Я просто упал с крыши.

— Дай-ка погляжу на тебя, — говорит Март. Подается вперед и рассматривает нос Кела под разными углами. — Я б сказал, он у тебя сломан.

— Я б тоже. Но нет, прямой. Ну или не кривее прежнего. Заживет.

— Уж пусть. Нельзя тебе красоту терять — а сейчас и подавно. А с рукой что? Ее тоже сломал?

— Не. Ключица, думаю, треснула. И коленкой приложился хорошо.

— Могло, конечно, и хуже быть, — философски изрекает Март. — Знаю я одного мужика из-под Баллимота, тот свалился с крыши, один в один как ты, да шею себе сломал. До сих пор в инвалидной коляске. Хозяйка евойная жопу ему подтирает. Тебе еще повезло. У врача был?

— Не, — отвечает Кел. — Ничего они мне толком тут не сделают, скажут только, чтоб отдохнул, а это я сам себе скажу бесплатно.

— Или Лена, — замечает Март, по лицу опять расползается ехидная улыбка. — Ей не понравится, если ты неисправный будешь. Лучше отдыхай и занимайся своим, чтоб опять быть на коне.

— Хосспидя, Март, — говорит Кел, давясь ухмылкой и заинтересованно глядя на свою ногу, пинающую ножку стула, — брось ты.

Под стулом лежит полотенце, закаменевшее от крови. Подняв взгляд, он вперяется в глаза Марту. Видит, как Март размышляет, не сказать ли, что у него кровь носом пошла, затем подумывает о неведомом прохожем, забредшем к нему в дом с таинственной раной. В конце концов не говорит ничего.

— Ну что, — произносит Кел после долгого молчания. — Вот же идиотом-то я себя чувствую.

— Ой, да нет, — великодушно успокаивает его Март. Наклоняется, подбирает полотенце, опираясь на спинку стула и кряхтя, неторопливо топает через всю кухню, кладет полотенце в стиральную машинку. — Незачем. Ну откуда ж тебе знать здешние ходы-выходы, ты ж чужак. — Закрывает дверцу стиральной машинки, смотрит на Кела. — Но теперь-то знаешь.

Кел говорит:

— Расскажешь, что случилось?

— Отцепись, — бережно и решительно говорит Март тем самым голосом, каким Кел сотню раз сообщал подозреваемым, что они дошли до конца, туда, где выбора не остается, где нет больше ни пути, ни борьбы. — Ступай домой к ребенку и скажи ей, чтоб отцепилась. Больше ничего тебе делать не надо.

— Она хочет знать, где ее брат.

— Тогда скажи ей, что он сгинул да похоронен. Или скажи, что утек, если тебе так больше нравится. Что угодно, лишь бы отцепилась.

— Я пробовал. Она хочет знать точно. Вот как у нее. Не отступится. — Март вздыхает. Наливает в лоток машинки моющее средство, включает. — Если ей этого не дать, она продолжит, пока тебе не придется ее убить. Ей тринадцать лет.

— Святый боже, — осуждающе говорит Март, глядя через плечо, — экие темные у тебя мысли все же. Никто не собирался никого убивать.

— А Брендана?

— Его тоже никто убивать не собирался. Сядь ты уже, Миляга Джим, у меня с тебя все зудит.

Кел усаживается за кухонный стол. В доме студено и пахнет сыростью. Медленно и ритмично работает стиральная машинка. Дождь безостановочно струится по стеклам.

Чайник закипел. Март наливает воду в далека, помешивает пакетики ложкой. Ставит кружки и заварник, достает молоко и сахар, затем опускается на стул, сустав за суставом, и наливает чай.

— Брендан Редди пер в том направлении сам, — говорит Март, — шустрее, чем бегом. Если б не мы, так кто другой бы.

— Пи-Джей заметил, что у него ангидрид сливают, — говорит Кел. — Так? — От прогулки к Марту у него в колене разыгрался зверский пульс. Он чувствует тяжесть тусклого гнева: угораздило же заниматься этим именно сегодня, когда ловкости управиться с этим никакой.

Март качает головой. С натугой приподнимается с одного бока, вытаскивает из кармана штанов табак.

— Ай, господи, нет. Пи-Джей ни при чем тут, уж конечно. Не то чтоб он был на голову невезучий или как-то, но подозрительности в нем ноль. Никакой такой дури не заподозрил бы ни в жисть. Я б решил, что для начала Брендан потому его ферму и выбрал. — Март расправляет на столе бумажку и начинает прилежно выкладывать на нее табак. — Нет. Пи-Джею доложили.

— Дони.

Судя по всему, Кела здесь за дурачка держали все подряд, даже этот дурачок Дони. Надо было увидеть это с ходу, еще в угаре телесной вони и дыма у Дони в спальне. Понимает он и как дублинские ребятки узнали, что Брендана подставили. Дони хорошо соображает в законах передряг, чтобы устраивать их другим, когда необходимо.

— Он и есть. Дони с Бренданом не ладили никогда, даже мальчишками; я б решил, он прямо-таки схватился за возможность насолить Брендану. Да только ибучий идиёт пошел да сказал Пи-Джею, а не мне, как надо было б, случись у него мозгов побольше, чем у ишака. А Пи-Джей-то попросту вызвонил Гарду.

— А что тут такого? — спрашивает Кел, давая Марту повод поспорить. — Я б тоже так.

— Я против Гарды ничего не имею, — говорит Март, — когда они по делу, но какая от них польза в этих раскладах, я не видел. Нам и так бардака хватает, еще и они чтоб тут шастали по округе, задавали вопросы да арестовывали кого ни попадя. — Он скручивает тощую папироску, прищуривается, чтоб получилась ровная. — Удачно, что приезжать они не спешили. Времени хватило, чтоб Пи-Джей пришел и сообщил мне новости, а я ему смог втолковать, что к чему. Мы с Пи-Джеем отправили Гарду восвояси, а я позвал других ребят — из тех, кто живет поодиночке, кому не надо ни у кого отпрашиваться, — покамест вернуть Пи-Джеев ангидрид. — Вскидывает бровь, глядя на Кела поверх самокрутки, лижет краешек бумаги. — Ты знаешь, где это, ну.

— Ага, — отвечает Кел. Интересно, кто следил за ними с Трей на той горной тропе.

— Нашли они там еще и прорву судафеда, и прорву батареек. Не диво. Заодно и это все с собой забрали. Если простынешь этой зимой, Миляга Джим, или будильник тебя подведет, дай знать — я все тебе улажу в лучшем виде.

Кел уже давно усвоил, как распознавать, когда говорить ничего не надо. Греет руки чашкой, попивает чай, слушает.

— Ты учти, — говорит Март, уставив на него самокрутку, — я Дони на слово не поверил ни разу. Он, может, сам тот ангидрид сливал, но что-то там пошло через жопу, и он решил не упускать возможности, чтоб поднасрать Брендану. Но я знаю одного парнягу, у него окна на дорогу к тому старому дому; он присматривал. И само собой, аккурат перед тем, как объявилась Гарда, Брендан-то Редди подхватился да побежал по той дороге в жуткой спешке. Тут-то мы и узнали наверняка.

Щелкает зажигалкой и праздно, приятственно затягивается папиросой, отвертывает голову, чтоб выдуть дым подальше от Кела.

— Брендан потом несколько дней не отсвечивал, — продолжает Март. — Прикидывал небось варианты. А мы за ним посматривали. Понятно, взаперти он вечно торчать не мог: дружки евойные из Дублина уж всяко пожелали бы с ним словом перемолвиться. Нам-то с ребятками что, но мы хотели свое слово ему сперва сказать, чтоб юный Брендан соображал, на чем стоит. Мы ему услугу оказать хотели — чтоб никаких глупых обязательств перед дублинскими пацанчиками на себя не брал. Когда он в тот домик опять собрался, мы его там встретили.

Кел вспоминает рассказ Трей, как Брендан выскочил за дверь веселым кузнечиком и отправился отдать Остину наличку, чтоб возместить то, что прибрали к рукам Мартовы ребята, восстановить все планы.

— Он этого не ждал.

— Уж это точно, — говорит Март, на миг отвлекаясь от своей истории, чтобы это обдумать. — Во физия у него была — будто вошел в комнату, а там толпа бегемотов. Такой парень смышленый, вроде мог бы знать наперед, а? Но тогда он и на шаг впереди такого пня, как Дони, вроде должен быть. Будь чуть менее смышленым во всем, что химии евойной касалось, и чуть более смышленым во всем, что касается людей, остался бы жить.

Кел обнаруживает, что нет в нем ни чувств, ни мыслей. Он переместился в пространство, хорошо знакомое ему по службе, в этом круге недвижим даже воздух, не существует ничего, кроме истории, которую слушает, и человека, рассказывающего ее, сам же Кел растворяется в сплошное зрение, слух и готовность. Даже боли его кажутся чем-то далеким.

— Мы собирались растолковать ему положение, вот и все, — говорит Март. Кивает на разбитое лицо Кела. — Сам знаешь, каким способом, ну. Чуток пояснений. Да только парнишка не захотел ничего прояснять. Не люблю я плохое говорить о покойных, но уж ты-то понимаешь — наглый он был муденыш. Сказал, что мы не соображаем, куда лезем, и если мозгов нам хватит, мы свалим обратно на свои фермы и носов не будем совать в то, в чем не смыслим. Знаю, что парня этого не растили, а тащили из земли, но моя маманя ложку деревянную об меня сносила б, разговаривай я так с людьми, которые мне в деды годятся. — Тянется за старой банкой из-под варенья, превращенной в пепельницу, отвинчивает крышку, стряхивает пепел. —

Мы взялись вложить ему вежливости, но он сделался такой весь вздорный и давай драку-то затевать, ну и все зашло чуток далековато. Кровища во все стороны типа. Парнишка кого-то стукнул, кто-то вышел из себя и влепил ему в челюсть, он спиной упал да ударился головой о свой же баллон с пропаном.

Март крепко затягивается самокруткой, запрокидывает голову, выдувает дым в потолок.

— Я поначалу решил, что его просто вырубило, — говорит. — Да тока глянул поближе и понял, что дело табак. Не знаю, с чего именно, от удара или от падения, но как бы то ни вышло, голова у него оказалась свернута, и глаза он закатил. Вроде как всхрапнул, ногами подрыгал раз-другой — и все. Вот так быстро.

В окне за его головой поля зелены так мягко и так глубоко, что в них можно утонуть. Ветер дует по траве шепотом дождя. Устало трудится стиральная машинка.

— Как человек быстро умирает, я разок до этого видал, — продолжает Март, — мне тогда пятнадцать было. Сенной пресс не подсекал как следует, ну и пошел тот мужик глянуть, что случилось, да движок не заглушил. Рука попалась, ну пресс его и затянул. Когда я его выключил, у мужика ни руки, ни головы не осталось. Нашинковало, как мокрый рулон полотенец.

Смотрит, как дым вьется и растекается по кухне.

— Дед у меня помирал за месяц до этого, от инсульта. Четыре дня. Жизнь кажется такой большой, когда четыре дня из человека выходит. А когда за несколько секунд, вдруг кажется жуть какой маленькой. Не нравится нам такое признавать, но животные это понимают. Они-то про свою смерть не ведают. Мелочь какая-то, раз — и готово. Лисе на один чик. Или сенопрессу, или баллону с пропаном.

Кел говорит:

— Что с телом сделали?

Брови у Марта вздергиваются.

— Уж всяко не было у нас возможности вообще с ним что-то сделать, не тогда же, в любом разе. Суматошный выдался денек. Не успели мы сообразить, что вообще стряслось, как позвонил мужик, который у нас в дозоре был, говорит, что дублинские пацанчики едут. Положили мы нашего парня-то на простынку, какую в дальней комнате нашли, да потащили его на склон за домом, как можно дальше в деревья, покуда времени хватало. Услыхали мотор — здоровенная махина, "хаммер", не знаю, как они его такой в повороты вписывают, — парня в кусты пристроили и сами рядом пригнулись.

Смотрит на Кела сквозь завитки дыма.

— Я было думал, не оставить ли его в доме, пусть пацанчики найдут. Типа весточка им такая. Но в итоге решил — не надо. Незачем сообщать больше, чем им положено знать, уж всяко. Короче, суть просекут, когда выяснится, что парень исчез.

— И они что? — спрашивает Кел.

Март лыбится.

— Расклад им не понравился вообще и совсем. Осмотрели они дом, а потом обшарили двор, а следом опять ушли в дом, и все заново. Четверо их там было, и ни один не мог постоять спокойно хоть, блин, секунду, скакали, как блохи. И какими же словами выражаются, боже ты мой. Мы были довольно близко, слышали — мировецкий весенний день, ни ветерочка. Сам я не ханжа, но у меня чуть уши не расплавились. — Улыбка его ширится. — А еще знаешь что они делали? Они звонили Брендану. Полдесятка раз. Я знал, что звонить будут, и полез к нему в карман за телефоном, но разблокировать не смог, чтоб отключить звук. Пытались отпечаток пальца его применить, да там код. Тебе сказать, что мы с тем телефоном сделали? Усадили на него Бобби жопой его жирной. Такая что хочешь заглушит. Во рожато у Бобби была, когда телефон вибрировал, так уж Бобби старался с него не спрыгнуть. Красный был как свеклища. Остальные мы все чуть не полопались, так старались не ржать.

Тушит самокрутку о крышку банки.

— Под конец они плюнули, да и уехали обратно с гор. Знаешь, что один из них делал, пока они к своему миленькому полированному "хаммеру" топали? Ныл и ныл весь, что дорогие ботинки выпачкал. Все равно как баба на бал собралась.

Кел вполне уверен, что каждое слово тут правда, и ни с чем из сказанного он ничего поделать не сможет. Не верить причин нет — кроме одной: Мартовой привычки морочить людям голову из принципа. Но Келу кажется, что они с Мартом уже миновали этот рубеж.

— Где теперь Брендан?

— Там же, в горах. Погребли мы его, да, не просто бросили, так пускай ребенок не волнуется, что его там вороны и крысы достали, ничего такого. Мы над ним даже молитвы почитали и прочее. — Март берется за пачку печенья, осторожно вскрывает ее, чтоб не раскрошить ни одного. — На том и все.

— Кроме Дони и того, что он творит с овцами, — говорит Кел.

Март презрительно фыркает.

— Это я в расчет не беру уж точно. Этого, блить, идиёта я в расчет не беру принципиально. — Протягивает пачку Келу. — Давай, тащи одну. Заслужил. Смышленый ты сучонок, а? Вроде идиётом себя чувствовал, но все ж разгадал, ей-бо. В одном только ошибся. Но позору в том нету.

Кел говорит:

— Дони сообразил, что тут замешан Пи-Джей, раз это его ангидрид. А как он вычислил, что в игре еще и вы с Бобби и Франси?

Март выбирает печенье, решает неспешно.

— Я б сказал, Дони и сам присматривался, что происходит. Небось засек нас четверых как-нибудь и помчался к дублинским ребяткам. Отличный двойной агент из парня вышел бы, если б мозги у него водились в голове. И славные те пацанчики велели ему намекнуть нам, чтоб мы в их дела не лезли. — Улыбается Келу. — Намек мы поняли. Даже если не отнеслись к нему так, как они ожидали.

Кел спрашивает:

— Бобби все еще считает, что это пришельцы?

— Ой, господи, Бобби, — снисходительно произносит Март, макая печенье в чай. — Да ему только в радость, что пришельцы его овцами интересуются. Не стал бы я этого у него отнимать, да и не смог бы в любом разе. Даже если б снял Дони на видео, Бобби мне б не поверил. Дони-то просекал, что сам я намек пойму после второй или третьей овцы. Только не думал, что я выясню, кто тут у нас намекает. Думал, я по умолчанию решу, будто это крутые дублинские ребятки или кто-то подосланный из города хотя бы, и так весь перепугаюсь, что не посмею и пальцем двинуть. Теперь-то он в курсе.

— Сдается мне, — говорит Кел, — если бы вы, ребята, хотели зачистить местность, вам бы надо было Дони убирать.

— Такие, как Дони, они ж везде, — говорит Март. — По мозгам ездят будь здоров, мудачье, но в итоге погоды не делают. Пучок пятачок они, как есть; одного убери — другой тут же возникнет. Брендан Редди — совсем другое дело. Таких немного. И то, за что он взялся, повлияло бы на всю округу точно.

— Тут уже есть наркота, — говорит Кел. — Целая прорва. Не то чтоб Брендан принес ее в райский сад.

— Мы теряем нашей молодежи изрядно, — говорит Март.

Келу кажется, что Марту вроде полагается оправдывать свои поступки, но нет. Взгляд его ровен, голос спокоен и решителен, ему подыгрывает тихий перестук вездесущего дождя.

— Мир меняется так, что нехорош он для них больше. Когда я был молод, мы знали, чего можно желать и где это брать, и знали, что в итоге придется что-то предъявить. Урожай, или стадо, или дом, или семью. В этом великая сила. А теперь столько всего тебе велят хотеть, что никак не добыть всего этого, и когда устанешь пытаться, что предъявишь? Позвонил тому-сему, напродавал схем электроснабжения, может, или на совещаниях пустопорожних насиделся; нажил себе что-то на халтуре, какую в интернетах нарыл, на Ютупе ентом лайков насобирал. Руками ничего не потрогаешь. Женщинам шик, по-любому, они-то приспосабливаются. А вот парням непонятно, что с собой делать-то вообще. Есть среди них некоторые вроде Фергала О'Коннора, с которым ты познакомился, — те вот крепко на земле стоят несмотря ни на что. Остальные же вешаются, или напиваются и слетают в канавы, или передоз у них на героине ихнем, или чемоданы пакуют. Не хочу я, чтоб тут пустырь стал, чтоб все фермы были, как твоя, пока ты не приехал, чтоб дрянь и разруха, пока янки какой-нибудь не приглядит и не сделает из этого себе хобби.

Коджак, чуя печенье, плетется к столу и встает у стула Марта, ждет. Март протягивает остаток печенья псу, дает выхватить.

— Не собирался я стоять и смотреть, как мы из-за Брендана Редди и его затей потеряем еще молодежи.

— Вы Брендана потеряли, — указывает Кел.

— Я тебе сказать хочу только, что это не умышленно, — обиженно говорит Март. — Кроме того, если б дали ему этим заниматься, потеряли бы много больше, так или иначе. Лес рубят — щепки летят, так говорят, кажись?

— Ты так и думал, когда ходил к Шиле Редди тут на днях? — Кел старается говорить ровно, однако слышит, как в нем взбухает рокот гнева.

Март не обращает внимания.

— Это надо было сделать. Вот о чем я думал. И думать тут больше не о чем было. — Хлопает Коджака по боку, чтоб шел обратно к очагу. — И то же думал и ты, когда всыпа́л Дони перца под хвост, уж точно. Ты не думал: "Ой, ну правда, а что такого?" Ты думал, что время от времени возникает такое, что просто нужно сделать и ничего не попишешь, а потому чего хлопать крыльями и кудахтать. Берешь и делаешь. И, как ни жалко, ты был прав.

— Не уверен, что я б так выразился, — говорит Кел.

Март смеется.

— Уж всяко так думала Тереза Редди вчера ночью, когда палила из того ружья. Ты никак не возражал.

— Кто там из мужиков схлопотал, — говорит Кел, — как у него дела?

— Шик у него всё. Кровищи было, как от заколотой свиньи, но толком никакого ущерба. — Март берет еще одно печенье и лыбится Келу. — Ты глянь, как оживленно-то все стало последнее время? Не хотелось бы, чтоб ты забрал в голову, будто в округе всегда столько приключений. Зверски разочаруешься, когда самой громкой новостью года окажется, что у кого-то овца родила четверню.

— А ты где был вчера ночью? У меня?

Март смеется, лицо сморщивается.

— Ой батюшки, нет. Я? При моих суставах я на эти рулы-булы* уже не гожусь.

Ну или не хотел рисковать: вдруг бы Кел его узнал?

— Ты больше по замыслам, — говорит Кел.

— Я тебе добра желаю, Миляга Джим, — говорит Март. — И всегда желал. Пей давай чай, иди домой да выложи ребенку столько этой истории, сколько сам захочешь, — и скажи, что на том всё.

— Дело не в истории, — говорит Кел. — Ей надо знать одно: что он мертв, что это была драка, но она плохо закончилась; ей даже не надо знать, кто это сделал. Но она захочет доказательств.

— Не все, что хочется, можется. В ее возрасте пора б понимать.

— Я не про такое доказательство, из-за которого кто-то в говно вляпается. Но ее херней кормили слишком многие. Она не остановится, пока не получит в руки что-то осязаемое.

— Типа чего, как думаешь?

— У Брендана были при себе часы. Когда-то дедовы.

Март макает печенье в чай, смотрит на Кела.

— Он покойник полгода уже.

— Я не прошу тебя мне их добыть. Скажи, где искать, я сам добуду.

— По службе и хуже видал, а?

— Ни при чем тут никакая служба.

— Может, уже и нет. Но старые привычки не сдаются.

— Ясен-красен. И я сюда приехал, чтоб убраться подальше от старых привычек.

— Не очень-то у тебя получается, Миляга Джим, — указывает ему Март. — Без обид.

— Брендан Редди — не моя печаль, — говорит Кел. Пусть даже сам он понимает, что во многом так оно и есть, слова эти даются ему с трудом. Его пугает, что он не в силах разобрать, правильно поступает или нет. — Не собираюсь я тут ничего предпринимать. Жалею, что вообще о нем узнал. Я просто пы-

* Искаж. от ирл. *ruaille buailie* — суматоха, неразбериха, гвалт.

таюсь дать малой успокоиться, чтоб она это выбросила из головы и жила себе дальше.

Март осмысляет это, наслаждаясь печеньем.

— И думаешь, она сможет?

— Ага. Ей ни мести не надо, ни справедливости. Она хочет только одного — все оставить.

— Может, это сейчас так. А через несколько лет?

— У малой свой кодекс, — говорит Кел. — Если слово даст, что успокоится, я считаю, она его сдержит.

Март слизывает последнюю размокшую крошку с пальцев, смотрит на Кела. Глаза у него когда-то были синими, но цвет выгорел, появилась водянистая каемка. Вид у Марта от этого мечтательный, даже горестный.

— Ты знаешь, что случится, если что-то выплывет.

— Ага, — отзывается Кел. — Знаю.

— И готов рискнуть.

— Ага.

— Ну ты ж господи, — говорит Март, — надо брать тебя к нам в карты, потому что ты тот еще игрок. Веры у тебя в этого ребенка больше, чем у меня или у кого угодно на всем белом свете. Правда, может, ты и знаешь ее лучше.

Он отодвигает стул и тянется к кружкам.

— Скажу тебе, как мы поступим. Ты не в том состоянии, чтоб лазить по горам, ты на полдороге свалишься, а вниз я тебя не потащу. Раскатаешь меня в блин. Иди домой, потолкуй с ребенком. Прощупай обстановку. Подумай крепко. А потом, если все еще захочешь рискнуть, отдохни чуток, вернись в боевую форму и приходи ко мне. Пойдем копать.

Улыбается Келу из-за плеча, ставит кружки в мойку.

— Давай уже, — говорит, как сказал бы Коджаку, — отдохни. Если не окажешься на ходу скоро, Лена может не дотерпеть и заведет себе другого мужика.

Пока Кела не было — ему кажется, очень долго, — Трей отчаялась в дрессировке Нелли. Они с Леной взялись за малярные принадлежности и красят плинтусы в гостиной. “Айпод” играет “Девчонок Дикси”*, Лена мурлычет под музыку, Трей распласталась на животе на полу, старается прокрасить угол безупречно, а Нелли заняла кресло. Келу хочется развернуться и выйти вон, забрать свое знание с собой.

Трей оборачивается к нему через плечо.

— Вы гляньте, — говорит. Садится, раскидывает руки. Лена, должно быть, уговорила малую принять ванну — Трей заметно чище, чем была, когда Кел уходил, и на ней новая одежда, которую он купил ей в городе.

— Классно смотрится, — говорит он. Одежда на размер больше нужного. Трей в ней такая маленькая, что аж больно. — Пока ты в краске не изгваздалась.

— Она себе места не находила, — говорит Лена. — Хотела чем-нибудь заняться. Я решила, что вы не будете против.

— Переживу, — говорит Кел. — Я их до сих пор не покрасил, потому что не собирался вот так на полу валяться.

— Сами знаете, что нам надо сделать, — говорит Трей.

— Что? — переспрашивает Кел.

— Вон ту стену. — Показывает на стену, где очаг. — По вечерам она вся золотая от солнца вон в том окне. Смотрится хорошо. Надо в тот цвет покрасить.

Кел ошарашен тем, что поднимается у него в груди, — то ли смех, то ли плач. Март и тут не ошибся: вот пожалуйста, женщина себе на уме у него в доме.

— Мне нравится, — говорит он. — Найду образцы краски, подберем, какая лучше всего подойдет.

Трей кивает. Что-то в голосе Кела цепляет ее; она глядит на него долго. А затем берет кисточку и укладывается обратно к плинтусу.

Лена смотрит на них обоих.

— Так, ну хорошо, — говорит она. — Я поехала.

— Можете еще немножко тут побыть? — спрашивает Кел.

Она качает головой.

* *Dixie Chicks* (с 1989) — американское женское кантри-трио.

— Есть дела.

Кел ждет, пока она наденет свою обширную куртку и разложит хозяйство по карманам, щелкнет пальцами Нелли. Провожает их за порог.

— Спасибо, — говорит на крыльце. — Сможете потом малую домой отвезти?

Лена кивает.

— Вы взяли ситуацию в свои руки, — говорит она, и это не вопрос.

— Ага, — говорит Кел. — Взял. Ну или почти.

— Ясно, — говорит Лена. — Удачи. — На миг касается руки Кела — то ли гладит, то ли пожимает. Затем уходит под дождем к машине, Нелли трусит рядом. Кел понимает, что пусть Лена ничего не знает наверняка и знать не желает, она довольно внятно себе все представляет — и давно.

Он закрывает за собой дверь, выключает "Девчонок Дикси" и идет к Трей. Колено по-прежнему болит, и устроиться на полу ему удается не сразу; наконец садится, вытянув ноги под неловким углом. Трей продолжает красить, но Кел чувствует, что она напряглась — тугая, как проволока, ждет.

Кел говорит:

— Я поболтал тут кое с кем, пока ходил.

— Ну, — говорит Трей. Взгляд не поднимает.

— Прости, малая. У меня для тебя грустные новости.

Через миг она произносит, словно горло перехватило:

— Ну.

— Твой брат погиб, малая. В тот же день, когда ты его последний раз видела. У него была встреча кое с кем, они подрались. Твоего брата ударили, он упал и стукнулся головой. Никто не хотел, чтобы он погиб. Просто в тот день все сложилось хреново.

Трей продолжает красить. Голова склонена, Кел не видит ее лица, но слышит тяжкий свист дыхания.

— Кто его?

— Кто ударил — неизвестно, — говорит Кел. — Ты сказала, тебе надо знать наверняка, что случилось, и тогда ты отцепишься. Что-то поменялось?

Трей спрашивает:

— Он быстро умер?

— Да. От удара он отключился, умер через минуту. Не страдал. Даже не понял, что произошло.

— Клянетесь?

— Да. Клянусь.

Кисточка Трей елозит туда-сюда по одному и тому же участку плинтуса. Чуть погодя:

— Может, это неправда.

— Я добуду тебе доказательство, — говорит Кел. — Через несколько дней. Я знаю, оно тебе нужно. Но это правда, малая. Прости.

Трей красит еще секунду. Потом откладывает кисть, опирается спиной о стену и начинает плакать. Поначалу плачет, как взрослая, запрокинув голову, стиснув зубы и зажмурившись, слезы сбегают по сторонам лица в тишине. А дальше что-то ломается, и она рыдает, как ребенок, обняв колени, зарывшись лицом в локти, надрывая сердце.

Каждая клеточка у Кела жаждет схватить ружье, рвануть к Марту домой и гнать мерзавца пешком до самого полицейского участка в городе. Он понимает, что проку от этого не будет ни малейшего, но все равно хочет этого с такой свирепой силой, что приходится не давать мышцам поднять его на ноги и потащить к двери.

Вместо этого он встает и приносит рулон бумажных полотенец. Ставит рядом с Трей и усаживается возле нее у стены, пока малая плачет. Локтем она прикрывает лицо — как сломанным крылом. Чуть погодя Кел осторожно кладет ладонь ей на загривок.

Наконец Трей выплакивает весь плач, какой пока есть.

— Извините, — говорит она, вытирая лицо рукавом. Оно красное и в пятнах, здоровый глаз распух чуть ли не так же, как побитый, а нос почти такой же, как у Кела.

— Не за что, — говорит Кел. Подает ей рулон полотенец.

Трей громко сморкается.

— Просто кажется, что это можно как-то исправить.

Голос у нее дрожит, и секунду Кел думает, что сейчас она опять разревется.

— Конечно, — говорит. — Я сам с этим не умею мириться.

Они сидят, слушают дождь. Трей время от времени сокрушенно вздыхает.

— Все равно завтра надо к Норин идти? — спрашивает она чуть погодя. — Неохота мне, чтоб мудачье это любопытное меня такую видело.

— Нет, — говорит Кел. — Разобрались. Эти ребята больше никого из нас доставать не будут.

Трей сосредоточивается.

— Вы их поколотили?

— Я похож на того, кто сейчас способен кого-то поколотить?

Малая выдавливает водянистую ухмылку.

— Не. Просто поболтали. Но все нормально.

Трей развертывает клок бумажного полотенца, отыскивает сухой угол, сморкается еще раз. Кел видит, как она постепенно, по частям, усваивает, как все поменялось.

— Это значит, что тебе можно домой, — говорит Кел. — Мне нравится, когда ты тут, но, наверное, тебе пора домой.

Трей кивает.

— Я пойду. Тока позже. Немножко.

— Годится, — говорит Кел. — Отвезти я тебя не могу, отвезет мисс Лена после работы. Хочешь, чтобы я или она с тобой зашли? Помогли тебе объясниться с мамой?

Трей качает головой.

— Я ей пока не скажу. Пока вы доказательство не добудете. — Она взглядывает на него, отрываясь от комка мокрого полотенца. — Сказали, несколько дней.

— Плюс-минус, — говорит Кел. — Но есть одно условие. Ты дашь мне слово чести, что никогда ничего не станешь насчет этого делать. Никогда. Просто отложишь и продолжишь жить нормально, как и собиралась. Займешь голову школой, с друзьями опять наладишь все. Может, день-другой удастся не бесить учителей. Готова?

Трей глубоко и судорожно вздыхает.

— Ага, — говорит. — Готова. — Она все еще опирается о стену, руки с бумажным полотенцем лежат на коленях, словно у нее нет сил шевелить ими. Кажется, будто долгое жестокое напряжение выходит из нее — потихонечку, мало-помалу, и все ее тело обмякает до полной беспомощности.

— Не только сейчас. Всю твою оставшуюся жизнь.

— Я поняла.

— Клянись. Слово чести.

Трей смотрит на него.

— Клянусь.

Кел говорит:

— Потому что я тут нехило рискую.

— Вчера я рискнула ради вас, — говорит Трей. — Когда тех парней отпустила.

— Видимо, да, — говорит Кел. Опять у него за грудиной этот трепет. Ждет не дождется, когда придет завтра, следующая неделя или когда уж там — когда вернется к нему достаточно сил, чтобы справляться со всем, как он умеет обычно. — Лады. Дай неделю. Ну или две, чтоб уж наверняка. И приходи.

Трей еще раз долго вздыхает.

— А сейчас что будем делать?

В мире без поиска она растерянна.

— Вот чем мы сегодня займемся, — говорит Кел, — пойдем на рыбалку. Меня только на это и хватит. Как думаешь, мы, битые бродяжки-дворняжки, с таким справимся?

Трей сооружает сэндвичи. Кел одалживает ей дополнительный свитер и свою утепленную зимнюю курку, в которой малая смотрится нелепо. Она помогает Келу надеть куртку. Они бредут не спеша к реке. Весь остаток дня проводят на берегу, не произнося ни слова, не имеющего отношения к рыбе. Наловив достаточно окуней, чтобы накормить Кела, семью Трей и Лену, собираются и возвращаются домой.

Трей делит рыбу, Кел отыскивает пластиковый пакет, куда складывает старую одежду малой и ее пижаму. Лена по пути с работы заезжает за Трей. Остается в машине, но когда Кел выходит к ней, опускает стекло глянуть на него.

— Звякните мне, когда завяжете вытворять глупости, — говорит.

Кел кивает. Трей забирается в машину, Лена поднимает стекло, Кел смотрит им вслед, тьма сгущается над изгородями, лучи фар сверкают в дожде.

21

Дождь льет стойко, день и ночь, больше недели. Кел почти безвылазно дома, дает телу зажить. Ключица, похоже, просто ушиблена, или треснула, или что-то в этом духе, а не сломана; к концу недели той рукой у него уже получается делать то-сё по мелочи и не маяться от боли, главное — не пытаться поднять руку выше уровня плеча. Колено же пострадало сильнее, чем казалось. Отек сходит неспешно. Кел регулярно бинтует и обкладывает ногу льдом, от этого полегче.

Из-за навязанной праздности и мглистого дождя неделя кажется сонной, отстраненной. Поначалу Кел ощущает в этом причудливую беззаботность. На его памяти у него впервые нет никакой возможности предпринять что бы то ни было, хочет он или нет. Занять себя он может только одним — сидеть у окна и смотреть. Он привыкает видеть горы мягкими и размытыми от дождя, словно шагай и шагай к ним хоть вечно, а они будут отодвигаться все дальше. Тракторы таскаются по полям туда-сюда, неутомимо пасутся коровы и овцы; не разберешь, действительно ли дождь им нипочем или же они просто его терпят. Ветер забрал последнюю листву, грачиный дуб наг, оголил сложенные из сучьев здоровенные всклокоченные шары-гнезда в развилках всех ветвей. На соседнем дереве одинокое гнездо, отмечающее то далекое время, когда какая-то птица посмела нарушить таинственные законы грачей и урок усвоила.

Внутренний трепет не отпускает Кела пару дней, пробирает по случайным поводам — дохлый крапивник у него во дворе или ночной визг в изгороди. Несколько ночей крепкого сна — и трепет уходит. Выбирается он в основном из тела, не из сознания. Побои Кела глубоко не потрясли. Мужчины иногда дерутся, это естественный ход жизни. А вот то, что вытворили с Трей, — другое дело, это оставить позади труднее.

Он понимает, что его долг — сообщить то, что он узнал, сотруднику Гарды Деннису. Делать Кел этого не будет по столь многим причинам, тесно переплетенным между собой, что он понятия не имеет, какая из них центральная, а какие — просто подлесок. Чем дольше Кел сидит дома без дела, тем больше этот вопрос его колет. Он жалеет уже, что не занимает эти дни прогулками, но колену необходим покой, чтобы зажило для похода в горы. Хочется, чтобы Лена или Трей навестили его, но он понимает, что мысль это дурацкая: прямо сейчас всему надо дать улечься. Кел почти жалеет, что не купил себе телевизор.

Едва колено начинает справляться, Кел хромает под дождем к Норин и под полный диапазон ее воплей ужаса объясняет про падение с крыши. Пока она перечисляет домашние снадобья и людей, умерших после таких падений, за громадным мешком картошки и бутылкой фруктового ликера приходит Фергал О'Коннор. На кивок Кела неуклюже пригибает голову и растерянно полуулыбается, платит за свои товары и стремительно исчезает, лишь бы Кел не начал опять задавать ему вопросы.

В последние дни Кел о Фергале думал. Из всех, с кем ему довелось разговаривать, милый, бестолковый, преданный Фергал — единственный, кто мог бы направить его по верному пути. Брендану, может, и недоставало здравого смысла много в чем, но хватило на то, чтобы поговорить с Фергалом, а не с Юджином, когда приспичило похвастаться своими планами. Фергал знал, что́ Брендан затевает, — может, без подробностей, но суть ухватывал. Знал, что Брендана поймали и тот носится с перепугу, понимал и то, что Брендан не боится местных мужиков в той же мере, в какой дублинских, — но лучше б боялся. Фергал не смекал одного: что все могло пойти скверно. В представлении Фергала суровой бывает природа, а люди — они надежные или, во всяком случае, надежно такие, какие есть. И Брендан, вечно дерганый, перепугался от мысли, что его побьют, куда-то слинял и вернется, когда все уляжется.

Кел не собирается его разубеждать. Фергал сам поймет в свое время — или не поймет, или не захочет понимать. Примиряться с родиной Фергалу придется самостоятельно.

Каролайн сообщать тоже не надо. Она не хочет знать, но даже если б он мог сообщить ей, ничем не рискуя, Кел за Каролайн отвечать не может. Ей тоже придется примиряться самой. Келу хотелось бы сказать ей, что вышел несчастный случай, — просто чтоб условия примирения не получились суровее необходимого. Если однажды она придет к нему с вопросами, он, вероятно, отыщет способ ответить.

Если будет здесь. Сидя дома и глядя на очертания гор, что прячут где-то среди своих призрачных изгибов тело мертвого мальчика, Кел размышляет о продаже этого места и о самолете в Чикаго — или, может, в Сиэтл. Через несколько дней он сделает то, что нужно от него Трей, и никаких обязательств, удерживающих его здесь, не останется. Можно было б меньше чем за час собрать вещи и уехать.

Кел расплачивается за покупки, Норин провожает его за дверь, обещает прислать к нему Лену с капустными припарками и номером толкового кровельщика. Никак не узнать, верит ли Норин хоть одному слову Кела, но он понимает, что применительно к Норин не это главное.

Наконец дождь рассеивается. Кел, еще накануне готовый поклясться, что начнет того и гляди грызть стены, если не сможет выбраться на улицу и взяться за дело, решает, что разумнее всего дать дождевой воде хоть немного стечь с гор, прежде чем он отправится копать. Пересиживает дома еще день, а затем и второй — чтобы уж наверняка.

Не Брендана он сторонится. Эта перспектива его не прельщает, однако в каком бы состоянии ни был покойник, Кел видал и похуже. Он знает, что должен это сделать, и он готов. Ясности у него нет в другом, — что делать после.

Впрочем, Трей с минуты на минуту заявится за доказательством. С тех пор как Лена забрала ее домой, о малой ни слуху ни духу. Келу не нравится мысль о Трей там, среди гор, где за ней присматривает только Шила, но он попросил дать ему две недели, и, по его прикидкам, может, оно и хорошо, что Трей его слушается: ей необходимо время, чтобы впитать все случившееся и приготовиться к тому, что произойдет дальше. Но понимает Кел и то, что сейчас, после двух недель, лицо у Трей уже достаточно зажило и она сможет показаться ему на глаза, малая заегозит.

Настает четверг, тем не менее поздно вечером Кел все равно садится на крыльцо и звонит Алиссе. Чувствует себя при этом по-дурацки, однако назавтра он собирается уйти на мили вверх по безлюдным склонам с мужиком, который уже поспособствовал убийству человека — и ему это сошло с рук — и который может разумно счесть Кела источником неприемлемого риска. Наивно пренебрегать потенциальным исходом в таких обстоятельствах, а Келу кажется, что наивным он уже побыл достаточно.

Алисса отвечает быстро.

— Эй. Все нормально?

— Все хорошо, — говорит Кел. — Просто решил проведать. Как ты?

— Хорошо. У Бена было второе собеседование на ту отличную работу, скрестим пальцы. — Голос отдаляется, Кел слышит шум воды и звяканье. Она перевела его на громкую связь, а сама продолжает загружать посудомоечную машину. — Чем занимаешься?

— Толком ничем. Всю неделю лило, но сейчас прояснилось, завтра собираюсь прогуляться в горы. С соседом Мартом.

Алисса говорит что-то, видимо, Бену — голос приглушен, она прикрывает трубку рукой.

— Ух ты, — говорит она, возвращаясь к Келу. — Красиво, наверное.

— Ага. Пришлю тебе фотографии.

— Ага, давай. Тут тоже дождь. Кто-то на работе сказал, что, может, снег будет, но наверняка выдумывает.

Кел трет лицо ладонью так, что больно ушибленным местам. Вспоминается, как вся Алиссина ножка когда-то помещалась у него во рту и Алисса смеялась до икоты. Над садом небо — мешанина высоких колких звезд.

— Знаешь что, — говорит он вдруг, — я тут наткнулся на такое, в чем ты могла бы мне помочь. Есть минута?

Шумы прекращаются.

— Конечно, — говорит Алисса. — В чем дело?

— Тут соседский ребенок ко мне ходит, учится плотничать. Она недавно узнала, что у нее погиб брат, а у нее нет того, что можно было б назвать системой поддержки, — отец сбежал, мама тоже мало на что годится. Хочу помочь ей пережить это, чтоб с катушек не слетела, но не знаю, как с этим лучше всего поступать. Вот и подумал, что у тебя могут быть какие-нибудь мысли.

— Так, — говорит Алисса. Что-то такое слышится в ее голосе, будто она засучивает рукава, собираясь взяться за работу. — Сколько ей?

— Тринадцать.

— Как брат погиб?

— Влез в драку и ударился головой. Девятнадцать лет. Они были очень близки.

— Ясно, — говорит Алисса. — Главное — надо, чтоб она знала: все, что она чувствует, нормально, однако отводи ее от любых разрушительных или саморазрушительных поступков. Например, если ей свойственно сердиться на себя, своего брата, человека, с которым он подрался, на родителей, которые его не защитили, неважно, — проследи, чтоб она понимала: злиться — это нормально, виноватой себя за это чувствовать не нужно. Но если она срывается на других детей, допустим, надо дать понять, что так нельзя. Помоги ей найти другой выход гневу. Может, пусть боевыми искусствами займется или театром. Или бегом. О, ты можешь сам с ней бегать.

В ответ на озорную улыбку у нее в голосе улыбается через полмира и Кел.

— Эй, — изображает он обиду, — я бы мог побегать. Если б захотел.

— Вот и давай. В худшем случае дашь повод поржать, а девочке это, возможно, не повредит. Ей нужно почувствовать, что мир по-прежнему умеет быть нормальным. Смех — это хорошо.

Уверенность и опыт дочери сражают Кела наповал. Его малютка вдруг оказывается взрослым человеком, который в чем-то знает толк, и знает его крепко; разбирается и располагает навыками в том, в чем он не смыслит. Он тут беспокоится насчет нее, как наседка, прислушивается, как бы дитя не рассыпалось на кусочки, а Алисса просто устает от тяжелой работы, необходимой, чтобы эдак вот хорошенько освоиться. Слушает, как она рассуждает о регрессивном поведении и о том, как подавать пример здорового выражения эмоций, и представляет, как она непринужденно сидит рядом с американским собратом Трей, умело и спокойно превращает все эти слова в уверенные действия. Келу кажется, что он явно не профукал всё и окончательно, раз Алисса получилась вот такой.

— Все это очень даже здорово, по-моему, — произносит он, когда она договаривает.

— Ну, опыт. На работе навалом таких детей, у кого так или иначе кого-то не стало.

— Везет им — у них есть ты.

Слышен этот громкий чудесный Алиссин смех.

— Ага, они тоже так думают — в основном. Не всегда. Что-нибудь из этого пригодится тебе?

— Ой да. Я все-все буду иметь в виду. Может, кроме бега.

— Если хочешь, могу по электронке тебе все это отправить. А если всплывет что-то конкретное — типа рискованное поведение у нее начнется или еще что-то, — сообщи, я тебе предложу стратегии, какие у меня есть.

— Отлично. Спасибо, малыш. Вот честно.

— Обращайся. Все у тебя получится. Более чем. Помнишь, когда Паффл сбила машина? Ты со мной съездил аж до самого леса, потому что я хотела похоронить ее там. И ты ей вырезал надгробие и все такое.

— Помню, — отвечает Кел. Жалко, что нельзя позвонить Донне и сказать ей, что, похоже, есть в нем то, о чем она толковала, — хотя бы иногда.

— Именно это мне и было нужно. Все у тебя получится. Но только, пап...

— Да?

— Та соседская девочка — ей сейчас необходимо постоянство. Меньше всего ей сейчас нужно, чтоб кто-то из ее жизни внезапно исчез. В смысле, если ты в ближайшее время домой собрался... тогда стоит ее кому-то надежному передать, с кем она сможет разговаривать вместо тебя. Кого-то из соседей, кому ты доверяешь, или...

— Да, — говорит Кел. — Я понимаю. — Едва не спрашивает ее, не хочет ли она, чтобы он вернулся. Вовремя спохватывается: неправильно это — сваливать на нее.

— Ага, я так и думала. Просто на всякий случай. — Слышно, как голос Бена произносит что-то. — Пап, мне пора, у нас тут гости к ужину...

— Беги, — говорит Кел. — Привет Бену передай. И скажи маме, что ей я тоже горячие приветы слал. Не хочу ее доставать, но пусть знает, что я ей желаю всего хорошего.

— Передам. До скорого.

— Эй, — окликает ее Кел, пока она не сбросила звонок, — я тут в городе нашел тебе игрушечную овечку. Напомнила мне твои игрушки, когда ты была маленькая, енота и всех остальных. Можно я тебе пошлю ее? Или тебе не нужны больше мягкие игрушки, раз ты уже взрослая?

— Да суперски, я бы хотела игрушечную овцу, — отвечает Алисса. Он слышит ее улыбку. — Они с енотом подружатся. Спокойной ночи.

— Спокойной ночи, зайка. Удачного ужина. Не пересиживайте допоздна.

— *Пап*, — смеясь, говорит она — и нет ее. Кел остается на крыльце, попивает пиво и смотрит на звезды, ждет утра.

Погода держится; утро приходит с резким зимним светом, скользящим по-над полями в окно к Келу. У воздуха в доме новая льдистая грань, какую обогреватели притупляют лишь отчасти.

Кел завтракает, перебинтовывает колено, натягивает почти всю одежду, какая у него есть. Когда Марту наступает время пить чай, Кел направляется к соседу.

Земля оставила позади манящий осенний образ и облеклась новой отрешенной красой. Зелень и золото истончились до акварели, небо — чистый простор блеклой синевы, а горы так отчетливы, что Келу кажется зримым четко и внятно каждый далекий пучок буреющего вереска. Обочины по-прежнему мягкие после дождя, в рытвинах лужи. Выдохи Кела дымчато разливаются в воздухе. Шагает он не спеша, щадит колено. Знает, что входит в трудный день, в трудное место.

Коджак роется в углу Мартова сада, выкапывает что-то настолько интересное, что отвлечься — ну никак. Март подходит к двери.

— Сто лет, сто зим, вьюноша, — говорит он, улыбаясь Келу. — Я уж начал подумывать, не послать ли поисковую партию, проверить, с нами ли ты все еще. Но с виду молодцом.

— Я нормально, — говорит Кел. — Поправился, готов копать, раз и дождь кончился.

Март, разглядывая лицо Кела так и сяк, пренебрегает сказанным.

— Я б решил, что нос почти вернулся к былой славе, — говорит. — Лене все нравится небось, а? Или она тебя бросить собралась? Не видал я ее машины в наших краях.

— Наверное, занята была, — говорит Кел. — Есть у тебя время сводить меня на прогулку?

Лукавство исчезает у Марта из глаз.

— Ты с ребенком потолковал?

— Ага. Ничего предпринимать не будет.

— Уверен?

— Ага, — говорит Кел. — Уверен.

— Тебе решать, Миляга Джим, — говорит Март. — Надеюсь, ты не ошибаешься. — Высвистывает Коджака. Довольный пес прискакивает обменяться с Келом любезностями, но Март жестом отправляет его в дом. — С собой не возьмем. Погоди минуту, я скоро.

Закрывает за собой дверь. Кел следит за стаей скворцов, что клубится, как джинн, в небе, пока не возвращается Март, одетый в вощеную куртку и толстую вязаную шапочку ошеломительного неоново-желтого оттенка. На миг Келу хочется отпустить шутку насчет этой шапки, назвать Марта диджеем У-Нас-Печеньки или как-то в этом духе, но вспоминает, что они больше не в тех отношениях. От этого Кела прихватывает одиночеством. Март ему нравился.

При Марте его клюка и штыковая лопата.

— Это тебе, — говорит он, вручая лопату Келу. — Управишься? С ключицей-то.

— Соображу, — говорит Кел. Вскидывает лопату на здоровое плечо.

— А колено как? Прогулка ента долгая, и половина ее не по дорогам. Если тебя колено подведет на горке, я ничего не смогу поделать.

— Позовешь Пи-Джея и Франси. Они меня снесут вниз.

— Я их в эту маленькую экспедицию не посвящал, — говорит Март. — Не одобрят. Так близко, как я, они тебя не знают, уж всяко. И обижаться на них не за что.

— Хорошо все у меня с коленом, — говорит Кел. — Пошли.

Путь далек. Начинают на той же горной дороге, какой Кел ходил к дому Редди, но в полумиле выше Март показывает клюкой на тропу вбок — она слишком узкая, плечом к плечу не протиснуться, выход на нее почти целиком скрыт чахлыми деревцами и высокой травой.

— Ты б не нашел ее, ну, — улыбаясь, говорит Март Келу. — Затейница она, гора эта, вот как есть.

— Ты ж ее знаешь, — говорит Кел. — Шагай первым. — Марта у себя за спиной ему не хочется.

Тропа ведет вверх и вниз между валунами, среди колючих вспышек желтого дрока и пятен долговязого вереска, чьи пурпурные колокольчики блекнут до бурых бумажных.

— Все это вокруг, — говорит Март, шевеля вереск клюкой, — вереск обыкновенный. С него самолучший мед на свете. Мужик по имени Пядар Руах, он жил тут наверху, держал пчел, когда я был маленький. Бабуля отправляла нас к нему за банкой его меда. Клялась, что он от любых бед с почками. По ложке утром и вечером — и будешь как огурчик, на раз-два.

Кел не отзывается. Он следит, не идет ли за ними кто, — помимо всего прочего, он бы не удивился, возьмись опять за ним приглядывать Трей, — но повсюду окрест ничто не шелохнется. Влажная земля на тропе проседает под ногами. Март насвистывает себе под нос тихую сиротливую мелодию с неведомым ритмом. Иногда напевает строчку-две, на ирландском. На этом языке голос у Марта звучит иначе, в нем хриплая, отстраненная жалоба.

— Это песня о человеке, который отправляется на ярмарку и продает свою корову, — сообщает он Келу через плечо, — за пять фунтов серебром и одну желтую гинею золотом. И говорит: "Если пропью все серебро и растрачу золото, какое дело кому, раз его не касается?"*

Поет еще. Тропа ведет вверх. На плоской травянистой равнине под ними расстилаются поля, остриженные, бледные в резком солнечном свете, поделенные стенками, что выстроили по соображениям, забытым не один век назад.

— "Если в лес я пойду за ягодами или орехами, снимать яблоки с веток или пасти коров, и лягу под дерево передохнуть, какое дело кому, раз его не касается?"

Кел достает телефон, включает камеру и нацеливается на пейзаж.

— Выключи, — говорит Март, прерывая песню на полустроке.

— Я дочке сказал, что иду гулять в горы, — говорит Кел. — Она попросила поснимать. Ей здешние красоты нравятся.

— Скажи ей, что забыл телефон.

Он стоит на тропе, опираясь на клюку, смотрит на Кела, ждет. Через минуту Кел выключает телефон и убирает его в карман. Март кивает и возобновляет движение. Чуть погодя запевает вновь.

* Март поет известную ирландскую народную песню *Cad É Sin Don Té Sin*.

Похожие на папоротник растения, какие не попадались Келу на равнине, тянутся с обочин тропы, хлещут по ботинкам. Мартова клюка тихонько и ритмично похрустывает в такт песне.

— Человек говорит, — поясняет он Келу: — "Люди болтают, я никчемный оболтус, ни товаров при мне, ни прыличной одежды, ни скотины, ни богатства. Но я счастлив жить в лачуге, какое дело кому, если его не касается?"

Март сходит с тропы и протискивается в брешь в осыпающейся, покрытой лишайником каменной стенке. Кел следом. Они пересекают участок, по виду расчищенный давным-давно, а потом заброшенный, его захватила высокая тонкая трава. В одном углу разрушенные остатки каменного домика, гораздо старше Бренданова. Март, проходя мимо, не поворачивает головы. Дыхание ветра трясет травяными метелками.

Чем выше они карабкаются, тем острее делается холод, он вспарывает на Келе слои одежды и колет кожу. Кел сознает, что идут они кругами, петляют, возвращаются, но один куст дрока или болотистый участок смотрится слишком похоже на другой, и потому ничего не разберешь. Кел то и дело поглядывает на солнце и на пейзаж, старается вычислить местоположение, но смекает, что ищи он хоть целый год, повторно это место не найдет. Ловит ехидный взгляд Марта.

Не подсматривая в телефон, Кел не в силах прикинуть поточнее, давно ли они идут; больше часа, может, полтора. Солнце высоко. Он размышляет о четверых мужчинах, что медленно и упорно брели вверх по этой тропе, в холстине между ними — покойник.

Март ведет их через густой ельник, в ложбину и далее на очередную тропу, по которой идти получится лишь гуськом, тут хребет уплощается с обеих сторон. Среди торфа и вереска поблескивает вода.

— Теперь с тропы не сходи, — советует он Келу. — Каждый год тут овца или две влезают в болота эти и уже не выбираются. И двадцать пять не то тридцать лет тому мужик один приезжал из Голуэя — трехнутый на всю голову, ей-бо. Лазил вверх-вниз по горам босиком каждую Чистую пятницу да розарий начитывал попутно. Говорил, что Приснодева ему сказала, будто однажды, если не отступится он, она явится ему на дороге. Может, и явилась, однако выбрала, похоже, паршивое место, поди знай, но однажды мужик тот не вернулся. Ребята ходили его искать и нашли мертвым в болотце. Восемь футов от тропы, все еще тянул руки к сухой почве.

Лопата впивается Келу в плечо, а колено пульсирует при каждом шаге. Интересно, не собирается ли Март выгуливать его кругами, пока колено не откажет, после чего бросить — пусть Кел сам домой добирается? Солнце начинает соскальзывать книзу.

— Там, — говорит Март и останавливается. Показывает клюкой на место в болоте, футах в двадцати от тропы.

— Уверен? — спрашивает Кел.

— Конечно. Потащил бы я тебя сюда, если б не уверен был?

Вокруг простирается обширное плато. Гнутся высокая трава и вереск, по-осеннему выбеленные. От пуха облаков по земле скользят мелкие тени.

Кел говорит:

— С виду как десяток других мест, мимо которых мы шли.

— Для тебя, может, и так. Если тебе нужен Брендан Редди, найдешь его тут.

— И часы его при нем.

— Мы с него ничего не снимали. Если часы были при нем в тот день, при нем они и сейчас.

Они стоят рядом, смотрят на болото. Пятна воды посверкивают там и сям отражением синевы.

— Ты мне велел не сходить с тропы, — говорит Кел. — Если я туда двину, что помешает мне кончить, как тот парень, который розарий читал?

— Тот фигляр — городской парень, — говорит Март. — То ли он сухое болото от сырого отличить не мог, то ли решил, что Приснодева вытащит его оттудова. Я на этой горе торф резал еще до того, как тебя родили и задумали, и говорю как есть: отсюда до того места ладное крепкое болото. Как, по-твоему, мы парня туда притащили и сами не утонули?

Кел прекрасно понимает, как все будет воспринято, если он ошибся в Марте. Бестолочь-янки решил приникнуть к природе на местности, которой не знает, и оступился. Может, Алисса вспомнит, что Кел собирался на прогулку с соседом, но окажется, что Март весь сегодняшний день в компании провел и людей там было не меньше дюжины.

— Если хочешь развернуться и уйти домой, — говорит Март, — я спишу это себе на славную разминку.

— Я никогда не верил в разминки как в самоцель, — говорит Кел. — Ленивый слишком. Раз уж влез сюда, пусть хоть с толком будет. — Он перекладывает лопату на плече так, чтоб давила поменьше, и сходит с тропы. Слышит, что Март шагает следом, но не оборачивается.

Болото проседает и пружинит под ногами, под весом Кела содрогаются глубинные слои — но держат.

— Шаг влево, — подсказывает Март. — Теперь прямо. — Вдали перед ними какая-то мелкая птица встревоженно взмывает и исчезает в небе, в холодном этом пространстве ее высокий стремительный клич падает призрачно. — Тут, — говорит Март.

У ног Кела прямоугольник размером с человека, прямо в болоте, посреди ровного простора травы он выделяется грубо, бугристо.

— Не так он глубоко, как положено, — говорит Март. — Но государство запретило торф резать на этом участке, это точно. Никто после тебя не потревожит.

Кел втыкает лопату в торф, в ту же линию, где его когда-то повредили, и загоняет ее на добрый фут вглубь. Идет гладко, торф ощущается густым и глинистым.

— Сперва обкопай по краям, — советует Март. — Сможешь дерн тогда снять.

Вновь и вновь Кел втыкает лопату, пока не обходит весь прямоугольник, после чего поднимает его лопатой, как рычагом, и откидывает в сторону. Снимается легко, по кромке чисто. Открывшееся пятно торфа темное и гладкое. Прет глубокий насыщенный дух, напоминает о печном дыме холодными вечерами по пути из паба.

— Да ты как народился для этого дела, — говорит Март. Вытаскивает пачку табака и принимается скручивать себе папироску.

Времени уходит много. Ушибленную руку Кел задействовать толком не может, она годится только на то, чтоб направлять лопату, когда он на нее налегает. Несколько минут — и здоровая рука уже ноет тоже. Март втыкает клюку в болото, опирается на нее и курит.

Горка срезанного торфа растет, яма расширяется и углубляется. Пот на лице и шее у Кела холодеет. Он опирается на лопату, чтобы перевести дух, и на одну головокружительную секунду чувствует всю штормовую силу странности происходящего — вот он, на горном склоне, за полмира от родины, выкапывает мертвого мальчика.

Сперва ему кажется, что рыжеватый клок волос, показавшийся там, где только что побывала лопата, — мох или корни травы. Через минуту он соображает, что торф потемнел, а к запаху из ямы примешивается нечто тухлое, и понимает, что видит он волосы.

Откладывает лопату. В кармане у него пара резиновых перчаток, он их купил для работ по дому. Надевает, опускается на колени у края ямы и склоняется к ней, чтобы рыть руками.

Горсть за горстью торфа лицо Брендана поднимается из болота. Какая уж там неведомая алхимия болота потрудилась над ним, но не похож он ни на одного покойника из всех, каких довелось повидать Келу. Все на месте, плоть и кожа нетронутые, ресницы опущены, словно Брендан спит. Почти семь месяцев спустя он все еще достаточно похож на себя, чтобы Кел смог распознать улыбчивого мальчишку со снимка в Фейсбуке. Но кожа странного красновато-бурого оттенка, как дубленая шкура, а давление болота уже начало расплющивать его, как мягкий воск, растаскивать в стороны, сминать черты до неправдоподобия. Лицо от этого сосредоточенно и таинственно хмурится, словно Брендан вдумывается во что-то, ведомое лишь ему одному. На ум Келу приходит Трей с наждачкой в руках, бессознательно нахмурившаяся.

Линия челюсти неровная. Кел прикладывает пальцы, ощупывает. Плоть кажется толстой и плотной, а кость жутковато подается, словно резиновая, но там, куда пришелся удар, Кел все равно чувствует перелом. Осторожно отодвигает нижнюю губу. Два зуба сбоку выбиты.

Кел расчищает вокруг головы Брендана, пока не показывается затылок. Копает медленно, осмотрительно; неизвестно, насколько крепко тело держится как целое, какие части могут отпасть под неосторожной рукой. Даже через перчатки ощущает пальцами волосы, путаницу их, словно сплетение тонких корешков. У основания черепа громадная вмятина, полностью податливая, осколки расходятся. Кел разводит пряди волос и различает глубокую иззубренную брешь.

— Видишь, — говорит Март из-за его спины. — Как я и сказал.

Кел не отвечает. Принимается разгребать торф на туловище Брендана.

— Что б ты сделал, окажись оно не так?

Мало-помалу показывается куртка Брендана — черный бомбер с оранжевой полоской, все еще яркой на рукаве, молния расстегнута, под курткой худи, когда-то, наверное, серое, но болото перекрасило его в ржавый рыжий. Брендан лежит не плашмя, слегка повернут набок, голова под неестественным углом. Солнце озаряет его безжалостно.

Рука лежит у него на груди. Кел прокапывает вдоль нее вглубь. Торф рядом с телом ощущается иначе, он влажнее. Ноздри забивает насыщенный, спекшийся запах.

— Он тут не один, — говорит Март. — Папаня мой нашел человека в этом болоте, еще когда молодой был, лет сто назад, может. Сказал, человек тот лежит тут с тех пор, как святой Патрик змей гонял. Плоский, как блин, вот как есть, вокруг шеи веток накручено. Папаня зарыл его обратно и ни слова полиции не сказал. Оставил человека в покое.

Кел поднимает руку Брендана из болота. Боится оторвать от тела, но нет, держится. У нее тот же красно-бурый оттенок, что и у лица, она гнется и болтается, словно без костей. Болото преобразило Брендана в нечто новое.

Запястье изгибается, как ветка, под собственным весом. Эта рука Келу и нужна: отодвинув тяжелые от воды слои рукавов, видит часы. Ремешок кожаный, сросся с рукой. Кел расстегивает ремешок и начинает предельно бережно отделять часы от руки, но плоть скользит и лопается, под нею нечто невообразимое — осклизлая беловатая масса.

Сознание Кела движется отдельно от него. Руки в перчатках — словно чьи-то еще, возятся с часами, осторожно снимают их, вытирают мокрый торф и что похуже о траву, тщательно. Кел совершенно отчетливо замечает, что трава здесь жестче на ощупь, чем на полях внизу, а штанины у него ниже колен промокли насквозь.

Часы старые, есть в них вескость и достоинство: обрамленный золотом кремовый циферблат, тонкие золотые штрихи вместо цифр и тонкие золотые стрелки. Болото пропитало ремешок, но у золота по-прежнему тусклый благородный блеск. На обратной стороне буквы: Б-П-Б, потертые, с завитками; ниже свежие и без наклона: Б-Дж-Р.

Кел вытирает перчатки о траву, извлекает из кармана пакет-струну. Хотелось бы не уносить с собой ничего с этого болота, но как ни вытирал, мелкие частицы почвы и брызги пачкают пакет изнутри. Кел убирает пакет в карман.

Смотрит на Брендана и не представляет себе, как можно положить на него обратно весь этот торф. Это противоречит всем инстинктам, какие у него есть, до самых мышц и костей. Руки хотят работать дальше, расчистить торф, открыть мальчика холодному солнцу. В горле битком слов, какие сказать по телефону и запустить мощную знакомую машину, чтобы защелкали фотоаппараты, открылись пакеты для сбора улик, посыпались вопросы, пока вся правда не прозвучит вслух и все не окажутся там, где им место.

Он почти уверен, что мог бы уронить телефон так, чтобы Март не заметил. Отслеживание по спутнику приведет достаточно точно.

Кел вновь ощущает невесомость, болото размягчается у него под коленями, сила тяжести отпускает его. Он поднимает взгляд и видит, что Март наблюдает за ним, глаз не сводит, голова чуть наклонена; ждет.

Кел смотрит на Брендана и понимает, что на Марта ему, в общем, насрать. Он в силах заставить Марта проводить его с горы. Он в силах защитить и себя, и Трей, пока не пристроит ее в заведение опеки; она будет сопротивляться, как камышовый кот, и возненавидит его до глубины души на всю оставшуюся жизнь, но зато будет вне угрозы. И сам он в мгновение ока сможет оказаться очень далеко и от нее, и от кого бы то ни было, там никто не сможет бросить ему в окно кирпич.

Мысли перескакивают на Алиссу — ее голос у самого его уха, серьезный, как в ту пору, когда она была ребенком и объясняла ему что-то о перипетиях у плюшевых зверей. "Та соседская девочка — ей сейчас необходимо постоянство. Меньше всего ей сейчас нужно, чтоб кто-то из ее жизни внезапно исчез".

Ни за что не понять, какой тут путь правильный и есть ли такой вообще, но Кел смекает, какой путь к правильному ближе всего. Склоняется к Брендану и укрывает его землей. Кел хотел бы упокоить как полагается, но даже будь он уверен, что сможет это проделать, не нанеся еще большего урона, понимает, почему Март и остальные не поступили так сразу. Если какой-нибудь браконьер-торфорез наткнется на это тело, все должно выглядеть так, будто произошел несчастный случай. Вскоре болото растворит кости Брендана, и никто не прочтет по ним его увечий.

Кел осторожно кладет руку покойника ему на грудь и поправляет воротник куртки. Набирает горстями вынутый торф и укладывает его вокруг тела и головы Брендана, покрывает лицо как можно бережнее, пока оно постепенно не исчезает в болоте. Затем берется за лопату и возвращает вырезанные куски торфа на Брендана. Быстро не получается, здоровая рука дрожит от усталости. Наконец черед дерна. Кел кладет его на место, прижимает так, чтобы сровнялись края и трава выросла и затянула шрамы.

— Помолись над ним, — говорит Март. — Раз уж его потревожил.

Кел встает — выпрямиться удается не сразу, за несколько секунд. Никаких молитв он не помнит. Пытается представить, что бы хотела сказать или сделать Трей над погребенным братом, но не получается. В голову приходит одно — на том дыхании, что в нем осталось, спеть ту же песню, какую он пел на похоронах у деда.

Я лишь чужак, бродяга нищий,
Один тут мыкаю беду,
Но ни забот, ни мук не сыщешь
В краю чудном, куда иду.
Иду туда обнять любимых,
Иду туда найти покой,
За Иордан свой путь держу я,
Иду своим путем домой*.

Голос тает в бескрайнем холодном небе.

— Сойдет, — говорит Март. Натягивает шапочку поглубже на уши и выдергивает клюку из земли. — Пошли уже. Не хочу я, чтоб нас темень тут застала.

С горы он ведет Кела другим путем, сквозь череду густых ельников, вниз по такому крутому склону, что Кел временами вынужден переходить на бег, и это зверски отдается в колене. Проходят мимо остатков осыпавшихся каменных стенок между полями, мимо овечьих следов в жидкой грязи, но ни единого живого существа не попадается им по дороге. Этот день так заморочил Келу голову, что он ловит себя на мысли, уж не предупредил ли Март всех и каждого в округе, чтоб спрятались на сегодня, или не забрели ли они с Мартом в некое пространство вне времени и сейчас выйдут в мир, проживший без них сотню лет. Теперь понятно, почему Бобби немножко свихнулся на пришельцах, если подолгу торчит на этой горе.

— Ну что, Миляга Джим, — говорит Март, прерывая долгое молчание. Он всю дорогу не пел. — Ты добыл то, что хотел.

* *The Wayfaring Stranger* — американская народная песня, текст впервые записан в 1858 году.

— Ага, — отзывается Кел. Интересно, ждет ли Март от него благодарностей.

— Ребенок может показать это матери, если хочет, и сообщить ей, откуда оно. Больше никому.

— Птушта Шила уж всяко, блин, приглядит за тем, чтоб малая держала рот на замке.

— Шила баба умная, — говорит Март. Солнце между еловыми ветками полосует его лицо светом и тенью, от этого морщины сглаживаются и он кажется моложе и сильнее, раскованней. — Блить, жалость какая, что она вообще связалась с этим идиётом Джонни Редди. Десяток парней готовы были на нее прыгнуть, да только она ж разве глянула на них хоть раз? Да ни разочка. У Шилы мог быть ладный дом и ферма, а вся ребятня ее — по университетам. А теперь глянь на нее.

— Ты ей сказал, что случилось? — спрашивает Кел.

— Она уже знала, что парень не вернется. Большего ей знать и не надо. То, что ты там видел наверху, — что ей пользы, если вот такое перед глазами стоять будет?

— К Шиле Редди я схожу, — говорит Кел, — когда рука станет рабочая. Помогу крышу починить.

— Ой да ладно, — говорит Март, дергая головой и кривясь. — Не самый прекрасный твой порыв это, Миляга Джим, уж прости меня.

— Думаешь?

— Не стоит вынуждать такую женщину, как Лена, ревновать. Оглянуться не успеешь, как вокруг тебя откровенная войнушка разразится, а я б сказал, ты уже тут достаточно воды намутил, верно ж говорю? Да и кроме того, — лыбится он, — с чего ты взял, что ты Шиле нужен? Репутация у тебя насчет починки крыш не лучшая, вот что.

Кел молчит. Руку, которой он придерживает на плече лопату, сводит.

— Хотя знаешь что, — говорит осененный Март, — ты мне мыслишку подкинул. Фунт-другой время от времени, торфа чуток или кто-нибудь чтоб крышу ей починил. Поболтаю с ребятками, посмотрим, как тут подсобить. — Снова улыбается Келу. —

Ты глянь. Добро от тебя какое-то тут будет — невзирая. И чего я раньше до этого не додумался.

— Птушта она могла смекнуть, чего это ты. А теперь, когда и так знает, что ты в этом замешан, вреда никакого, да и она помалкивать станет. Так или иначе.

— Я тебе так скажу, Миляга Джим, — укоризненно говорит Март. — У тебя ужасная привычка думать о людях худшее. Знаешь, почему так? Из-за службы твоей все. От нее у тебя мозги набекрень. Теперь тебе такой настрой ни к чему. Ты б чуток расслабился, искал бы плюсы — и была б тебе пенсия ента в радость. Поставь себе приложение какое, чтоб учило тебя позитивно мыслить.

— Кстати, о привычке думать худшее, — говорит Кел. — Малая будет ходить ко мне в гости. Надеюсь, в округе ни ей, ни мне никакой херни за это прилетать не будет.

— Я замолвлю словечко, — великодушно произносит Март, отводя еловые ветви от лица Кела, когда они выходят из ельника на тропу. — Еще б, от тебя ребенку прок. Женщины, при ком нет прыличного мужика, пока они растут, замуж потом выходят за никчемных. А последнее, что нам тут в округе надо, — это скрещивать Редди с Макгратами.

— Да я его вперед в то болото суну, — говорит Кел, не успев спохватиться.

Март хохочет. Это громогласный, привольный, счастливый смех, он едва ль не ошеломительно разлетается по холмам.

— Верю, — говорит. — Ты туда влезешь тут же с лопатой-то, рысью. Иисусе, братан, вот же безумный мир у нас, а? Поди знай, куда заведет.

— Без балды, — говорит Кел. — Но я-то думал, что ты считаешь, будто малая — лесбиянка.

— Вот те на, вы гляньте, — лыбясь, говорит Март. — У нас с тобой опять мир. А мне и счастье. А малая способна выйти замуж за никчемного человека, хоть лесбиянка она, хоть нет, ну? Мы за это голосовали: геи пусть дурью маются, как и все остальные, и пусть никто им не мешает.

— Малая не дура.

— Да мы все дураки, пока молодые. У индийцев-то все правильно: брак должны заключать родители. У них лучше получится, чем у молодняка, который думать умеет только буйными своими причиндалами.

— Тебя б тогда женили на какой-нибудь тощей девчонке, которой подавай пуделя и канделябр, — замечает Кел.

— Не женили б, — возражает Март с торжествующим видом. — Папка с мамкой за всю жизнь свою ни о чем не договорились, потому ни за что б не сошлись насчет того, на ком мне жениться. Был бы я, как сейчас, свободный да холостой и не расхлебывал бы никаких дурацких последствий, как Шила Редди.

— Да нашел бы, во что ввязаться, — говорит Кел. — Заскучал бы иначе.

— Мог бы, ладно, — признает Март. — А сам-то? — Прищуривается, оценивает Кела. — Я б решил, твоя мамка искала б тебе приятную радушную девицу с хорошей постоянной службой. Медсестру, может, или учителку; идиёток тебе не надо. Эль Макферсон* не ищем — мамке твоей такие хлопоты не нужны, — но все ж смазливенькую. Чтоб смеяться умела, но без глупостей, без чумовой жилки. А папке насрать было б. Я прав или я прав?

Кел не в силах сдержать полуулыбку.

— Довольно-таки.

— И может, оно б тебе на пользу пошло. Не торчал бы сейчас на горе с разбитым коленом уж всяко.

— Кто знает, — говорит Кел. — Твои же слова — безумный у нас мир. — Замечает, что Март тяжко налегает на клюку. Шагает он резче и скособоченней, чем на пути в гору или даже в начале пути вниз, а лицо напряглось от боли. Суставы расплачиваются за поход.

Путь постепенно делается пологим. Вереск и болотная трава у кромки тропы уступают путанице полевых растений. Начинают чирикать и лопотать птицы.

* Эланор Нэнси Макферсон (р. 1964) — австралийская модель, актриса, дизайнер.

— Ну вот, — говорит Март, останавливаясь там, где тропа протискивается между изгородей к мощеной дороге. — Знаешь, где находишься?

— Понятия не имею, — признается Кел.

Март смеется.

— Иди этой дорогой примерно полмили, — говорит он, показывая клюкой, — выйдешь на борин*, который позади земли Франси Ганнона. Увидишь Франси — не волнуйся, он на этот раз трепаться про тебя не станет. Воздушный поцелуй ему пошли, он и счастлив будет.

— А ты не домой?

— Ой батюшки, нет. Я в "Шон Ог", пропустить пинту-другую-третью. Заслужил.

Кел кивает. Он бы и сам выпил, но ни ему, ни Марту оставаться в обществе друг друга не хочется.

— Ты правильно поступил, что отвел меня туда, — говорит.

— Это мы посмотрим, да, — говорит Март. — Потискай Лену от меня. — Салютует клюкой и хромает прочь, а низкое зимнее солнце отбрасывает по дороге за ним долгую тень.

В доме холодно. Вопреки многим одежкам и физической нагрузке, Кел промерз насквозь; гора проникла в него глубоко. Он стоит под душем, пока не кончается горячая вода, но чувствует, как холод распространяется из костей, и Келу кажется, что он по-прежнему пропитан густым запахом торфа, отравленным смертью.

В тот вечер он сидит дома и не включает свет. Не хочет, чтоб явилась Трей. Его сознание еще не вернулось в тело; не хочется, чтобы она увидела его прежде, чем сегодняшний день хоть немножко выветрится. Все, что на нем было, Кел складывает в стиральную машинку и усаживается в кресло, смотрит в окно, как поля гаснут до морозного синего сумрака, а горы теряют подробности и превращаются в темный покойный окоем. Кел думает о Брендане и о Трей там, в этом неизменном очерке; Бренданом

* Искаж. от ирл. *bóithrín* — тропа, проселок.

постепенно овладевает воля болота, Трей исцеляет раны свои сладким воздухом. Кел думает о том, как прорастет что-то там, где пролилась в почву его кровь, и о своих руках, что копали сегодня эту землю, о том, что они пожали и что посеяли.

Трей приходит назавтра. Когда стучится в дверь, Кел гладит на столе одежду. По одному лишь напряженному стуку он чувствует, чего ей стоило так долго не появляться. Трей попросту колотит в дверь, словно главное — радоваться этому грохоту.

— Заходи, — кричит он, выключая утюг из розетки.

Трей осторожно закрывает за собой дверь и протягивает фруктовый кекс. Выглядит она гораздо лучше. На нижней губе все еще здоровенная болячка, но фонарь на глазу посветлел до бледной желтоватой тени, и в целом двигается она не так, будто ребро ей мешает. Кажется, выросла еще на полдюйма.

— Спасибо, — говорит Кел. — Как ты?

— Шик. Нос у вас получше.

— Помаленьку. — Кел кладет кекс на стол, достает из ящика часы. — Я добыл то, что тебе надо.

Протягивает Трей часы. Они чистые — Кел их прокипятил, а потом оставил на ночь на обогревателе. Понимает, что, вероятно, им хана и никакой починки, если только болото не опередило его, но сделать это было необходимо.

Трей переворачивает часы, смотрит на надпись сзади. На руках у нее отметинки, розовые, глянцевитые — там, где отвалились сухие корочки.

— Это братнины часы, — говорит Кел. — Так?

Трей кивает. Дышит так, словно дается это с трудом. Тощая грудь вздымается и опадает.

Кел ждет — вдруг Трей что-то хочет сказать или спросить, но она просто стоит, смотрит на часы.

— Я их вымыл, — говорит он. — Они не ходят, но я найду хорошую часовую мастерскую и выясню, смогут ли они их починить. Но, правда, если хочешь их носить, придется говорить всем, что Брендан их с собой не взял.

Трей кивает. Кел не уверен, что́ из сказанного она услышала.

— Маме можешь выложить как есть, — говорит он. Что б ни вытворила Шила, она имеет право хотя бы на это. — Но больше никому.

Кивает еще раз. Трет большим пальцем оборот корпуса, словно если тереть посильнее, то надпись сжалится и исчезнет.

— Кто уж там вам дал их, — говорит она, — они все равно могли лапшу вешать. Насчет того, что случилось.

— Я видел тело, малая, — бережно говорит Кел. — Увечья совпадают с указанными в моем рапорте.

Он слышит, как Трей со свистом переводит дух.

— Вы как Гарда.

— Я знаю.

— Оттуда это взяли? С его тела?

— Да, — отвечает Кел. Он понятия не имеет, как следует поступить, если она спросит про тело.

Не спрашивает. Говорит:

— Где он?

— Похоронен в горах, — говорит Кел. — Я б не нашел то место, если б даже год искал. Но место хорошее. Тихое. Не видал кладбища спокойнее.

Трей стоит, смотрит на часы в руках. Затем разворачивается и выходит за дверь.

Кел наблюдает за ней в окно, она огибает дом сзади и удаляется в сад и далее через калитку выбирается на заднее поле, продолжает шагать. Кел смотрит ей вслед. Она садится на кромке его леса, спиной к дереву. Куртка сливается с подлеском, различить Трей можно только по красной вспышке худи.

Он достает телефон, пишет эсэмэску Лене. "Щенок еще ищет дом? Малой не помешал бы пес. Она о нем позаботится".

Проходит несколько минут, Лена отвечает. "Два пристроены. Трей может выбрать из оставшихся".

Кел пишет: "Можно мы с ней зайдем как-нибудь и посмотрим их? Если тот заморыш еще свободен, я б хотел сойтись с ним поближе, прежде чем забирать домой".

На этот раз телефон жужжит тут же. “Он больше не заморыш. Объедает вчистую. Надеюсь, вы состоятельный человек. Приходите завтра к вечеру. Буду дома к 3”.

На посиделки в лесу Кел выделяет Трей полчаса. Затем принимается выносить причиндалы для починки бюро в сад, по частям: брезент, само бюро, ящик с инструментами, шпатлевку по дереву, обломки стенки, кисточки и три баночки морилки, купленные в городе. Выносит и кекс: его самого в детстве, когда накрывало эмоциями, всегда одолевал голод. Еще один прекрасный зябкий день, в жидком голубом небе тонкие мазки облаков. Послеобеденное солнце легко лежит по полям.

Кел укладывает бюро и пристально разглядывает проломленную часть. Не так все плохо, как он думал. Решил было, что предстоит все разобрать и заменить заднюю панель, а на самом-то деле, пусть кое-где дерево расщеплено так, что уже не спасти, многие щепки можно вернуть на место и склеить. Бреши останутся небольшие, их сгодится замазать шпатлевкой. Осторожно, стоя на коленях на брезенте, он начинает выбирать неспасаемое. Из остальных обломков вычищает пыль малярной кистью и затем мажет их клеем, один за другим ловко вставляет на свои места. Плечо держит развернутым к лесу.

Вставляет длинную щепу на место и слышит шелест ног по траве.

— Глянь, — говорит Кел, не поднимая взгляда, — по-моему, нормально получается.

— Я думала, мы это разберем и новую стенку поставим, — говорит Трей. У голоса шершавая кромка.

— Да не похоже, что надо, — говорит Кел. — Если хочется что-нибудь разобрать, найдем другое. Мне б еще одно кресло не помешало.

Трей садится на корточки, присмотреться к бюро. Часы она убрала куда-то в карман. А может, выбросила в лесу или закопала, но это вряд ли.

— Хорошо смотрится, — произносит она.

— Вон, — говорит Кел. Показывает на банки с морилкой. — Попробуй вон те на обломках, выбери, какая лучше подойдет. Может, придется смешать, чтоб получилось как надо.

— Тарелка нужна или типа того, — говорит Трей. — Смешивать.

— Старую жестяную возьми.

Трей шагает в дом, возвращается с тарелкой и кружкой воды. Устраивается, скрестив ноги, на брезенте, раскладывает вокруг себя все необходимое и принимается за работу.

Грачи на дереве спокойны, перебрасываются репликами, время от времени взмывая и опускаясь погостить в соседское гнездо. Один тощий грач повисает на ветке вниз головой — глянуть, как мир смотрится из этого положения. Трей смешивает морилки в тарелке, выкрашивает опрятные квадратики на завалявшемся бруске и нумерует их карандашом по какому-то своему принципу. Кел вправляет щепки по местам и сцепляет их между собой. Чуть погодя вскрывает упаковку кекса, они отламывают по куску и усаживаются на траву поесть, слушая, как грачи обмениваются вестями, и глядя, как тени облаков скользят по горным склонам.

Благодарности

Огромен мой долг благодарности Дарли Эндерсону, великолепнейшему литературному агенту, какого можно себе вообразить, и всем в агентстве, особенно Росэнне, Джорджии, Мэри, Кристине и Ребеке; моим потрясающим редакторам Андрее Шульц и Кэти Лофтас, кто посреди пандемии отыскивал время и терпение и умел сосредоточиться, чтобы сделать эту книгу намного лучше; чудесным Бену Петроуну, Нидхи Пьюгалии и всем в “Вайкинг Ю-Эс”; чрезвычайно опытным и чрезвычайно разумным Оливии Мид, Энне Ридли, Джорджии Тейлор, Элли Хадсон и всем в “Вайкинг Ю-Кей”; Сусанне Хальбляйб и всем в “Фишер Верлаг”; Стиву Фишеру в “Эй-пи-эй”; Джессике Райен — за то, что стала моим северокаролинским словарем (все допущенные ошибки мои); Барьбре Ни Хывь — за то, что заполнила пробелы в моем ржавом ирландском (то же самое); Фяргасу О Кохланю — под его присмотром я убивала людей безошибочно; Киаре Консидайн, Клэр Ферраро и Сью Флетчер — за то, что придали всему этому движения; Кристине Йохансен, Алексу Френчу, Сьюзен Коллинз, Нони Стэплтон, Полу и Энне Ньюджент, Уне Монтаг и Кэрен Джиллес — за всегдашнее бесценное сочетание смеха, болтовни, поддержки, творчества и прочего необходимого; Дэвиду Райену — клинически доказано, что он полезен от подагры, ускоряет широкополосный интернет, облегчает похмелье и изгоняет тлю; моей матери Елене Ломбарди; моему отцу Дэвиду Френчу и, как обычно, лучшему мужчине из всех, кто мне знаком, тому, с кем я бы села в любой карантин, — мужу Антони Брятнаху.

Литературно-художественное издание

роман

Перевод Шаши Мартынова

Редактор Максим Немцов

Художник Андрей Бондаренко

Корректоры Ольга Андрюхина, Олеся Шедевр

Компьютерная верстка Евгений Данилов

Главный редактор Игорь Алюков

Директор издательства Алла Штейнман

Подписано в печать 12.10.21 г. Формат 60×90/16.
Печать офсетная. Усл. изд. л. 26,0. Заказ № 2112210.
Тираж 4000 экз. Гарнитура “Октава”. Бумага офсетная Classic.

Издательство “Фантом Пресс”:
Лицензия на издательскую деятельность код 221
серия ИД № 00378 от 01.11.99 г.
127015, Москва, ул. Новодмитровская, д. 5А, 1700
Тел.: (495) 787-34-63
Электронная почта: phantom@phantom-press.ru
Сайт: www.phantom-press.ru

arvato BERTELSMANN Supply Chain Solutions

Отпечатано в полном соответствии с качеством
предоставленного электронного оригинал-макета
в ООО «Ярославский полиграфический комбинат»
150049, Россия, Ярославль, ул. Свободы, 97

По вопросам реализации книг
обращаться по тел./факсу (495) 787-36-41

9 785864 718827 >